我不

入世即俗人，但总有一些俗人，俗得和你我不太一样

大冰作品

C·S 湖南文艺出版社
HUNAN LITERATURE AND ART PUBLISHING HOUSE
博集天卷
CS-BOOKY

098　老兵不死

所谓英雄，或许大都是如此这般自惭着的吧。
锁心苦行，把自己囚禁在真挚中，真挚到荒谬。

像你这样不忠不孝不仁不义的人不会再有了。
不会再有人可以成为一个像你这样的父亲，或英雄。

成都姑娘

那天夜里她问我，读这篇文章的人里，会不会有许多个"曾经的莉莉"呢？
她说她明白那些莉莉最需要什么，她说她想为那些莉莉做点儿什么。

好吧，如果你读了莉莉的故事，如果你也是一个莉莉，请接受莉莉的邀约：
莉莉计划每半年邀请一位莉莉去波尔多，食宿全包，她出机票，她陪你吃喝玩乐。
她希望你能和她共同生活一个星期，或许她能帮你夯实一些东西，帮你把疑虑和困扰解开很多很多。

失恋失业又如何，咪咪掉了碗大个疤。
谁说下一个变身的莉莉，不会是你呢？

300 北方的北方有北极光

光芒越来越强，铺天盖地逸动变幻，瑰丽得像玄幻大片一样。
……绿得嘞，闹鬼一样。

他攥着手机哆嗦了一会儿，看着我的眼睛说：哥，我准备好了！
我们一头雾水地看着他摁亮手机，按下人肉炸弹遥控器一样地郑重！
大梦你要干什么？
大梦你千万别想不开啊！
…………
那一刻的我们，并不知道几秒钟后要发生的事情，其实比爆炸更让人震惊。

364　《我不》义训

◎万事万物林林总总，

　　既非凭空生，亦非独立存，

　　必是因缘和合，聚化而成。

◎生如逆旅单行道，哪有岁月可回头。

◎对年轻人而言，没有比认认真真地去"犯错"
更酷更有意义的事情了。

◎追风赶月莫停留，平芜尽处是春山。

◎有意思比有意义更有意义。

弟弟

你若认为我是在讲一个励志的故事，那你错了。

从不屑于煲鸡汤，若说熬，只熬苦口明心的江湖黄连汤。

今朝这则故事，却也不算黄连汤，不过是一瓢满舀因果的小善缘
罢了。

所谓小善缘：
小就是不深不浅，
善就是天性使然，
缘就是聚合离散。

万事万物林林总总，既非凭空生，亦非独立存，必是因缘和合，聚化而成。
欲说缘，先说因，因缘具足，方有了万物暂时性的组合，否则是扯淡。
所谓小善缘，应作如是观。

依此小善缘，或可重返那些故乡，重逢那些家人：
那些并不是籍贯的故乡。
那些没有血缘关系的家人。

（一）

有天我把小屋的成员盘点了一遍，日常羡慕了自己一分钟。
羌、彝、藏、满、回、瑶、蒙古……
小屋6个分舵收留的40多名歌手涵盖了十几个民族，各族人民大团结。

个中我最亲的是白玛，门巴族，和六世达赖仓央嘉措一个民族，少数民族中的
少数民族。
他来自西藏林芝雅鲁藏布大峡谷拐弯处，全名白玛列珠。

白玛一直很奇怪，为何我总是肉麻兮兮地喊他弟弟。

一直到此刻，白玛也不明白他为什么会进入小屋。

想想就觉得好玩儿——背后的那个故事，他并不清楚……

白玛唱歌好，酒量好，体能好，心眼儿实诚，偶尔我会派他去执行一些特殊任务。

比如：去把老兵弄死一个晚上。

所谓弄死，指的是喝死，老兵老了，不宜独自喝闷酒，我不在古城的日子里，总要有人替我去消灭这个老东西的孤独。

白玛的门巴萨玛酒歌和他的酒量一样动人，可涤前尘，可慰风尘，每每将老兵傻笑着放翻，当真是祛愁洗心的不二人选。

事了拂衣去，深藏功与名。白玛每每胜利完成任务后，会玩上两小时的失踪，手机也打不通。起初小屋里的人不明就里，白玛一失踪就咋咋呼呼地给我打电话，各种担心。

我打电话问老兵要人，他已经醉成王八蛋，肿着舌头喊：白玛不是回家了吗？

唱着歌走的……你让他滚回来，我还能行，我没四……

什么没四？你还没六呢。我挂了电话，太烦人了，老家伙在电话里一个劲儿喊：……再来一饼！

"瓶"字他念成"饼"，都醉成啥样了都，舌头都僵了……

哦，看来白玛回住处了，他的住处距离古城5公里，应该是在走路回去的途中，喝了酒不骑电动车，看来意识还很清醒。

这孩子，醉酒了也不忘省打车钱，肚子里装着一斤白酒吧嗒吧嗒走路回家去睡觉这么生猛的事儿他干得出来。

这么生猛的事儿，他不是第一次干了……

他第一次在武汉见我时，也是走路来的，从遥远的蔡甸区东风大道走啊走啊走，终于走到地铁站，然后一路贴饼子般挤到伟大的光谷。

那时候他即将成为小屋的歌手，应我的要求，顶着一头雾水来面试。

初见面时他愣了半天，嘿嘿地笑着搓手。

他说：我所有的同学都不相信大冰会回复我的私信，还约我吃饭……老师你怎么这么奇怪？

我说呸，别喊老师，喊老哥。

他用力和我握手：哇，就是这样一双手写出的那些书啊，唉，原来老哥你的手又粗又短的……怎么手腕上还有个烟疤？

我说别问那么多，先吃饭聊天。

我和小明带他吃了法餐，开开心心地聊天扯淡，饭后送他回学校，可他不上车，龇着牙笑：老哥，吃这顿饭已经很让你破费了，就别再花汽油钱，我可以坐两站地铁，然后走路回去呀。

汽油钱能有几个鸡毛钱？跟我较这个劲干吗？

可他坚持要较劲，咋说都不上车，于是我用裸绞将他放翻，叠巴叠巴塞进越野车的后备厢。

我和快车手小明把他运回了遥远的蔡甸，抵达目的地时我深吸一口气，车程

58分钟。

白玛一直到下车时都在碎碎念，各种嫌弃我们，指责我们一来一回浪费了太多汽油钱。

这么远的地方，地铁并不能缩短多少路程，他当真打算走回来？

我×，他好像本就是走路去赴约的。

我年轻时代体能最巅峰时期，徒步行军最高纪录是每天60华里，和他一比，洒洒水毛毛雨。

返程时小明吓坏了，她问：你从哪儿认识的这号大神？神行太保吗！他如果去玩徒步，秒杀全中国的户外俱乐部……

小明高中时代就徒步过滇藏线，不是没见过世面的人，能让她敬佩到花容失色的人真心不多……

我摇下车窗，点上一根烟，淡淡地告诉小明：

我这个弟弟，永远不可能去把徒步当玩……他活到22岁，一直都在徒步。

小明皱眉：搞么事？才见了一面就认弟弟，肉不肉麻啊你？

她说：个斑马[1]！谁允许你在我车上抽烟了，赶紧给我把烟掐了，不然你也给我徒步回去。

我是个有骨气的人，但我深知，永远不要和一个武汉姑娘对着干，因为你不会赢。

就像我深知，永远不要和一个像白玛那样的门巴族孩子比赛徒步，因为你不会赢。

在考来武汉上大学之前，白玛住在遥远的墨脱。

那时他是个小背夫。

传说中的墨脱背夫。

（二）

十几年前，中国背包客运动乍兴，彼时概念界定尚狭窄——众人朴素地崇尚毅力、勇气和体能，比如，走过墨脱爬过乔戈里峰（K2）。

墨脱，秘莲花，白马岗。

墨脱是西藏的西藏，高原孤岛，当年墨脱不通公路，深深藏匿在雅鲁藏布江大峡谷最深处。

那里是边境，没有办理边防证的人当年常被阻拦在兵站处，不少人哭着来哭着走，功亏一篑，千辛万苦来时路。

当年这里的路全中国最虐，像是老天爷专门造出来耍人玩儿似的。

路搁在喜马拉雅断裂带上，地震不来则已，来则翻天覆地，加之多云多雨，于是塌方也密集，泥石流家常便饭一样稀松平常。

20世纪90年代曾修建过一条公路，叫扎墨，花了老鼻子钱[2]，倒也开进来过一辆车，然后路就断了，各种滑坡断面，被榴弹炮炸过三遍一样。

那车自打进来就再没出去过，日晒雨淋生锈掉漆，沧桑成了文物。

它至今还在忧郁地思索：我是谁？我从哪儿来？要往哪儿去？我他妈到底算是辆车还是坨城市景观雕塑？

那辆车孤独了很多年，特别可怜，墨脱正式通车是很后来的事了，全中国最后一个通公路的县。

墨脱公路通车之前，出入的路不过两条：

一条是翻多雄拉雪山，从派镇走背崩。另一条走的是嘎隆拉雪山，从波密进。

两条路皆长达一百多公里，徒步行军的话，快则三五天，慢则不好说……多少人万里迢迢慕名而来，但永远留在了这条路上，坠崖、雪崩、塌方、迷路或失踪，客死他乡。

山高路远，野林茫茫，阴雨连绵骤雨急降，筋疲力尽，道阻且长，旱蚂蟥噼里啪啦往人身上跳。

曾经有一个时期，那里没有Wi-Fi没有手机信号，徒步墨脱不找门巴背夫，几乎类似于爬珠峰不找夏尔巴向导。

门巴语里，背夫叫"容巴"。

殒命此路的容巴，亦不计其数。

早年间，背夫们结伴背物资时喊号子，谁号子断了，谁应该是掉到崖下去了，最凶险的那段叫老虎嘴，下去了也就下去了，罕有虎口脱险的。

几十年来不通路，墨脱背夫靠双肩背盐巴和粮食，背各种物资。

钢筋水泥等建筑材料也靠他们背，背过吊桥藤桥，背上溜索，背着爬过海拔4000多米的多雄拉，雪崩来了跑不赢，持咒念经，听天由命。

一个墨脱背夫平均负重80斤，最多能背80公斤，整个县城都是靠他们用最原始的方式背出来的，成千上万吨的物资。及至近年，路虽通车了，徒步旅行者却渐增，容巴渐渐服务于旅行者的辎重行李，什么他们都背，偶尔也无奈地背起某些累哭了的大活人，给人当腿。

门巴人惊人的体能,小屋里的人见识过。白玛初来小屋时恰逢供货商送啤酒,两根烟的工夫,连卸车带码货,他一个人搞掂了满满一皮卡的货。

车停在50米外,库房在二楼,这孩子跑前跑后跑上跑下连个汗星子都没落,玩儿似的。我和老兵张着嘴仰着头傻看着他,他扒在窗沿上龇牙,黑黝黝的高原脸上灿烂无比。

他笑着咽口水:啊呀,这么多啤酒呢,我能喝一点儿吗?

我说自己家的东西客气个屁,弟弟,松开腰带你随便造!

我和老兵蹲在楼下抽烟,各种啧啧。老兵说,按这家伙的体能,应该会是个不错的侦察兵坯子。我们谈了一会儿单兵负重越野和武装泅渡,而后爬上二楼去陪白玛喝一喝,刚一冒头集体唬了一跳……

就这么一会会儿的工夫,大半箱风花雪月易拉罐干没了?这什么肚子?怎么这么能喝?!

白玛就乐:啊呀,这个酒嘛,水一样,还是我们墨脱的鸡爪谷黄酒力气大一些。

欸?不好喝你还喝这么多?

好啦弟弟,开玩笑的,喝吧喝吧随便喝。

他拘谨了一下,也就放开了,说以前在墨脱一个鸡蛋卖5元钱,一瓶啤酒要卖20多元,一来冬天雪封山,物资运不进来,二来主要是运费贵,全靠人背,背酒的人全是喝不起的人,舍不得……

容巴背货用脑袋背,藤带子勒在脑门上,走得再累货不离身,全靠Y形的多马³顶一下,歇歇脚。

一根多马传几代，白玛家里几代人都当过背夫。

白玛列珠是墨脱历史上最后一批背夫之一。

他很小的时候就成为一个容巴。

12岁。

（三）

白玛1994年生人，家里小孩八个，过世了三个。

病死了一个姐姐，病死了一个弟弟，摔死了一个哥哥。

大哥那时跟着爸爸当背夫，走到汗密往背崩的二号桥附近，摔死在塌方区。

只有爸爸和家里那匹马回来，亦是伤痕累累，妈妈陪着他们在野地里坐着，听不到哭声，只有整夜整夜的沉默。

像许多摔死的容巴一样，关于大哥，之后再也没有人提起过。

爸爸是还俗的藏传佛教宁玛派僧人，妈妈是普通的门巴妇女。不能当背夫的季节，他们需日日在田间劳作，不然没有吃的。二哥大白玛8岁，他负责背着白玛在村里上小学。一年级读完后，乡里小学招生，二哥没去，去了就没人照顾白玛了。

山野贫瘠，男儿早立，二哥自此辍学，却并不觉得白玛欠他什么。

大孩子照顾小孩子是门巴人的习俗，此地瘴气重，缺医少药，蛇虫出没，幼小的孩子容易夭折。

妈妈后来又生了一个弟弟，那个弟弟就差一点点夭折。

白玛说他记得很揪心，弟弟是深夜生的，生得太不是时候了。当时村里修水电站，每家每户都需要出几个背夫去 "80K" [4] 背钢筋水泥，爸爸也去了，家里只剩下妈妈、白玛和二哥。

当真是惊心动魄的一夜，白玛负责光着屁股在一旁哭，妈妈负责生，负责接生的是二哥。

没有别的人选了，村里那夜是空的，接生等于迎死，二哥当时不过13岁，双手颤抖，浑身的血。

几天后爸爸回到家，二哥才哭出声来。

他涕泗横流地喊：阿爸，家里都活着……

弟弟出生后，白玛接替了二哥的责任，二哥则开始跟爸妈下地干活。

白玛像当年的二哥一样，背着弟弟去村头上课。他那时最羡慕同龄人中家里有爷爷奶奶的——家务活可以少干，玩累了有人给做饭，肩膀也不会老是那么酸，起码不用每天背上湿漉漉的了。

弟弟小，经常在他背上大小便，就像他小时候在二哥背上时一样。

8岁时，爸爸送白玛去乡里上学，从村里到乡里走了一整天，沿着雅江走，越过一处处塌方。这样的路，没有大人陪送，幼小的孩子不可能活着走到学校，村里就有孩子是这样死去的……

白玛住校，学费不用交，粮食需从家里带，还有油和盐。

墨脱是西藏为数不多的产稻米的地方，但产量不高，大米不够玉米凑，两种粮食混着吃，也就饱了。

肉吃不到，白菜是学生自己种，周末也挖野菜，天矖菜、盘当菜……这样才够吃。那时男生女生都带着墨脱秋旺刀,不为防身,为学校厨房砍柴。

学校有自己的山地,用来给学生们做粮食补给,每年都会烧烧山,种点儿玉米。

远古时代的刀耕火种,不只存在于历史课本里,还依旧存活在这里。每年的烧山都极为壮观,铺天盖地的火焰,各种爆炸声,热浪轰轰地袭来,一波又一波,眼睛都快被烤干。

几个小时后,大片大片的灰尘从天而降,各种奇怪的味道也袭来,有烤灌木、烤杉树、烤甲虫、烤蛇……

烧山后的晚上惯常会下雨,那雨猛下猛停、忽停忽下,像被未知的神明操纵……

白玛后来跟着老兵的消防救援队去巡逻,遇见火他是不慌的,他在上小学时就已经习惯了,那时这一边书声琅琅声嘶力竭,那一厢漫山遍野噼里啪啦。

来来来,看看谁比谁的声音大。

墨脱的孩子也过六一儿童节,过年一样开心,这一天有肉吃,饭也是纯大米。其余的时间,依旧一半大米一半玉米。周末学校有时不开伙,白玛就去走读生家里帮忙干活儿,这样能混口热饭,家里的小锅米饭比学校的大锅饭好吃多了。

除了寒暑假,学校没有规定其他放假时间,谁粮食吃完了谁就放几天假回家去拿。

白玛基本没享受过这取粮假,他的口粮一般由二哥送来,一天的山路,七八处塌方,大几十斤粮食,二哥吭哧吭哧地背来。

袋子落肩，清清楚楚一圈汗。

二哥脑袋上一个肉凹槽，常年背货背出来的，容巴们都有。

走夜路会丢命，也没几个人有那样的体能，故而当天没办法返程，二哥就在宿舍跟白玛挤一晚，第二天早上会叮嘱一句：拉讲咧布哎⁵。

然后就走了。

二哥沉默寡言，见了老师和同学只会笑，他不会藏语，也不会说汉话。

每次等二哥走远后，白玛都会哭一场，良久才能平息，任凭同学们笑话。

他从9岁、10岁起，总觉得心窝里疼，觉得二哥的人生是被他毁掉的。

很多二哥的同龄人已经在县里上学了，还有些人考去了林芝，将来说不定能去拉萨……

而二哥一辈子只能这样了，种种地，当个容巴，挂着多马，脑袋上一圈肉凹槽。

不定哪天就会跌落在哪个悬崖下……

…………

来小屋上班后，白玛经常在休息时窝在小屋对面的台阶上，笑眯眯地看着行人，捻着佛珠。

我问他念的是什么经，他告诉我说是在持咒，祛灾祈福保平安，回向给两个哥哥。

我问，哎哟喵，那有我的份儿吗？

他笑：啊呀，这个可以有啊我的老哥。

他说：老哥，有时候觉得你很像我二哥，对我好得很呢。

他问：哎，咱俩素昧平生的，你为什么偏偏把我招进小屋呢？从来没挣到过这么多钱搞得人心里慌慌的，我家里人都以为我加入了什么犯罪组织呢……

我说：收！快憋哑哑了[6]，好好念你的咒去吧。
一来全是你劳动所得。
二来……都是你早就应得的。

（四）

每个人的起点不同。
有的人12岁就可以出国留学镀金，有的人12岁时为了继续读书，而当背夫。

那时白玛小学刚毕业，砍柴种地带孩子磨玉米样样可以，酿酒也可以，背着和自己等重的货物翻山越岭也是可以的。暑假时他跟着爸爸和二哥去派镇背货物，路过大哥横死的那片塌方区，新生的灌木和杂草森森，脚下的白玛西日河汹涌，如狼似虎。

爸爸和二哥的脚步不停，他追赶上去，沉甸甸的肩膀和心。

12岁时，他的面相已成熟得像十五六岁，体能也接近成人，能背50多斤。到初二时，背负力已完全等同于成年人，普通话也打好了基础，基本上可以跟汉人无障碍沟通。
起初独立揽活儿时，他没什么经验，问那些旅行者：你们需不需要民工？
旅行者反感坏了，觉得不浪漫，说应该叫向导或背夫。

游客少，背夫多，像白玛这样年纪小的几乎抢不到生意，好不容易碰见几个游客，头天说得好好的，转天早上就爽约。对方的理由颇具正义感：你未成年，雇用你犯法。

那些背包穷游的人说：未成年就出来干活，是不对的！你这种现象需要曝光！

白玛急得快哭了，操着生硬的普通话辩解：

我们这里穷啊，没有什么成年不成年，我们全家人都在帮我挣钱，我如果不一起多挣些钱，将来没办法继续上高中、上大学，弟弟妹妹也没办法上学……

夏虫不可语冰，那些人并不知这里的辍学率及其背后的诸般原因。

他们不会知道，有的孩子为了改变命运而外嫁，有的当了保姆去了拉萨，有的因是家中老大必须作为主劳力回家……有的必须和家人一起劳作才能维系一个家，乃至将学业延长，比如白玛。

争执了半天，那些人最终雇了他，但只给了成人背夫2/3的工钱，理由还是他未成年。

原来那些义正词严，全他妈是为了杀价。

那些丢尽内地人脸的套路，那时的白玛是不懂的，他是质朴的门巴。

他只一味高兴有了生意，傻呵呵地和人保证：放心吧，这些包我都背得了，我光着笔[7]也能翻过多雄拉！

别人吓了一跳，听不懂什么是"笔"。

他卸掉黄军胶鞋，抬起脚掌去证明：你看，全都是猛囊[8]，走多远的路都没问题！

即便被坑，寻到生意的机会也是少的，等得时间久了，盘缠和干粮也就尽了。

白玛那时从一天三顿减到一天两顿，再到一顿，最后饿着肚子去揽活儿。

这些事情是不能和家里讲的，爸爸已经老了，二哥已经够累了，而他坚信自己已经长大，不能偷懒躲在家里，只让爸爸和哥哥去当容巴。

若是那样的话，怎配当一个门巴？！

找到生意的时候还是有的，奇奇怪怪的客人不少，有被蚂蟥沾了吓得哭一上午以为自己中了剧毒命不久矣的，有沿途收集各种活昆虫的，有见什么动物都问能不能吃的……

白玛好生奇怪，怎么见到什么动物都想吃？

你们……不是从不缺粮食的地方来的吗？

他们确实是从不缺粮食的地方来的，缺的是爱。

有些雇主认为既然花了钱，就要花得值得，并不体恤他还是个孩子。

按理讲，越走包越轻，吃的喝的都在消耗，但好多次白玛越走包越重，某些所谓的背包客把白玛当超市的购物车用，一路上什么乱七八糟的东西都往他包里塞。

塌方区看见破石头，非说是化石，硬塞进包里。

原始森林看见烂朽木，硬说是珍贵木材，又给塞到包里……

白玛呼哧呼哧喘气，拉犁的牛一样往前拱着。他们又指导白玛说：

知道你为什么累吗？背包的姿势不正确哦，有长期徒步经验的人都知道，重心应该搁在腰上，不能只靠肩膀的力量……

他们口口声声热爱西藏，他们心心念念来这里洗涤灵魂、净化心灵。

他们有徒步经验，他们好为人师，他们热爱大自然，他们空着手走着。

旁边是个13岁的当苦力的孩子。

白玛后来总说他不委屈，毕竟人家花了钱了。他说：他们的钱，应该也是辛苦挣来的。

他说：他们用来游山玩水的钱，说不定也是在自己的家乡当牛做马挣来的。

我和他谈起月光族、余额不族、啃老族，他怎么也接受不了啃老族这个概念。

他问：真的吗？真的有很大一批人快30岁了还让爸爸妈妈养着？他们不会心疼人吗？他们自己的心不会疼吗？

白玛提到过一个小伙伴，也是少年背夫，遇到的是一个微胖的女客人。

女客人走了两天，就走得不要不要的了，第三天非央求小背夫背她。5个小时的路程走下来，小背夫还没说什么，那女客人先发制人：哎，加钱就加钱，但你别给我漫天要价。

小背夫瞪着那个女客人看，气憋了半天，喉咙里呛了一下，哭成了个孩子。

许多复杂的东西他还理解不了，他本就还是个孩子。

他没想过加钱。

白玛还提到过另外一个小伙伴，发小，从小一起长大，叫次仁旺姆，初三时死于头痛病。

旺姆死在大雪封山的季节，本来是小病，去林芝就能治好，但那时嘎隆拉隧道尚未打通，就算最勇敢的容巴们接力翻山送她，也无法将她活着送出去。

旺姆下葬时，人们在挖坑，白玛负责拿着树枝子赶苍蝇，门巴人的习俗，不能让苍蝇落在离去的人身上。

门巴人还有一个习俗，下葬时家属是要回避的，眼泪不能落在尸身上，泪会化作暴雨，哭声会变成巨雷，让她在那边那条路上走得艰难。

旺姆妈妈给了白玛一双旺姆生前最喜欢的旅游鞋，嘱咐白玛帮她穿上，但白玛扔了……

必须让你有遗憾，这样你才会重返这个世界。

虽然这个世界没有那么轻松，没有那么仁慈，没有那么公平。

（五）

白玛初来小屋时，除了我喊他弟弟，所有人张嘴就喊他哥，还有喊叔的。

我说他是九〇后，大家都乐：开什么玩笑，他比你都老好不好？摆明了七〇后哇。

白玛也乐，他性格极好，眯眼笑着，扭着头看看这个看看那个，挨个儿和人握手。

他的手茧厚皮糙，于是歌手们坚信我是在胡扯，也难怪他们尊老，白玛一额头美颜相机都拯救不了的抬头纹，着实太沧桑。

转过天来，小屋歌手羊鹿儿拽住我的袖子抹眼泪：我以为我就够苦了，怎么他比我还苦啊？

羊鹿儿从东北老工业区来，下岗职工家的孩子，是个不错的弹唱女歌手，也是头工作狂魔。她从不休假，天天唱歌唱到后半夜——母亲身患绝症，她是他们家唯一的指望和收入来源。

关于未来她没什么抱负，不化妆、不逛街、不谈恋爱，唯一的理想就是母亲能多撑几年。

这个苦兮兮的穷姑娘抹着眼泪儿问我：你知道为啥白玛食指少一块吗？

她抽抽搭搭地描述，是小时候干活，被柴刀切掉的，然后他只拿自己的童子尿滋了一下伤口，衣兜撕下来，包了一下！

她嗷的一嗓子哭出来：他妈的，咋连个创可贴都没有啊？

羊鹿儿心软，易动感情，我怕她哭死，没敢告诉她白玛小时候不仅没见过创可贴，而且7岁之前连鞋子也没的穿，别人车接车送上下学的年纪，他为了上学差点儿命葬嘎隆拉雪山之巅……

穷孩子易抱团儿，羊鹿儿后来总喊白玛一起吃饭，她为了省钱自己开伙，顿顿一锅地三鲜，俩人稀里哗啦埋头苦干，吃得那叫一个香甜。

羊鹿儿感动坏了，不仅是因为厨艺终于得到了肯定——白玛从不剩饭，更多的是因为白玛懂事，回回主动刷锅洗碗。

她说：你看你看，你看人家白玛多勤快多给面儿，唉，不像有些人哦，人和人可真不能比……

这话是说给高高帅帅的阿哲听的。

阿哲有时也去吃饭，也刷碗，但总剩饭……好像除了白玛，小屋的歌手里没几个人爱吃羊鹿儿做的菜，我也不爱吃……

炒菜不是干煸，好歹你也放点儿油……

谁说放酱油就等于放油了？再说土豆子怎么切那么大块儿？

阿哲是咸阳人，罕见的好歌手，也是个出色的钳工，善于维修水泵、散热器、水泥运输带、水泥搅拌站。来小屋当歌手之前他是个外派劳工，工作地在卡拉巴德，位于中亚，吉尔吉斯斯坦。

阿哲和鬼甬魏通并称小屋两大哑巴，沉默寡言到死，除了唱歌基本不说话。

这俩工人无产阶级平时对我这个流氓无产阶级爱搭不理的，却罕见地亲厚白玛。

好多个明媚的下午，他们躲在书店二楼上聊天扯淡弹吉他，白玛给他们唱门巴加鲁情歌，他们帮白玛补课，教了他许多吉他弹奏技巧和乐理知识。

阿哲还和白玛探讨创作：……写歌之前讲究积累，要多和人沟通多和人聊天，深入了解不同的人生和人性才行。

我和小樱桃在楼下听得那叫一个新鲜。

疯了吧，你自个儿都闷得像块木头似的还教别人放得开？

小樱桃说，她和阿哲一起带白玛吃过饭，结果把白玛给吓坏了。

樱桃不是歌手，是小屋丽江舵现任义工小管家。她是个没家的孩子，在超市里当了好多年导购员，两年前漂泊到小屋后就赖着不走了，决定在这里攒够嫁妆从这里出嫁，如果没人肯娶，就在小屋待一辈子。

小樱桃一生不羁放纵爱夜宵，最爱小龙虾大对虾皮皮虾各种虾。

她带着一堆人浩浩荡荡地去找皮皮虾，菜一上桌，先伸出挖掘机一样的爪子，结结实实往白玛盘子里抓了一大把。

白玛愁眉苦脸，他活了20多年从没吃过海鲜，好怕怕地看着这些虫子。更让人害怕的是，这些吧唧吧唧吃虫子的人非逼着他也吃虫子，还一个劲儿说好吃。

这些海里的虫子，长得像墨脱山里的"步"虫子一样……

……他们怎么啥都吃？这里不是不缺粮食吗？

白玛后来总说樱桃对他好，应该就是从那次吃海鲜开始的，樱桃挨个儿帮他把虾剥好，说这样看起来就没那么可怕了。樱桃往他嘴里硬怼，说吃吧吃吧快吃吧，不吃白不吃，反正是公款哈哈哈……

樱桃说白玛讲究，阿哲也夸白玛讲究，羊鹿儿说白玛一领到工资就请大家吃饭，一请就是好几顿，顿顿不让别人买单。

羊鹿儿在电话那头哑嘴，说明白他有他的尊严，只是让他太破费了……

嗯，我告诉羊鹿儿，白玛身上的这种讲究，我很早之前就明白了，且越来越明白。

第一个月的薪水给白玛发了8000元。

除了白玛自己，小屋里没一个歌手有意见。小屋本是个抱团取暖的地方，大家都很期待白玛可以一个暑假挣够半年的大学学费和生活费，但他自己紧张了好几天，天天怀里揣着那些钱，听说请大家吃完饭结账时，怀里摸出的钱已经汗漉漉地发软。

听说他家里人也紧张坏了：你那个什么酒吧的什么老板，是不是准备养着你去贩毒？

他给我发过信息：老哥，搞什么鬼啊？！

我没搭理他，抽着烟，摸着右手腕上的那个烟疤，隔着千山万水从监控摄像头里看着他抓耳挠腮。

不出意料，白玛把工资只留出了一小部分当学费，剩余的全汇给了弟弟们，他学着二哥当年的样子，给弟弟们打电话：好好上学。

在来小屋之前，他每个月都会勤工俭学，给弟弟打学费和生活费。

弟弟们都很用功，都在上学。

第二个月发给白玛的是10000元。

发薪那天樱桃打来电话，说白玛气坏了，他说自己初来乍到，怎么可能领10000元？搞什么鬼啊？一定是发错了。

我说，那就再给他加3000元，直接打卡上。

樱桃就笑：哥这么偏心白玛，是因为曾经在西藏住了好几年，有情结吗？

拉倒吧，当然不是什么情结，说了你们也不懂，懂了你们也不会信……

电话叮叮响个不停，白玛打来的，气死你，不接就不接。

一旁的小明礼貌地问：这位先生，请问你是不是要搞事情？

她说：个斑马！赶紧接电话别再让它吱吱了不然把你和手机一起从二桥上扔下去信不信？

我是个很有骨气的人，但我深知，永远不要和一个武汉姑娘对着干……

淡定地，随手设置了静音，又下意识地摸摸手腕上的那个烟疤。
耳畔江风徐徐，眼前历历晴川。
白玛哦白玛，我健忘的弟弟……
不用对我说图及切，那都是敏度的，这些穆欸本就是你应得的。

（六）

白玛自12岁始当背夫，每年暑假都在那条路上翻山越岭，从小学到初中再到
高中。
他后来一度在墨脱的七乡一镇很有名。

有名，不仅因他后来考上了大学，还缘于他的歌声。
说也奇怪，这样一个不被生活所宠溺的孩子，唱歌怎么会那么好听？

墨脱的县歌是他唱的，他坐在小屋里演绎给我听，两句还没唱完，满室皆
动容。
南迦巴瓦的遗世独立，雅鲁藏布的暗潮汹涌，全被他搬到了这间小房子里，哐
当一下砸进人心中，很难描述那是怎样一种嗓音条件怎样一种极致抒情，真他
妈好听。

他唱的萨玛酒歌也好听，加鲁情歌也好听，康区的藏歌也好听。
如果他进音乐院校，一定会是被教授们重点培养的优等生，这个小背夫当真是
天生的"中国好声音"。听说他曾去拉萨参加过全区音乐类统考，全西藏2000

多个考生，他考了第二名。

白玛目前就读于武汉商学院，2014级学生。
艺术类院校的学费普遍高于综合院校，他如果去了，底下的弟弟妹妹全得辍学。
他没能读成音乐专业，读了电子商务专业，学费5000元。

白玛第一次在武汉见我时，描述过择校时的心情。
并没有不甘和遗憾，他在描述时甚至有一丝侥幸，侥幸自己没有为家中增添更多的负担。

他回答了我的盘问，告诉我他二哥2006年结的婚，穷，娶的是爸爸亲妹妹的女儿，因为近亲结婚，怀了孕又流了产。因为辍学早，没有文化，只能依旧在地里干活，农闲时当容巴。
二哥的牺牲成就了他的学业，让他当上了大学生，他不知足不行。

他还告诉我，幸亏自己没上艺术类院校，一想到自己的弟弟妹妹如果因为他高昂的学费而读不成书，只能在家里待着，一辈子就这样过了，心窝子就疼。家里没多少地，难道让弟弟妹妹也去扛着货物当民工？

他说，每个哥哥都应该为弟弟妹妹做出牺牲，大哥做了，二哥也做了，现在轮到他了。
他说他其实牺牲得算很少了，大哥牺牲的是命，二哥牺牲的是人生，而他需要牺牲的只不过是歌声……

那天我们三个人坐在西餐厅里，他指指桌上的盘盘盏盏，说这么贵的东西他是第一次吃。

他说这样的餐厅，他的二哥和他的弟弟妹妹们，可能一辈子都不会进来，进来了也不会点菜。

···········

那天他笑嘻嘻地问小明：

阿佳[10]，你说这是什么情况啊？我只是一个普通读者而已啊，真没想过会被回复私信，还非要给我一份工作，还请我吃饭，还让你作陪······

每个像我这样来面试的人，老哥他都会这么大方吗？

他放下叉子，看着我的眼睛，正色问：

因为我是从西藏来的，我家里穷，所以老哥特殊照顾我吗？

那这顿饭我不吃，你的小屋我也不是特别想去了！

我说行了少废话，怎么这么能哔哔啊你，赶紧吃。

······时候未到，什么都不必问。

小背夫，这其实也不是什么面试，只是我履行一个承诺，向你发出一个邀请。

可白玛以为那天是面试，非要用实力证明自己，他把包间门关紧，抱着吉他唱了一首《白马岗》。他用的是门巴语，大意如下：

妈妈酿的黄酒
爸爸讲的格萨尔王
寺庙里的诵经声

这就是我的故乡白马岗

号角吹响
饮酒欢乐
青年的男女跳舞唱歌
这就是我的故乡白马岗
…………

这首歌他在离家前唱过，爸爸妈妈送他到村口，边走边流泪。
胸前是爸爸系上的哈达，喉咙里是妈妈端起的苞谷酒，腰里藏着全家人东拼西借的一万元钱，其中一部分是他从这条路上用汗换来的。
他哼起歌，健步如飞，不敢回头，不能回头。

有人轻轻敲门，五六个服务员站在门外，说唱得真好听。
光谷是全世界大学生最密集的地方，打工的学生满坑满谷，他们应该也是在勤工俭学，其中一个面膛黑红的年轻人冲我们笑得灿烂，他说：
啊，我在老家时听过这首歌，你就是墨脱亚东村的白玛吧！

他扭头和人介绍：真的，可有名了，大半个林芝都在听他的歌。
他问白玛：你也考上大学了吗？是武汉音乐学院吗？是学声乐吗？

我抢在白玛之前回答了他：学什么不重要……是啊，不仅考上了大学，而且也在勤工俭学。
我看看白玛，一字一句地说：他驻唱的酒吧是个小屋子，叫大冰的小屋。

（七）

来小屋之后，白玛曾讲过一次他的入学之路。

2014年的夏末，全中国应该没有哪个新生的入学之路比墨脱的白玛列珠更折腾。

快两天的时间，从墨脱辗转到八一，再由八一找了一天的顺风车去拉萨，在拉萨等了整整四天才买到火车票，一天一夜一路硬座到西宁。

西宁到武昌远，他买的站票，两天一夜，为了省钱。

等他背着一筐行李到学校时，又是大半个白天过去。

迎新的老师好生奇怪，都什么季节了，这位家长怎么还穿着棉衣?

老师怎么也没想到，面前的这张老脸是新生，这个新生来自遥远的边境线，跋涉了整整11天。

白玛12岁开始翻越多雄拉雪山，16岁半夜爬过嘎隆拉雪山，到了20岁这一年，终于走出了喜马拉雅山脉，从雅鲁藏布江畔来到了长江边。

他放下行李，擦擦汗，墨脱的泥沙还蹭在鞋帮嵌在鞋底，伴他抵达江汉平原。

白玛初到学校时没少闹笑话，好几次唬得人一愣一愣的。

第一次进教室上课，满屋的人瞬间安静，都以为他是老师，都很奇怪他为什么跑到后排坐着不上讲台站着。

第一次进宿舍也是这样，众人都以为他是来送小孩的家长，夜里就寝，同学奇怪地戳醒他问：叔叔，家长不是不能住宿舍吗？

他在被子里蒙头笑，醒来后真的当起了家长，接下来他主动包揽了宿舍卫生，室友们基本没机会扫地，马桶也是他刷。

转过年来，又逢新生入学，他蹬着三轮车去帮忙，学妹们诚恳地致谢：谢谢叔叔。

这事儿是真的，每年新生入学都会重演一遍，我没瞎掰，不信你去翻翻他2016年9月22日的微博。

…………

白玛在武汉的生活并非两点一线，教室和宿舍之外，他最常出没的是吉他社，在那里他可以名正言顺地唱歌。

三唱两唱，唱上了学校各个文艺晚会的舞台，成了校园歌王。

另外一个可以唱歌的地方是街头路演的舞台。

周末时商家搞促销，偶尔会在学校里找一些廉价的歌手演员，演出并不多，却一度是白玛重要的生活费来源。

关于白玛在武汉的生活，可以另开一个故事了。

有喜有悲，有好心的俯视、无心的欺辱，也有真心的帮助，好在都没晕染他的底色，他依旧是那个容巴出身的白玛列珠。

总感觉他应该是有些敏感的，总认为自己一个人代表着一个群体、一个地方，乃至一个民族，他生怕给自己的民族丢脸。

很难界定这种敏感是好是坏，抑或是不是一种负担，一个从小苦到大的孩子，小心翼翼地走在都市的车水马龙里，一如他年少时背着几十斤的物资翻过雪山，走过天险……

无论如何，自尊总是自己给自己挣来的，白玛后来在小屋所获得的平视，和学校里一样多。

短短两个半月勤工俭学的时间，他已是家人，离开小屋时手信收了一堆：

羊鹿儿赠他一个纪念款的变调夹。

周老师和鬼甬送给他一套口琴和口琴架。

樱桃送他一兜子恐怖的大闸蟹。

阿哲直接把自己的吉他塞给了他……

阿哲那把琴，好像是当年从中亚的吉尔吉斯斯坦背回来的。

白玛计划回礼墨脱石锅，一人一个，被大家严词拒绝。

疯了吧，横跨半个中国运一堆石头锅，你又不是骆驼……

阿哲后来想念白玛，就写了首歌，叫《白玛列珠》。

我出生的地方在西藏

那里是我美丽的故乡

我从不知什么是理想

但我的家乡有许多的牛羊

…………

阿哲那首歌唱得过于深情了。

我每次听都烦得要死要活的，搞什么搞？白玛又不是驾鹤西去了，他明年暑假还会回来的啊！

他们反问我，为什么是明年？！为什么寒假时不让白玛来勤工俭学？说！

哎？凶什么凶？脑壳里有乒乓吗？怎么搞得好像是我不让白玛来似的？

人家白玛寒假时有安排了啊！过去两年的寒假人家都是那样安排的啊……

我无权去改变白玛对自己寒假的安排。

甚至从某种意义上说，正是有了那些安排，才让我对这个曾经的小背夫真正高看一眼。

这几年的寒假，白玛都在当支教老师。

他选择的支教地点，是家乡墨脱。

（八）

我鼓励支教，用实际行动鼓励过，也一直在鼓励着。

但是抱歉，从不鼓励短期支教，尤其不鼓励那些蜻蜓点水式的短期支教。

趁着暑假寒假去短期支教的志愿者们，扪心自问一下，你们真的是去帮助那些孩子的吗，还是去给自己的人生攒故事？

或者，只是去捕获一份高尚感，寻找一份自我感动？

亲爱的，支教是种责任和义务，是去付出，而不仅仅是去寻找；

是一份服务于他人的工作，而不仅仅是一次服务于自我的旅行。

真正负责任的支教志愿者，不应该是一个只有热情的支教旅行者。

不鼓励短期支教，不等于反对支教。

如果可以的话，沉下心来在那些学校最起码教满一个学期如何？

只去蜻蜓点水地待上一两个星期或一个假期，你和孩子们谁的收获更大？

你倒是完成了一件有意义的事情了，人生得到升华了，可那些孩子呢，他们收获了什么？你匆匆来匆匆走，他们的感受会如何？

在"支教"这个名词里，主角应该是孩子，他们没有必要去做你某段人生故事的配角，也没有义务去当你某段旅程中的景点。
话说得重一点儿，你有权利去锻炼自己，但何必拿边远穷少地区的孩子们当器材道具！

或许有人会说：我们也牺牲了假期啊，不论我们去的时间长还是短，都是在改变孩子们的人生轨迹……这话没毛病，若能系统而严谨地良性影响一个孩子的人生，善莫大焉，积福积德。

但诚实点儿讲，改变孩子们的人生轨迹是你的首要目的吗？
冠冕堂皇的皮扒开，在你心里，改变他们的人生轨迹和丰富自己的人生轨迹，谁的排序更靠前？
人在做，天在看。
发心真的是诚的吗？

我认识好多真正的支教者，默默耕耘，认真备课，精进挚诚慈念灌心如大乘修行者。
一个真正的支教志愿者，心应该是平的。
不会盲目寻求道德上的优越感，也不会居高临下地去关怀。
真正的献爱心不仅仅是去成全自己，更不是去作秀或施恩。

综上所述，我和我身旁的朋友们从不鼓励短期支教。

但凡事不能一刀切。

若说例外，白玛列珠是一个，他的所作所为是值得鼓励的。

一来，他总说自己不过是去陪着那些弟弟妹妹玩而已，并不以一个支教志愿者的姿态自居，心态甚好。

二来，他来自墨脱，去支教的地方也是墨脱，诚心帮扶的是本民族的孩子，走出墨脱后的他反哺家乡，并非一个支教旅行的过客。

白玛和他的队友们都是墨脱籍大学生，来自西南民族大学、北方民族大学、上海海关学院、拉萨师范高等专科学校等，有男有女，几乎代表了墨脱的最高学历。

他们总说自己起不到什么太大的支教作用，若非说能起到一点儿积极作用的话，不过是授课之余现身说法，让孩子们知道，眼前的这些哥哥姐姐曾经跟他们一样艰难求学，甚至在比他们还要差的环境下读书，但最终走出了大山，人生有了更多的选择权。

所以加油坚持住吧！不要太早辍学去成家，早早地把一辈子交待了。

他们告诉孩子们：再穷也能找到上学的办法，不信你看白玛、容巴呢！背着几十斤货物翻过嘎隆拉！

除此之外，他们觉得自己还能起到的作用，不过是下课以后去帮孩子们洗洗涮涮，当完老师之后再给他们当一下临时的哥哥姐姐，都是些年幼的孩子，都缺乏照顾也需要照顾呢……

所以我并不认为白玛他们是在支教。

他们所做的事情或许比"支教"二字更重——或是在遵循及延续着一种门巴人

的传统吧。

每个民族有每个民族的传统，或许对那些深藏在雅鲁藏布大峡谷中的人而言，
兄弟姊妹间只有真正做到接力帮扶，才是合格的门巴。
就像两个哥哥对白玛的付出一样。
就像白玛对弟弟妹妹们的照料一样。

就像这些已经走出大山考上大学的穷孩子，丢下来之不易的勤工俭学的机会，
千里迢迢重回故乡，越过塌方，翻过雪山，去照料那些更小的孩子。
如此甚好，好一个门巴!
那些所谓的值得重塑的传统价值观，又岂是汉民族独有的?

所以我想我越来越明白若干年前真正打动我的是什么。
让我心心念念这么多年的，应该不仅仅是一个未成年的孩子。

………………
上一个暑假结束时，白玛并没有立即返回武汉，小屋总舵所在的古城离中甸不
远，他按藏地人的习惯去朝拜了卡瓦格博[1]，磕头转山。
他在飞来寺给我发来短信：老哥，我帮大家祈福了，帮你也祈福了。
我说：弟弟，谢谢你。

我叮嘱他：
转完山以后就回去好好上学有什么困难就联系我如果有急事就联系小明以后每
年暑假都记得来小屋报到将来毕业了如果愿意就一直留在小屋唱歌有我们一口
吃的就有你一口吃的你想在哪个小屋待就在哪个小屋待将来小屋就是你起飞的

甲板你能飞多高就飞多高加油啊弟弟老哥我看好你……

他说：可是，我能问一个问题吗？！

我说：No！不能！88！

（九）

你若认为我是在讲一个励志的故事，那你错了。

从不屑于煲鸡汤，若说熬，只熬苦口明心的江湖黄连汤。

今朝这则故事，却也不算黄连汤，不过是一瓢满咎因果的小善缘罢了。

种因得果，善缘善得，因缘具足须待时日。

倒也不必怪我卖关子，有些缘分，总应该满了十年再开口说。

十年前我27岁，那年拉萨刚刚开通火车。

那是我一生中的黄金时代，手边有啤酒，怀中有吉他，身旁有兄弟，心里住着一个野孩子。

那时我在拉萨开酒吧，有天忽然想去看看南迦巴瓦，于是背包独行，一路浪荡到派镇，又沿着莫测的山路去往大峡谷深处的秘莲花。

所以，白玛的家乡我去过，十年前的我，曾徒步过墨脱。

派镇到拉格山难翻，拉格到汗密路最长，原始森林里几度迷途，没遇见狗熊撵着我跑，只看到了猴子冲我龇白牙……

从没走过这么难行的路，可那沿途的景色，当真是美得惊心动魄。

越走越热，雨打湿了路，汗浸透了裤衩，塌方区的沙石踩不稳，蚂蟥钻进我的右手腕，我点了根烟去烫它，手一抖，刺啦啦一个永远的疤。

曾经沿着中尼公路的雏形从拉萨走到珠峰，也曾徒步走完一整条滇藏线从德钦到拉萨，但那条墨脱路，我走得几近崩溃，好吧，高估自己的体能了。
前路且长，横不能废在半中央，于是狠狠心扔了背包减轻负重，空手往前挪。

几个小时后，几个容巴山民路过我，其中一个问：老哥，这个包是你的吧？
他惋惜地说：扔了不心疼吗？我帮你背着吧。

人家用一种看败家子的眼神儿看我，我推辞不过，只好由他。
我们边走边聊天，骂蚂蟥骂天热，分着喝他装在饮料瓶里的黄酒，吃我的压缩干粮，还唱了歌。
原本提心吊胆筋疲力尽的路，莫名其妙就走完了。

分别时我掏工钱给他，他不肯收，估计是看我破衣烂衫，以为我穷困落魄。
他坚持说：我这是帮忙呀，帮忙是不能收钱的。
我追，他跑，我撵不上他。

我说：喂喂喂我可不想欠人的，别把我想得那么落魄，我在拉萨是有酒吧的。
他问我什么是酒吧。
我说：一个小屋子，很多人在里面唱歌挣钱，很多人在里面花钱喝酒听歌……
他笑：哈哈哈，唱歌还可以挣钱？

他开玩笑说：那等我将来长大了，去你的小屋子唱歌吧。

我想留他的电话，他说没有。
我想留个电话给他，他说算了算了。
我想留他的地址，哪怕是个学校的地址也行哦，他估计是怕我寄礼物，不肯说。
我傻站在路旁，冲他的背影喊：弟弟，名卡热[12]？名字总要告诉我吧！

那个小背夫喊，哎呀老哥，你怎么这么麻烦……
他远远地冲我挥挥手：……就喊我弟弟吧。

…………
当年13岁的白玛列珠应该不会知道。
整整10年之后，上天会重续这段小善缘。

所以，弟弟，希望我来得不算太晚。
把包给我背吧，脚下的这条路，老哥陪你走上一段如何？

▶ ▷ 大冰的小屋 · 丁唯哲《白玛》

▶ ▷ 大冰的小屋 · 王继阳《大山里的孩子》

▶ ▷ 大冰的小屋·白玛列珠《回家过年》

▶ ▷ 大冰的小屋·豆汁《温暖的你》（live版）

你好小蓝

那些动人的故事，大都始于平淡，蕴于普通。

却又伏藏在人性关隘处，示现在命运绝境中。

·············

无论如何，请坚持读完头八个章节。

道之不行，已知之矣。

笔耕砚田，度我者有情众生。

所谓有情，又名众生，生死相续，轮回转生。

所谓故事，皆为人事，所书所述，不离生死轮回间之有情众生。

众生轮回，故事也是轮回着的呀，谁说人家故事君只来这一次然后就拜拜永别喽？

说出来吓死你：娑婆境里，所有当下动人的故事，全都不是第一次发生。

那些动人的故事，大都始于平淡，蕴于普通。

却又伏藏在人性关隘处，示现在命运绝境中。

特别牛×：从不是过去完成时，永远是正在进行时。

车轮滚滚，辗转往复。

观机而动，永不断更。

所以读这个故事还是需要一点耐心的，**无论如何，请坚持读完头八个章节。**

下述43000字，本意并非搞哭你。

（一）

那辰光，小蓝还是只小护士。

小白帽子白大褂，双手抄在口袋里，小白鞋子PIA PIA PIA，蹦蹦跶跶的，鹿一样。

你晓得B站知名宅舞UP主咬人猫吗？把《极乐净土》跳得最带劲的那个包子脸小萝莉，小蓝就那个身高体量，却是瘦版的。

她是原装的壮族人，眉眼俏，鼻头也翘。

嗯呢，侧影和5毛钱人民币上的那个姑娘简直一毛一样[13]。

病人们都不怕她，背地里总喊她小朋友，她长得小小一只，再努力装严肃，也不像个大人。

长得像孩子，却是哄孩子小能手，小蓝哄的小孩全都有假牙。

内科老病人多，人老到一定岁数，要么混沌了心性，要么复活了天性，吃饭睡觉打针吃药不哄不行，她扶着白发苍苍一颗头，痛心疾首：

你乖一点儿行不行……把药片片吃了！吃了我就给你挠背。

70岁的老太太撒娇：你先挠……

她吼：我不！

老太太撇嘴，撩起枕巾擦眼泪，把脑袋缩回被子里装委屈。

她恨恨地跺脚，围着那坨被子转圈圈：你你你你懂事一点儿行不行……剪子包袱锤，一把定输赢，输了不许耍赖皮，赢了我给你多挠5分钟。

她把被子掀开一角，小声和里面谈判：你再不听话，我就先给隔壁床那个胖阿叔挠去了哈。

头抬起来，眼睛瞪得滴溜溜圆，她指着隔壁床叫唤：

阿叔！你把衣服撩起来干吗！你药吃了吗你？不吃不给挠的！

挠背舒服，舒服得人眯缝起眼，每逢这种时候，老人们爱和小蓝拉拉家常聊聊天。

和她聊天真好玩，姑娘城府浅，不经激也不经逗，三言两语就能逗得她变身。

她总是眨眼间小村姑附身，絮絮叨叨里，少年时乡间的生活重新灌浆抽穗、舒枝展叶：

夏日锄草、清晨挑粪、没有尽头的玉米地、弯腰割割割、阻力重重的水田，新臼稻米值几多钱……那些乡土间的话头，都是老人们熟稔的，爱听的。

……纱窗外青蝇嗡嗡。

拨开南中国上空的层云，正午的日光缓缓降落，掠过江面的薄雾烟气，抚过喀斯特地貌的小碧山，洒进镜面的水田，洒到病房里的床头被角，又弹落在人的眉梢发畔，晶晶亮一道金边。

床头断断续续的闲谝，窗畔青蝇嗡嗡。

于是愈发安静，于是愈发衬得此间的光逸动如风。

她有时候会忽然刹住话头，把爪子绕到人面前，怼到鼻子尖上。

你看你看你看……

她叫唤：又偷懒不擦澡是吧，我指甲缝里都黑啦！

…………

薪水微薄，小蓝却一度是医院里最勤快的小护士。

阳朔县人民医院呼吸内科业务繁忙，干不完的活儿，她省下中午吃饭的时间，帮病人微波照褥疮。人家赶她去吃饭，她说：不饿不饿，小时候在乡下干活儿时，经常就是一天只吃两顿饭的啊。

她并没想当劳模，只是下意识地效法祖辈乡民的古老经验：用插秧种地时的耐心去对待工作，天或欺人，地不欺农，春日多辛苦，秋后才挣得多。

整个广西来宾市忻城县新圩乡老街，就出了她一个读完了大学又当上了护士的，累就累吧，累着累着，工资就多了。
她心说，反正年轻，歇歇就过去了。

值班护士最累，小夜是19点到凌晨2点，大夜是凌晨2点到早上8点。
年轻小护士易犯困，常在值班室里乏得东倒西歪，唯她例外，常挨个儿病房溜溜达达，手是背着的，偶尔捶捶酸胀的腰，好似看青的老农夜巡——田间地头视察玉米，保卫西瓜。
起起伏伏的呼吸声，或轻或重……
她侧耳听听，满意地点点头：八错八错[14]，都睡得挺乖的……

平安无事也是一夜，心惊肉跳也是一夜，这里毕竟是医院。
生生死死，死死生生，医院是阴阳地，是一辆巨型生死过山车，福祸悲喜，起伏颠簸，这里是救命的所在，某种意义上亦是断命的场所。
真正大智慧的人，方能把这里当作观修无常之道场。
于医于患而言，这里只能是续命的战场，医士厉兵秣马，值班护士枕戈待旦，随时准备好迎狙突袭的炮火。

夜袭是惯常事，不来则已，来则猖獗。

呼吸内科里心脏病人急性发作的多，最多一个晚上抢救过三个。

从阎王手里拔河抢命，唯一个快字，上氧上监护仪都需用最麻利的动作，鞋子跑脱了脚是没工夫提的，小蓝必须飞奔着猛推抢救车。

争分夺秒，生命体征还是越来越弱，心肺复苏需垂直按压，她个子小胳膊短使不上劲，于是干脆爬上病床，撑直胳膊，用80斤的体重换压力。

压着压着，汗水顺着鼻尖往下滴答，压着压着，一旁的同事戳戳她……
她头也不抬地喊：没事！我还有劲，过一会儿再换人！
……下来吧，别忙活了，规定时间早就过了，人已经完全没了生命体征，救不回来了。

她不管，倔劲上来谁拦也不好使，埋着头接着按按着按……
不知怎的，骤然间两臂却软绵绵地消失了力气。
她爬下床，埋头疾走，门口处撞见病人家属，愣了一下，哇的一声哭成泪人：
……早知道，那天就多帮奶奶挠5分钟了。

小蓝小蓝。
小蓝是来苏药水味道里悄悄生长的一朵小花儿，干干净净的。
护士长说，可是，孩子你不能老是这样啊……
她说：干咱们这行的必须正视生死，你抓紧心理脱敏好吗，心、理、脱、敏！
小蓝嗯嗯嗯，使劲点头表决心，还捏起一个拳头给自己加油：下次就好了，下次就不会了！

决心下了有512G，转天从急救室里出来，继续梨花带雨。

她把脸埋进同事的肩窝里呜咽：可我就是难过啊，可我就是控制不了啊，你说我该怎么办呀。

年长的同事轮流过来拍拍她，帮她理理头发，帮她把小白帽捡起。

…………

前辈的护士姐姐们都爱她，护士长阿姨尤其稀罕她。

女人一年长就爱帮人牵红线保大媒，护士长那时热情高涨地给小蓝介绍了个对象——

自己儿子。

这么质朴乖巧又心善的小姑娘干吗不抓紧收了藏回家呢如果能当儿媳妇那该多好啊……

可惜，领导无缘变婆婆，几句话就被撅回去了，人家已经有主了。

遗憾之余，护士长纳闷地发问：傻小蓝哦，咱这模样咱这脾气性格，什么好女婿找不到，你怎么……

她扒拉着小蓝的脑袋，惋惜道：你怎么偏偏喜欢上一个摆地摊的呀？

她问：那人别是个混子吧？他怎么把你骗到手的？

又问：他没把你……怎么着吧？

啊呀呀呀你这孩子傻乎乎的可千万别一时糊涂啊……

（二）

混子还是骗子？不确定，也许吧。

从名字看确实不像好人，好人怎么会叫：蠢子。

蠢子蹲在桥头摆地摊，就是阳朔西街麦当劳对面的那个小石桥。

三尺粗布平展，卖化纤围巾卖手工荷包，也卖桂花香水，10元钱三瓶的那种。

客人来时，别人怎么吆喝招揽，他也学着低声吆喝，城管来的时候，别人怎么狼奔，他也象征性地跟着狼奔。

别人总能吆喝来生意，总能跑赢城管，唯独他例外。

他寡言，安静得像个树墩子，看起来很好欺负的样子。也难怪人家欺负他，世人吃柿子皆爱挑软的捏，话少的人总是自带三分好脾气地憨。

西街熙攘，举目皆脑袋，灯红酒绿里，这是个一回头就能模糊了长相的男孩子，普通得掉渣。

若说特别，勉强只因那副厚重的学霸眼镜。

黑框眼镜卡在脸上，酷肖年轻时代的罗大佑，弹琴唱歌时尤其像。

地摊上横着一把旧吉他，客人少时蠢子抱起来操练。

练琴、练声，锤炼那些缓慢而悠远的自己写的歌，不远处酒吧里的噪音扰不了他，他一练就是半个晚上，于是成交的客人更少。

"蠢子"二字，本是广西乡下对不良青年的俗称，搁在东北叫青皮，搁在北京叫串子，搁在青岛叫小哥，搁在杭州叫地棍，搁在上海叫阿飞，搁在他身上，名不副实地滑稽，一点也不威风。

蠢子是个理工男，就读于理工大学雁山校区博文管理学院地理信息专业，那时大二。家里不宽裕，他寒暑假跑来阳朔，摆摊揾地挣生活费，算是自力更生了。

学期读书，假期摆摊。

挣得不多，花得很省，从冬天到夏天又到冬天。

冬天是个容易恋爱的季节，有寒冷才有温暖。

蠢子和小蓝在阳朔的冬天遇见，就在那个乏人问津的地摊前。

那时水面寒气初生，小蓝自桥头走过，小鹿一样地轻盈，不少男人的眼神都偷偷跟着她的脚步蹦跶，随着她秀发甩啊甩……而后集体微微一诧异。

她停步，侧目，傻立在一个地摊前，出神地和那个其貌不扬的男生对视发呆。

第一眼对视就都愣了，于是有了第二眼。

以前见过吗？为何有如此似曾相识的感觉？

小蓝后来描述过那种感觉：不不不，绝不是什么一见钟情，只是心忽然被揪了一下……

这个人，这个人是谁？

后来蠢子说也有同感，很熟悉哦，熟悉到可以不用任何预设和铺垫，就可以十秒二十秒地，直视着这个陌生姑娘的双眼。

玄妙也，两人都有种久别重逢的感觉，但都想不起何年何月何地曾相见。

于是屏住呼吸认真地看，边看边想拼命地想，越想，心中越莫名地悲喜难言，却如同在静谧的大雾里开车，影影绰绰的怎么也清晰不起来。

好奇怪，莫名的淡淡的，悲喜难言……

刚才写的这些都是真的，并非我扯淡。

其实这似曾相识的感觉，世上无数人曾短暂拥有过吧，譬如你比如我。

可惜你我羞涩矜持，你我不敢惜缘，任凭小羽毛飘过眼前掠过指尖，也怯于伸手去捉弯腰去捡。故而，大多似曾相识的第一眼第二眼，大都终于擦肩而过，止于雁渡寒潭。

再奇妙的遇见，一个转身也就淡了。

万幸，他们不是你我。

没有局促地扭头，也没有礼貌地转身，那天桥头暮色里，两个普普通通的孩子只是呆呆地互相看着，一眼又一眼。

缘分是从此刻缘起，还是从此刻重续？

如果这时来一场冰凉的急雨该多好，是否就能浇散他们的视线？

如果狠心断掉那次对视，是否能够改写这场吉凶未卜的姐弟恋。

（三）

小蓝1991年生，蠢子1993年生。

年纪相差不大，面相上来看，蠢子甚至还要比小蓝成熟一点。

事实上也确实成熟很多，如此木头木脑的一个理工男，居然懂得霸道总裁风——有一天，他一把攥住了小蓝的耳朵。

吃烤Bia那天攥的耳朵。

鱼，壮语里念"Bia"。

那天巨冷，围巾只卖出两条，钱没挣到几多，约好了一起吃晚饭，俩人兜里却都羞涩。河边露天排档吃了烤Bia，只吃得起一条，这么寒碜的约会，也是没谁了。

都是水田里割过稻子的乡下孩子出身，小蓝并不介怀，她最爱吃鱼，但凡有鱼吃就开心得不得了，虽然这条鱼比做实验的小白鼠大不了多少……

其实还算饱，胃里半饱，浑身上下冻饱了。

南方的冷不是盖的，冬河畔寒气袭人，像浸了冰水的毡子，吧唧一下裹住人，潮湿冰凉的一层软壳，死死附在身上，由外及里地挂霜。

别人是寒由足底起，她由耳起。

先红肿了耳垂，后是耳廓，一条鱼吃完，耳朵油炸过的一样。

返程时俩人小跑，小蓝抄着手，嗖嗖地抽着凉气，蠢子袖着手跟在后面。

一头穷大学生一只穷小护士，两个从小苦到大的乡下孩子都已早早习惯了省钱，打车这种奢华的习惯，都还没有养成。

情浓路短，天冷路就长，小蓝拿出小姐姐的口气，扭头冲蠢子小声喊：

走快点啦，耳"都"快冻"丢"了……

天实在太冷了，嘴唇也生冷，她本来想说"朵"和"掉"的。

头刚转回来，黑影一闪，耳朵却一暖。

什么鬼！热烘烘的两只大手攥住她的耳朵，那双手胆怯了一秒，好像在犹豫该拿她的耳朵怎么办，紧接着发力，骑虎难下地攥住，牢牢地捂严。

然后就不冷了，耳朵找回来了，像啪上了两块暖宫贴，又像套上了两只刚出炉的全麦面包……

蠢子袖了半天，手温很是到位。

姿势也很到位，他高她一头，手的位置刚刚好。

去过火锅店没，服务员端锅上桌时什么姿势，他就什么姿势。

小蓝那时立马心律不齐了，心脏开始尬舞。

她努力遏制住眩晕，心说：这他喵的，就是书里描述的浪漫吧？

第一次有人用双手帮我焐暖耳朵……端锅一样！

这沉默寡言的家伙，居然这么大胆！招呼都不打一个就把我耳朵给捉住了？

她晕红了脸，脖颈子都开始发烫，脚下的节奏却渐放缓，奇怪，何时涌出来这一身热汗？

哎哟喂，咋忽然就没有刚才那么冷了？

更奇怪的是，这一幕，为何隐隐的，又有一种似曾相识的感觉？

几个微硬的东西摩擦在鬓边，触压着一跳一跳的颞动脉。

嗯，是茧子吧，食指上的、中指上的、无名指上的，弹琴弹出来的，他好像已经苦练了许多年……

她等着他开口说点什么，这种时候不是都应该有台词和对白的吗，韩剧里不都那么演……

聊聊自己写的歌也行哦，或者给我唱上半首吧，还没人给我唱过歌呢……

他却依旧寡言，只是擎着两手和她并排走着。

走得又慢又僵，真好似端了一锅热气腾腾的汤一不小心就会洒了似的。

那时他们尚未确定关系，只是"朋友"。

小蓝虽比他大，却一直无法在他面前扮演姐姐。

（四）

只有一次，短暂扮演过小姐姐。

那段时间医院里工作繁忙，小蓝常一次煮两份饭，吃一份剩一份，加完班后一回家就可以吃，吃完倒头就可以睡。

剩饭凉不凉是不管的，只为省出点时间，能早点爬到床上瘫一瘫。

阳朔多山，她住在山脚下的小破房，出租房，霉斑爬满山墙，小小一张单人床。

见面总是在半夜，交接班的间隙，俩人星光月光下并肩在街头走走，权当是约会了。

话很少，也没牵过手，烤鱼也再没去吃过，小蓝心疼蠢子挣得少，不想他坏钞。

知道她爱吃鱼，蠢子说：我帮你做顿豆腐鱼吧，咱们自己做，便宜。

又说，明天早上你睡你的，饭做好了我喊你。

虚掩的木门轻轻推开，他踩着晨光走进来，一手一个滴滴答答的塑料袋。

厨房比个纸箱子大不了多少，人站进去就关不上门，剖鱼、切菜、洗锅，他尽量让每个动作都轻缓……

不要发出杂音，莫扰了小护士熬夜后的清眠。

屋子太小，他的窸窸窣窣，小蓝猫在被子里听，不时地偷笑：这家伙，原来不会做饭。

理工男一会儿打一个电话，一会儿打一个电话，应该是打给妈妈，声音努力压低，求教如何去鳞、怎么切段、何时放豆腐、什么时候搁葱姜……

常年唱歌的人低音重，胸腔共鸣明显，轻轻的，嗡嗡的，隔着被子挠在耳畔。

小蓝忍不住掀开被角掏耳朵，一边入神地盯着他的背影看。

呆呆的、憨憨的、闷闷的、宽厚的、年轻的……

她起身，光脚走过去，无声地站到他身后，入神地看啊看。

心脏又开始尬舞了，眼睛一热，有些话莫名其妙地跑了出来，她听见自己对着那个背影没头没脑地说：我比你大，将来老得比你快，我只是个小护士这个小县城我可能一辈子也走不出去……

她听见自己说：

咱们不现实，你不要耽误了自己……回去读你的书吧。

男生回头，看她一眼，又低头继续盯着锅看。

半晌，瓮声瓮气地回答：……试一下吧。

锅盖掀开，浓雾散开，色香尚可，这条Bia死得还算体面。

他低声道：地上凉，你先去穿上鞋。

…………

后来不忙的时候，他们经常一起去买菜，医院门口有菜农，零零散散小菜摊。

肉也买，之前一个人时肉钱两三元，现在两人变成五六元。五六元钱的肉也就一管牙膏那么点儿大，人家抱怨：哎呀这个鬼怎么卖？

小蓝也哎呀：哎呀我们又没冰箱，买多了吃不了哇，哎呀哎呀，你看我这么小只，买多了吃不了哇。

买一次菜，菜金10元，够俩人吃一天。

壮族话的吃饭，叫"耕爱"。

他们一般一顿只耕爱一个菜，要么肉丝茄子加米饭，要么青菜肉丝挂面。偶尔蠢子做一次鱼，俩人一点汤汁也不剩地耕爱干净。

菜是不敢剩的，没有冰箱，怕坏。

洗衣机也没有，衣服洗完俩人一起拧，小蓝力气小，蠢子一使劲，她胳膊变麻花，哎哎哎地喊着，东倒西歪。后来再洗衣服，蠢子自己拧干，小蓝的手容易起冻疮，这些活他不再让小蓝干。

空调也没有，电视也没有。

偶尔有空，窗前闲坐，共同的爱好是听歌。

耳机一人一只，大半天不用说话，只是安静地听，中国的外国的，古典的流行的，小河的晓利的野孩子乐队的……

有时蠢子背着吉他来，他埋头练琴，她盘腿一坐，等着那些叮叮咚咚的拨弹从膝上跳过。

蠢子的音乐，小蓝是最初识货的人，超级爱。

她也是那时养成的习惯：习惯盘腿坐着听蠢子弹歌。

有时不用加班，她会跑来地摊上寻蠢子，也是盘腿坐，乐呵呵的，左顾右盼的。

你练你的琴就好，她说，我来帮你卖东西就好。

有曾经的病人家属路过，指着她问：哎哎哎，你不是那个……

她点头寒暄，一脸严肃：您家阿叔最近身体怎么样了？最近怎么没带他来复查啊？要上心一点儿哦……

又把爪子怼到人家鼻子底下：闻一闻吧，桂花香水，10元钱3个！很香！

小蓝招揽生意时，蠢子不看她，一言不发。小蓝问，你是不是不喜欢我来陪你摆摊哦？

他点头又摇头，黑框眼镜沉沉地压着眼帘，怀中的吉他也是缄默的。

于是小蓝不再追问，改聊明天的10元钱菜单：茄子已经吃了好几天了，不如明天黄瓜，后天豆角？

饮食男女，家常琐碎，很少有九〇后像他俩这样谈恋爱。明明两个20岁出头的年轻人，倒像是十几年的默契夫妻在过日子。满街的灯红酒绿莺歌燕舞，满世界的爱恨情仇别离喜悲都与他们无关。

他们那时的故事普通得要死平淡得像碗青菜汤：

最一穷二白的年纪，一个穷小子遇上一个穷姑娘，一个大男孩爱上一个好姑娘。

那简直是爱情最美好的模样。

（五）

小蓝后来没再去过地摊。开学后蠢子没时间再摆摊，但依旧夜夜来阳朔。

他那时找到一份酒吧驻唱的工作，离桥头不远，就在西街那儿。

每晚8点上班到凌晨一两点，再坐早上6点的班车回校上课。工资每天70元，来回车费30元，实得40元。

算上车上打盹时间，每天的睡眠勉强是够的。

这份工作辛苦，却比摆地摊时挣得多，还可以多陪陪小蓝，小蓝夜班结束时，他正好可以背着吉他等在医院门前，陪她一路散步，走回那间小小的出租屋。

他的话依旧不多，偶尔主动聊聊自己今天唱了什么歌，酒吧里又来了什么奇葩客人……大都是在小蓝情绪低落时才说，应该是又有病人没能抢救过来，她是撇着嘴的。

他不会劝人，只是停下脚步拽拽小蓝衣袖，陪她在路边坐坐。

坐下也无话，只是把一只耳机轻轻塞进小蓝的耳朵。

走走停停，停停坐坐，从冬天到夏天再到冬天，那条路后来很熟悉他们，每到半夜就清场，只留他俩在身上走着。

每天熬夜加奔波，蠢子瘦得很快，人脸一瘦，黑框眼镜愈发显大，像长者。

每每小蓝心疼他，想板起脸来说些什么，他只一句搪塞：放心，不会挂科。

两人感情极好，从不吵架，见拗不过他，她也就把话咽回去了。

一个学期下来，除了耽搁过几次地理信息概论课，所有的课业都很神奇地没有挂科，包括那个鬼知道有什么用的地理信息概论课。

小蓝惊讶他是学霸，他手揣在鼓鼓囊囊的裤兜里，笑眯眯的：

我涨工资了，请你吃顿牛排吧？

熨了衣服，擦了鞋，还为牛排专门洗了头。

都是生平第一次进西餐厅，两个人都激动坏了。

吃完牛排后，两个人都气坏了。

小蓝出了餐厅门，就蹲在地上不肯走了，心碎成粉了。

这可是两百多元钱啊……面包还没拳头大，牛排还没有鞋底大，还没吃饱就吃完了？

她当真气哭了，蹲在门口抹泪花，忽大忽小一个鼻涕泡。

这可是两百多元钱啊……蠢子，你一首一首地辛苦唱三天才能挣来的钱，就这么没了？

如果是买了牛肉自己回家炖的话那得是多么大的一盆啊！能吃一星期呢！

蠢子说：……可是，咱家没冰箱啊。

小蓝噌地站起来，走，买冰箱去！

她捂着心口嚷嚷：豁出去了！买大冰箱去！不过了！

冰箱不想跟她走，嫌她卡里钱不够，蠢子的钱她打死不让花，于是作罢。

气来得快去得也快，牛排在肚子里消化了，赌的气也就忘了。他俩最后买了两个暖水壶，盖子可以当杯子的那种，一个黄色一个绿色，情侣款的。

她捧着暖水壶乐呵呵地在街上走，趾高气扬的。

走上几步，扭头对蠢子说：喜欢！

没走几步，又说：特别喜欢！

乍一听，蠢子以为她说人，细想想……好吧，是在说壶。

他们过得极简朴，除了买菜偶尔买书，其余几乎什么都不买。
买过最贵的东西是两件狼爪冲锋衣，知名品牌，墨绿和翠绿，也是情侣款的，
S号和XL号。
蠢子那件故意被买大了一号，因为小蓝说：等你没那么累了，还会胖回来的。

那两件狼爪冲锋衣是他们最体面的衣服，后来他们一直穿着。
……可惜是假的。

造假的人不敬业，绣的logo很不走心……
经常会有识货的人指着那个肥硕的狼爪logo，疑惑地问小蓝：
百度？

（六）

日子过得平淡，平淡里亦有微澜。
再粗茶淡饭的日子里也会有小小惊喜浮出水面，像白米粥里忽然多出的一粒瑶
柱，不经意间的一勺微鲜。

那是大年初五，小蓝加班，过年没人卖饭，她一个人守在值班室里泡老坛酸菜
牛肉面。
热水刚浇满面饼，手机嘀嘀嘀地叫唤，蠢子打来电话说：生日快乐！

哎？是吗？

她笑，哎呀对啊，今天还真是我生日呢，都忘了。

乡下孩子没人给过生日，父亲过世早，母亲不会，没有那个意识，长大后自己也就更不会了。她说：你别买什么生日礼物啊，我不习惯的……

那厢不说话，信号不好，电流声刺刺啦啦。

听筒里有风声，蠢子应该是戳在村头打的，阳朔县葡萄镇乌龙村是他老家。

她喊：喂喂，不打了吧，你不要站在风地里啊，外面冷啊。

吉他声忽然响起来，蠢子的声音刺刺啦啦：小蓝，你先不说话。

…………

只要你懂得我对你的爱

并没有来自现实的负担

就算失去了青春，也在所不惜

要去背叛世界与你相依

…………

有生以来收到的第一份生日礼物是一首歌。

这首歌蠢子写了很久，是写给小蓝的，歌名《小蓝》。

一首歌听完，人也傻了，心也化了。

面也坨了。

…………

他俩生日离得不远，2014年2月16日的夜里，小蓝也想给蠢子过个生日。

那时为了省钱，蠢子借宿在阳朔鑫盛琴行，小蓝请了假，在大夜班结束之前去找他。

夜雨淅沥，星星点点冰冰凉没入头发。她忘了带伞，一手遮住额头，一手护住怀里的小蛋糕。凌晨1点湿漉漉的街头，全世界都是黑漆漆的，怀里揣着一捧光，她一点儿也不害怕，半个小时的路20分钟就走完了。

她把蠢子喊出门，屋里的人就笑，饶有兴趣地打量着，她忽然害羞起来，把蠢子拽到一旁，蛋糕慌慌张张塞过去，道：店铺都打烊了只买到个小的，蜡烛没买到细的，只买了一根红的，上面还有条龙……会不会太粗了？
蜡烛别在后腰上，还没等她反手抽出来，还没等她来得及说生日快乐，就被一把抱住了……
好敦实的熊抱，抱了多久？忘记了。
雨丝打透全身，蠢子始终没有松开的意思。

头一遭见他这样，篝火一样，哄的一声点亮，半边天都开始发红发烫。
明明他是头一次这样熊抱，可为什么，这个情景一点都不陌生呢？
那种似曾相识的感觉又来了，小蓝把脸埋在蠢子胸膛里，使劲使劲地捕捉：这个拥抱，这个情景，应该是发生过的哦……

想不起来的事情，就去他喵的吧，什么东西能比当下和眼前更重要？
她长长地舒出一口气，贴紧他咚咚的心跳，用壮语认真地说：
枸艾梦（我爱你）。

（七）

农历三月三，壮家的歌节，也算情人节，满大街的人都在枸艾梦。

每年三月三，半个广西都放假。

别人度假，飞海南、去云南、下江南，最不济的也溜达趟越南，他们也度假，去的地方离阳朔3里路，就在漓江边。有钱人住有钱人的大酒店，没钱人有没钱人的悠哉，比如步行去露营看日出，目的地是人迹罕至的小河滩。

露营需要帐篷，280元钱，俩人把淘宝翻烂了才找到这物美价廉的一款。
当时和卖家磨了好几天，最后人家服了，哭着包邮了。

美好的旅行让人充满期待，直到上路后才发现是在拍鬼片。
看日出需要头天赶夜路去扎营，真是个美妙的夜：月黑风高夜鸮喋喋，山影崔嵬如巨兽，山间小路拐来拐去像鬼打墙，白天的青山绿水，到了夜里，蛮山蛮石的好似地狱阴间。

小蓝吓死了，撅了根树棍子，鬼来了，戳死它！
她一手薅住蠢子，一手攥紧棍子胡乱打树，一有风吹草动就叫唤一声，把蠢子薅得更紧一点。
蠢子说要不算了咱们回去吧……
她说不行！那帐篷不就白买了！必须去，被鬼吃了也要去！

帐篷不能白买，薯片零食可乐也不能白买，小蓝还带了一小坨生肉，晚饭时剩下的，打算用来烧烤，哎呀呀月下河边烧烤的青烟，多浪漫。
……烧烤没玩儿成，战战兢兢地摸到河滩边，塑料袋解开，肉捂臭了，一股袜子味。

小蓝拎着肉心疼，蠢子忙着搭帐篷、垒火塘、拾柴火。

他说你把肉扔了吧，一会儿我下河摸虾子给你吃。

他卷起裤管，用手机照亮，摸了好半天，小蓝蹲在岸边，眼睛瞪得再大也只是模模糊糊一团，她喊：水凉不凉？别摸了吧。

水只到膝盖，她看不见，只是紧紧张张地喊：快上来吧，你别淹死啊。

摸到了七八只虾，好开心。

烤完后，好悲伤……

虾太小，一见火，集体修仙，全部化灰化蝶。

柴也太湿，篝火燃了一会儿，可能觉得没什么前途，也就自尽了。

他们坐在歪歪扭扭的帐篷外，傻呆呆地并肩坐着，夜还很长，小蓝的嘴噘得很高。

半晌，蠢子忽然开口说：小蓝，唱首歌吧。

他头一回提出这样的要求，小蓝开心了一下，心想，唱个啥歌好呢？

毕竟是歌圩上长大的壮族姑娘，嘴一张，山歌自自然然地流淌出来。

…………

山中只见藤缠树，世上哪见树缠藤

青藤若是不缠树，枉过一春又一春

竹子当收你不收，笋子当留你不留

绣球当捡你不捡，空留两手捡忧愁

连就连嘞

我俩结交订百年

哪个九十七岁死，奈何桥上等三年

哪个九十七岁死，奈何桥上等三年

…………

传说中，千年以前，有个叫刘三姐的妹子唱过这首歌，就在这方山水间。

人们把她称为歌仙，为了纪念她，有了后来每年的壮家三月三。

小蓝问：蠢子，熟悉吗？

她说：我总感觉，这歌我很久很久很久以前是给你唱过的……

不等蠢子回答，又自言自语道：可是为什么现在这会儿，特别特别想哭呢？

群山不语河水静止，全世界都抻着，听着她莫名其妙的哽咽。

蠢子揽住她，把她脑袋搁在自己肩膀上。

他并不善于安慰人，只说：要不你睡一会儿吧，睡一会儿就好了。

小蓝把脑袋抬起来，他又好心地帮她按下。

抬起来，又按下。

…………

清晨打开帐篷，碧水青山满眼翠。

水汽氤氲，小渔船欸乃，缓缓行过眼帘前这幅画，逸向水云间。

（八）

有过一次小离别。

蠢子说，毕业前，我要攒够一笔钱，这样才能有资格和你说将来。

阳朔挣得太少了，那个寒假他决定离开，搭车去云南。

江湖传言里，滇西北有一个非正非邪的古城，古城里有一家似正似邪的酒吧，那个酒吧很奇怪，专门收留流浪歌手、扶持原创歌手们，他们把有缘留下的人喊为族人，同吃住，有高薪。

有多高？月薪过万不是梦。

行李三件：吉他，几件衣物的小行囊，一坛子自家酿的酒。

酒是小蓝教他带的，他不善交际，如果那个酒吧那帮人肯接纳他，就一人敬一碗酒吧。

她让蠢子把那件盗版狼爪冲锋衣也穿上，人靠衣服马靠鞍，好歹这也能冒充名牌，出门在外，不要让人看不起了……

上车前，小蓝踮起脚，捧住他的脸：你早点回来，我一个人留在这儿太孤单。

一个假期的离别而已，却真好似生离死别，司机的喇叭按了好几遍，她抱住蠢子的腰，抱紧又松开，松开又抱紧，迟迟不舍得放手。

她掉泪：干吗非走不可呀，将来那么远，你想那么多干吗呀……我可以有什么就吃什么的呀我可以的呀。

车发动后，小蓝背过身不去看，她径直往前走，小跑起来。

蠢子的额头抵住车窗，看着她的背影变成一点点，直到什么也看不见。

一个星期后的一天，同事把小蓝从病房喊出来，她慌慌张张地冲到医院大门口，泪眼婆娑地撞进蠢子怀里，哇的一嗓子哭出来。

蠢子拎着那些行李，穿着那件狼爪冲锋衣，仿佛从没离开过。

蠢子说：想你想得厉害，路走了一半走不下去了，就回来了。

他说：我想好了，如果现在什么都给不了你，起码给你陪伴，一直陪着你，咱们不能分开。

他弯下腰给小蓝擦脸：你先上班，我就在这里等你下班。

他们应该是从那时起，正式开始谈婚论嫁。

蠢子坚持不让置办嫁妆，小蓝坚持不要彩礼，到时候想办法租几辆车去迎亲就好，没有轿车，面包车也行，妈妈是在圩上摆摊卖鞋的，半辈子看人的脸色和脚面，要让她稍稍感觉风光。

未来的生活也都规划了，就这样安安静静地一辈子待在阳朔吧。

小蓝继续当护士，蠢子可以用所学的专业去谋一个土地确权测量员的工作，白天上班，夜里去酒吧驻唱再打一份工。

蠢子会写歌，那就多打磨一些歌，想办法录成碟，节假日再去摆摊时就可以卖了……

这样积累10年，应该可以在城郊按揭一套小房子吧。

电视、空调、冰箱，一样样慢慢地置办，等将来有冰箱了，一定要塞得满满的，肉啊菜啊什么的再也不用担心会坏了。他们还打算买一辆电动车，接送小蓝上下班方便，如果再去远足，帐篷也可以绑在后座。

◎人间道是向死而生的，一路生长一路告别，反反复复地擦肩而过。

圆缺无常，八风凛冽。

少有永恒，只有永别。

◎那些动人的故事，大都始于平淡，蕴于普通，
　却又伏藏在人性关隘处，示现在命运绝境中。
　生死相续，轮回转生。

◎所谓小善缘：

　　小就是不深不浅，
　　善就是天性使然，
　　缘就是聚合离散。

◎世事大都走的是抛物线，

　　大凡出人头地，总要欲扬先抑。你要做的，

　　不过是种因待果，不过是业里修身，不过是晴天雨天坦然面对。

◎如果没有失去过，你又怎会永远记住我。

◎需求决定关系，没有需求保持友好。

如此这般，方能致远。

不想当你最好的朋友，也不会做你最差的朋友，

只想不远不近地保持距离，看看有没有可能不走散，

乃至，成为陪你走到最后的朋友。

◎走过的路越多，越喜欢宅着。

见过的人越多，越喜欢孩子。

◎我推崇的价值观是：平行世界，多元生活。

窃以为，既可以朝九晚五，又能够浪迹天涯，

才是平衡而负责的人生王道。

孩子生两个，名字商量好了，女孩叫水瓜，男孩叫秤砣，贱名好养活。

嗯，那电动车应该安一个大一点儿的车筐，这样小蓝在后座抱一个，另一个孩子可以在车筐里塞着。

小蓝说，那你可要开得慢一点哦。

蠢子点头，车筐我也会做得大一点儿的……

小蓝。

算算日子，还有半年我就可以毕业了。

等拿到毕业证，咱们就结婚吧小蓝。

…………

蠢子1993年生人，广西阳朔县葡萄镇乌龙村人。

小蓝1991年生人，广西来宾市忻城县新圩乡老街人。

960多万平方公里，34个省（市、区），1636个县。数以千计的小城里，应该有无数对蠢子和小蓝。

也许正在读这篇文章的你和他，就是蠢子，就是小蓝。

波澜不惊，随遇而安，平平凡凡，知事、遇人、相爱、定心，上班、攒钱、洗衣、做饭、买菜……

普通人和平常事，恒河沙数，构成人间。

用了20000字才把这对普通人的琐事讲完，谢谢你给我面子读到现在。

我很清楚地知道——在你阅读上述20000字时，一直在期待着我笔下的波澜，却只读到平凡。

蠢子和小蓝的故事结束了。

接下来是另外一个平凡故事了。

若是倦了，你可以选择不去看。

笔耕砚田，犁重千钧，对着电脑键盘发了好一会儿呆。

其实接下来的故事，我也不知道该怎样去为你写完。

（九）

每年阳春三月，我都会浪去江南。

写写文章，吃吃粽子，喝喝老酒，从一条河边醉到另一条河边。

我本无家更安住，故乡无此好湖山——深爱江南烟雨，当曲水流觞以敬流年。

故于2016年春，在浙江嘉善的西塘古镇开了一家小酒吧。

是为大冰的小屋江南分舵。

小屋江南分舵立成半年时，收留了一个年轻的流浪歌手。

歌唱得不错，人却寡言，黑框眼镜卡住眉眼，他长得像极了年轻时代的罗大佑。

每天午夜来临前，他总爱唱上几首缓慢到凝滞的歌。

有的古意盎然，有的是方言吟唱，都极好听，都是原创。

每每他开唱那些莫名忧伤的歌时，屋里便静下来，人们捏着酒杯，目光开始绵长悠远。林林总总的往昔在心头抽出芽尖，渐至蜿蜒……

烛火摇曳生烟，窗外春雨如酒，瓦顶上沙沙的、沙沙的江南三月天。

木门吱呀轻响，撑伞的女孩轻轻走进来，眉目如画，小小的一只，却是戴着口罩的。
她低头躲进吧台旁那个角落，捧着一杯白开水暖手，双手捧着，悄悄地听歌。
角落里黑，很少有人注意到，她听歌时是盘着腿的。没人比她听得更认真，她听歌时总是望着舞台，隔着口罩也能看出唇角弯弯，但细看那眼神，却是痴的。

听说她是那位歌手的小女朋友，是个壮族姑娘。

姑娘不是每天都来，有时一连大半个月不见踪影，有时每个午夜降临前都准时出现。
她像棵小盆栽一样，躲进角落里坐到打烊，再撑起伞，陪着那个寡言的歌手一同没入雨夜。

这是话极少的两个人，不怎么和人攀谈，两人间对话也是轻轻淡淡，大都用的岭南方言。
她唯独和他讲话时，是半摘下口罩的。
小屋歌手们打烊后偶尔夜宵聚餐，他俩只是象征性地小坐，不聊天不扯淡，一不留神就不见了。有时出门去寻他们，远远地看见伞下一大一小两个人影，沿着雨巷停停走走，走走歇歇。

听说他们从遥远的广西来，家乡也临水，且山水甲天下。
听说那里秀峰叠彩，逸动的天光跳跃在漓江上。

按理说，这对朴实本分的小情侣怎会是走江湖跑码头的孩子呢？

他们理应生儿育女举案齐眉，一辈子安安分分在漓江边。

故乡不好吗？

何故背井离乡，颠沛天涯？何故抛家舍业，漂泊到江南？

················

小屋规矩，不问来处不问去由。

况且人家不喜攀谈，口罩都戴着呢，又何必去扰人清净。

再者，小屋是方码头，常泊来避风的船，谁知他们会在哪个晴天扬帆离去，就此再也不见。

故而，我差一点点就和他们的故事擦肩。

那时我并不知，小屋的这份薪水，对那个叫蠢子的歌手意味着什么。

也并不知道，那个角落里认真听歌的小蓝姑娘，正在把每个夜晚，当作她人生中最后一个夜晚。

甚至连蠢子也不知道，在那些个夜里，角落里的姑娘曾默默祈愿。

祈愿上天让她就这么坐着离去吧，让她在爱人的歌声中悄悄停止心跳，不必再睁开双眼。

（十）

命运善嫉，总吝啬赋予世人恒久的平静。

总猝不及防地把人一下子塞进过山车，任你怎么恐惧挣扎也不肯轻易停下来。

非要把圆满的颠簸成支离破碎的，再命你耗尽半生去拼补。

噩耗骤降时，又逢三月三，2016年。

当时距小屋江南分舵开业还剩一个多月，距蠢子大学毕业还剩三个多月。

距离蠢子和小蓝计划中的婚礼，倒计时100多天。

说好了的，拿到毕业证就成亲。

顺理成章的这一切，毫无征兆地，天翻地覆在一瞬间。

·············

那个医生沉吟半晌，道，结果就是这么个结果，还是叫她家人来一趟吧。

医生说：男朋友不算家属，你担不起这个责任，还是叫她家人来。

蠢子起身，迷路在桂林医学院的住院楼里，整整半个下午过去，才回到小蓝的病房。

小蓝一见他就笑：

骨髓穿刺结果拿到了吧？……我就说吧，没问题的，看把你们给紧张的。

她从病床上一骨碌爬起来，语速飞快：

我自己就是搞医的我还不清楚吗，不过就是最近累着了而已，爱犯点晕，牙齿爱出点儿血而已……

她手忙脚乱地穿衣服，急急说：我这就收拾东西，咱们抓紧回去吧，万一真耽误了实习拿不到毕业证就惨了，婚礼什么的可就全耽误了。

她心痛地啧啧：唉，非来桂林折腾这一趟，花这么多冤枉钱，少吃多少条鱼哦……

她俯下身去，抱紧蠢子的脑袋小声喊：蠢子，蠢子。

她揉着他的头发，小声笑话他：哎哟哟，你看你，怎么和个小孩似的，哭什么哭嘛。

她笑：蠢子不哭了，没事，你和我说说看……我是搞医的，没有什么是接受不了的。

骨髓穿刺结论：有基因突变。是血液病。

血液病分好几种：再生障碍性贫血、淋巴白血病、髓系白血病……

小蓝被确诊的那种，叫：髓系白血病M5高危组。

常年的熬夜加班，是累出来的白血病。

小蓝说：蠢子，深呼吸。

她笑着捧着他的脸，唉，终于不哭了，你看看你，这么大人了，还要我哄你这半天……

走走吧，她牵起他的手，笑着说：陪我出去走走吧。

医院旁边的小街，她拐进一家理发店。

您好，光理发多少钱？30元？这么贵哦……剪吧剪吧，贵就贵吧。

剪了吧，及腰的长发剪掉吧，为你留了两年的长发剪掉吧。

又回到从前了，她笑着说：咱们认识那天，我就是这样的齐肩短发。

她站在路口，笑着，看着他。

你看你看，蠢子你看，咱们又回到从前了。

风把发丝吹得凌乱，她逆着人流站着。

蠢子蠢子，好奇怪，眼前告别的这一幕怎么那么熟悉，好像上辈子就发生过一般。

她笑着看他，泣不成声地看着他。

蠢子，蠢子……

对不起了，又要等到下辈子才能嫁给你了。

（十一）

认识这么久，终于可以像个姐姐一样和他说话。

小蓝躺在病床上劝：蠢子听话，实习完再来，先回去好吗？

蠢子不说话，开口也只是一句话，反反复复只一句：先把病治好吧，咱们不会分开。

拿什么治?

小蓝工作三年积蓄1万元，蠢子积蓄6000元，不算押金，住院一周全部花完。

确诊的第二天开始化疗。

医生不敢拖，说拖不起，再晚就来不及了，已经快来不及了。

小蓝的化疗等于上刑，国产药副作用巨大，吐得昏天黑地，几乎把肠子吐出来。

没敢选进口药，报销不了，能报销也搞不来这笔应急的钱。

同事的捐款迅速花完，小蓝家里没钱，妈妈没读过书，一辈子在圩上卖鞋。她那点可怜的存款大都是小蓝每月工资里挤出的孝敬钱，没撑过三天。

蠢子借遍了同学，这个1000元，那个800元，借来的钱眨眼不见，和丢进江里沉底的速度一样快。

化疗副作用再难受，也没有小蓝心里难受，她躲进被子深处，心疼得蜷缩成一团，几乎把手指绞断：

该狠下多大的决心，他才肯在那些半生不熟的同学面前低头，一次次开口求人，一次次借钱。

主宰命运的到底是什么神明？为何如此促狭又如此无情？我做错了什么让我面对这一劫，他又做错了什么，非要来背负这一切？

同学很快借遍了，实在无处可借的那天，蠢子躲进楼梯拐角，呆立良久，打电话回家要钱。

从小到大，他自力更生，大部分的生活费靠勤工俭学，这应该是他第一次开口主动问家里要钱。

家里二话没说，转天把钱送了过来，钱不算少，却也只能撑个把星期而已。

家里尽力了，家里全是种田的，养几头猪、酿一点米酒是主要的经济来源，家里也没钱。

家人想把蠢子带走，临近毕业，自作主张结束了实习，万一影响了拿毕业证，将来可怎么办。

蠢子不走，不说话，开口也只是一句话，反反复复只一句话：

先把病治好吧，我不会和她分开。

门外的争执小蓝隐约听得见，最清楚的是那句：我不会和她分开。

他第一次说这话时的情景还历历在目……那日他从旅途中折返，拎着行李穿着那件狼爪冲锋衣，站在阳朔县人民医院门外，仿佛从没离开过。

他说：想你想得厉害，路走了一半走不下去了，就回来了。

他说：我想好了，如果现在什么都给不了你，起码给你陪伴，一直陪着你，咱们不能分开。

他弯下腰给小蓝擦泪：你先上班，我就在这里等你下班。

若是噩梦一场，能不能快点醒来，只是困了而已只是值班室里打了个盹而已，睁开眼，窗外依旧是阳朔的天，依旧有个人等在医院门外，等着接送她上班下班，陪她一起逛街买菜，等着带她去露营……

那就快点把病治好吧！然后八年、十年，把花掉的钱欠下的钱慢慢攒回来，然后按揭一套小房子，冰箱、空调、电视慢慢地置办，还有那辆电动车，带大车筐的……

那就快点把病治好吧……

还治得好吗？

不知道，一个月的院住下来，越来越不知道。

一个月里，最长的一次连续高烧5天，人昏睡过去醒不过来，厥梦中一身一身地出汗，40条毛巾轮流换，汗出如浆，怎么也擦不完。

清醒的间隙，她哆哆嗦嗦地拽住蠹子的衣襟：

如果再醒不过来，一定喊醒我，那里面太黑太静了，我怕。

下一次醒来时，手一抬，碰到蠹子湿漉漉的脸，嗓子是喊哑的，也不知他喊了多久。

蠹子那时陪床，没钱租床位，睡在小蓝旁边的水泥汀地上，不分昼夜地守着小蓝。眩晕摔倒最易引起脑出血，医生不再让小蓝下床，于是吃喝拉撒都在床上。

吃是吃不下的，那也要吃给蠢子看，她一顿不吃，蠢子三顿吃不下。

尴尬的是失禁，起初接受不了，又羞又恼，后来没有力气去恼，闭上眼睛听着蠢子窸窸窣窣地清理拾掇。眼泪钻过发茬，爬到耳旁，滚烫的两行。

病情每况愈下，小蓝那时插的深静脉导管，插久了发炎，拔了却依旧是全身发烧。

发烧发烧不停地发烧，腋下夹着冰块入睡，体温依旧降不下来。

比持续发烧更瘆人的是血小板值，正常人的血小板值是100-300。

小蓝那时只剩下3。

主治医师说：咱们这里确实是尽力了，如果经济上允许，转去更好的医院吧。

少顷，他调整着措辞道：都是医务工作者，那还是明说了吧……

他说：我也是乡下长大的，很多现实的情况我都明白……

沉吟再三，他垂下眼帘：

姑娘，实在撑不下去的话就出院吧，早点回家。

（十二）

蠢子疯了一样找医院，满世界打听。

更好的医院都他妈在北上广，广州排号要两个月，北京排号要三个月，排得上也等不及，等得及排得上，也没钱！

这个世界为什么是这样的？

在这样的年代里，依旧一场病就足以击溃一整个人生颠覆掉一整个家庭？

他们最大的野心不过是想安安分分地以最普通的方式度过一生——甘心清贫与世无争吃得了苦受得了穷。

这要求很过分吗？为什么不行？妨着谁碍着谁了？究竟是什么力量非要把他们往死里弄？

事情为什么会是这样子的？为什么不给条活路，越是穷人越是要被拽进无底的命运深坑？

太多的疑问淤积叠加，浓稠到无法涤洗成疑问，只是混混沌沌一种规律，一种听天由命。

毕竟，这样的事情在这个国度的每一间类似的病房里每天每天发生。

蠢子疯了一样地满世界打听生机活路时，小蓝开始变得平静，止水一潭的那种。

止水里亦有青荇，她那时开始在网上找婚纱，挑来挑去，选中的那条200多元，接着选西装，从没看过蠢子穿西装的样子，真想看一次哦……

已经放弃了，不想治了，时间不多了，快到点了。

那就趁着还能走能动，穿上婚纱，去一趟影楼……如果可以，再来一次假装的蜜月旅行。

广西生广西长，却从没去过北部湾呢，她跟蠢子说：咱们回家吧，拍完婚纱照，陪我去趟北海吧，这一辈子还没看过海呢。

这个小小的壮族姑娘最后的人生心愿不过两句话：

假装嫁一次。

假装来一次蜜月旅行。

蠢子吼：以后好了再去啊！！！

窗玻璃被声音震得嗡了一下，他转身，眼泪鼻涕一起掉下来。

23岁的大男生把两只拳头死死地捏成疙瘩，久久地立着，不肯说话。

他们从不吵架，这是他第一次吼她。

她心里猛地揪了一下，疼得倒抽一口凉气，于是醒过来了，天，我在做什么？！往他心上插刀子吗？走就走了，又何必非用什么告别仪式去折磨他呢？回到那间发霉的小出租房，躺在那张破旧的小床上，听他把吉他弹一弹，听着听着就离去了，不也挺好的吗……

背身站着的蠢子仿佛听得见她心里的话，浑身抖了一下，哑着嗓子喊：

没说不去拍照啊……以后好了再去，一定去！

小蓝捂住眼睛笑，眼泪钻过指缝，扑扑簌簌地砸在被角。

蠢子蠢子，你吼出来的时候，可真像个孩子啊。

…………

账户里一分不剩，情不情愿，都需要出院了。

蠢子还在满世界打电话，小蓝轻声喊他：

……别忙了，歇一歇吧，咱们不找了吧。

你把手机放下，再帮我刮个苹果泥吧，别人都刮不了的，只有你手劲大……

蠢子，听我的，不找了吧，就算联系上了好医院又有什么用呢？不如你省下时间来多看看我，趁我还出得了声，咱俩多说说话……

此时此地，即是所谓的绝境了吧。25岁的护士小蓝，23岁的学生蠢子。

刮好的苹果泥没人去动它，两个人眼睛看着眼睛，一分一秒地等着天黑下来。

....

然后，绝处逢生了。

从天而降的救命钱！

先是阳朔县医院同事们的再度筹款。

紧接着，老街的壮族乡亲们送钱来了！

广西来宾市忻城县新圩乡老街。

整条街的人看着小蓝长大，看着她担水挑粪，读书上学，看着这个父亲早逝的孩子终于长大成人参加工作，长成一名货真价实的小护士……她这个壮家女儿，曾是一整条街的骄傲。

带回消息的人一声吆喝，整条街的人没有不掏钱的。

小蓝撑住啊！伯伯婶婶们救你来了！

彩礼钱、养老钱、买种子的钱、挖煤挣来的苦力钱……包括那些六七岁的娃娃，掏光了压岁钱又掏出五毛一元的零花钱。

送来的钱是雪中送炭，更是续命送血。

送钱的地方是国家扶贫工作重点县，也是人情味最浓的南中国乡野。

去你妈的福无双至，有道是好事成双！

绝处逢生的不仅仅是钱，忽然间，医院的床位也寻到了！

横穿大半个中国，1500公里外的江南水乡——苏州大学附属第一医院，那里有全亚洲排名数得上的血液科。

（十三）

医院给输了一整袋血小板，可勉强维持一天。

然后坐飞机喽！高兴！

又高兴又心痛，打折的机票怎么还是花了那么多钱？不坐又不行，汽车要开20多个小时火车要开一天半，以目前的病况体质，一定死在路上，不可能撑下来。

她穿着她最贵的衣服上了飞机，那件冲锋衣，蠢子身上穿的也是相同的那一件。

小蓝的妈妈不通汉语，跋涉千里去江南求医，蠢子是小蓝唯一的依靠。

那时蠢子濒临毕业。

所有的同学都忙着冲出去找工作，独剩他一人心甘情愿地待在原地，没写毕业论文，也没有完成实习。事业和前途，同龄人此刻正焦虑着的各种东西，于他而言，虽尚未经历，却已是过去式，模糊而又遥不可及，已无所谓的东西。

除了小蓝，他也没什么有所谓的东西了。

40岁男人才会经历的，他二十出头就已全部遭遇，现实如砂纸，残忍地打磨掉他的皮。

于是小蓝之外，旁人再也看不出他半分孩子气，只看到黑框眼镜下决绝的笃定。

他那时的状态像歌里唱的那样：

就算失去了青春，也在所不惜

要去背叛世界与你相依

…………

三万英尺的高空，蠢子把小蓝的脑袋抱进怀里，给头疼欲裂的她哼这首歌，哼着哼着，怀里也就静了。

写这首《小蓝》时，两人刚在一起，谁也想不到这歌词会一语成谶。

或许那时写歌词，是想到了什么似曾相识的东西吧，不然怎会有如此决绝的意境。

或许，无意中的复述和预言，都是依据残存的前世记忆。

前一世的蠢子和小蓝，是谁为谁放弃了青春？谁为谁背叛了世界？继而倒在爱人怀里，像此刻这般相偎相依。

…………

苏州大学附属第一医院。

整一个月，小蓝天天对着一扇窗，窗里只有一种颜色的天，和桂林可真不一样。

树也不一样，这里的树长得全一个样子，不像桂林的树，想怎么长就怎么长。

整整一个月的全封闭，坐牢一样，把一整个白天的时间用来期待黄昏，边等边看着窗。

黄昏时允许家属探望，蠢子忙个不停，打水、喂饭、帮忙洗澡、帮忙导尿……

每天两个多小时的探望时间，他一直在忙，好像要把攒了一天的劲儿全都使进这两个钟头里来。倒计时10分钟时，他才会猛地踩下刹车，扔下所有活计，什么也不干了，捉住小蓝的手，呆呆地坐在她身旁。

好像她是只风筝，一松手就飘远了，就再也不回头。

她任他握着，拇指轻轻摩挲他的手背，掌心感受着他指尖的茧子。

第一疗程结束。病情缓解，情况稍乐观，小蓝短暂出院。

蠡子做鱼给她吃，热气腾腾地端上来，一块一块剔刺。

出租房里白炽灯瓦数小，电压不稳，一闪一闪的。这里和阳朔一样，霉斑也是爬上了墙，闪烁中像是自己会动一样……

她一口接一口地吃鱼：蠡子，特别好吃。

真的，她护住盘子说，特别好吃，都是我的了。

蠡子取过筷子尝一口，呆呆地坐了一会儿，又重新拿起筷子。

一闪一闪的灯下，他们一起吃完那条忘了搁盐的鱼。

他们出门散步，慢慢地走，漫无目的地往前行。

累了就坐一站公交，有趣的地方就下车，观前街、评弹博物馆……走一走停一停看一看。

看了一场电影，叫《大鱼海棠》。

这是他们第一次一起看电影，两人依偎着，看着字幕全部走完。

小蓝说真好看，她戳戳蠡子，你看，人下辈子真的会再遇见……

她说：下辈子如果当不成人了，我就当棵树吧，长得茂茂密密的，根也扎得严实，天天顶着大太阳，特别舒服……

她说：蠢子，到时候你当棵草，一定要贴着我长，我保护你。

返程时小蓝累了，蠢子背起她，一路背回出租房，一层一层背上楼。
没问他累不累，小蓝知道自己现在的体重，她枕着他的肩颈，敲敲他的后背：
蠢子呀，你怎么这里每条路都熟悉？你不是逃了好多节地理信息课吗……

后来方知，蠢子找了一整个月的工作，踏遍了大半个苏州城。
他没毕业证，没人雇用他干测量，力气活也没找到，他需要每天下午五点之前
买好菜做好饭一路跑着抱到医院门前，没有什么工地容得了他三点就下班。

于是他去了平江路，搞了把琴，街头卖唱。
平江路不让卖唱，城管会撵，打一枪换一个地方凑合了几天，钱没挣到多少，
包和琴被没收了。
他半句求情讨饶的话没有，直接扑上去就干，路人把他们撕开，他坐在地上呼
哧呼哧地喘气，浑身的肌肉硬到发酸，黑框眼镜后面血红血红的眼。
广西人凶起来不好惹，狼兵的后代。
穷途末路的广西人如果拼命无人能惹，毕竟体内暗涌着太平天国的血……
于是，所以，后来就可以卖唱了。

早晨起床继续满世界找工作，下午一点赶去平江路卖唱，四点回出租房，给小
蓝做饭。
夜里探班回来，他哪儿也不去，灯也不开，房里枯躺，一躺躺到天微亮，头一
天耗干的力气也就回来了。
他应该是那时候学会的抽烟，最便宜的利群，抽得很省，不舍得花钱。

医生那时说，如两个疗程之后小蓝病情稳定，将着手准备骨髓移植。
——80万元人民币。

80万元人民币砸进去，移植结果好，亦有可能复发。
移植结果不好的话，也就没什么结果了。

（十四）

2016年初夏，蠡子来到大冰的小屋江南分舵，一个人来的。

起初不想留他，没见过如此讷语的人，试工时几乎不和人交流，只一味弹琴唱歌。
歌很好，琴很棒，但兄弟你金口难开是怎么说？
小屋是个大家庭，天南海北的歌手聚到一起，重融洽重团结，最害怕心扉不肯敞开的……万望理解，好相处的人才好留下来。

他临走时的眼神挽救了这场失败的应聘，彼时他已站到屋外，拎着行李背着吉他，面朝着玻璃窗，一动不动往里看着，像个呆立在糖果店外的孩子。
乍一看没什么，仔细一看吓了一跳：那眼神热切到燃烧，却又是平静到绝望的。

他那时急需一份工作。
那时小蓝正在医院的密闭空间里躺着，除了各种仪器，里面只有一台电视和满眼的寂静空荡。
骨髓移植之前需要大化疗，管你好细胞坏细胞，通通杀死到0，免疫力也是0，故而要独自在无菌环境下封闭一个月。

大化疗副作用也大，从未有过的庞大，一下子就把人压垮了，她坐在地上剧烈地吐，心想，晕过去让我现在就晕过去吧……嘴上却强挤出笑纹，她笑着呕吐，吐的间隙隔着玻璃冲蠢子摆手：你走啊！快点走啊！我现在丑啊！

走吧，现在的模样，你看多了就不喜欢我了……

若那时先知先觉，蠢子每月的工资，必须是要多发一些的！

可恨的是他何必如此讷语，关于身世关于爱人的病情，从不肯和任何人透露言说。每晚开工，除了唱歌就是唱歌，没人比他唱歌更亡命，你不叫停他他完全不知道歇。

满满当当的屋子里，他闭着眼，旁若无人地唱着，全世界都与他无关。

那时，他的同学们都已领到毕业证了吧，拍完黑袍合影，集体雀跃着把方帽抛起，然后是最后的聚餐，各种杯盏交错深情告白抱头痛哭依依惜别，畅快淋漓地感受着人生的浓烈……

酒酣高歌时，会不会有人举目四望，终于发现少了他一个？

会有人忽然谈论起他吗？点头还是摇头呢？

下一杯酒端起之前，他还会被人再提起吗？

下一次被人提起，应该是若干年后的同学会吧，说不定名字都会被记错……

从此淡出朋友圈，不被列入人脉圈，从此就掉队了，是吗？

好吧，从此他就是孤雁一只了。

如果没有那么多如果，他会否是他们当中最惹人羡慕嫉妒的那一个。

人们是否会打趣起哄，不留情面地猛开他早婚的玩笑，围着小蓝，七嘴八舌地喊嫂子……

他应该会是同学里最早当爸爸的，知足而恬淡，小窝一间，孩子两个，天天电动车突突突地跑，后座上小蓝抱着一个，车筐里放着一个。

江面的薄雾烟气，喀斯特地貌的小山，镜面的水田，逸动如风的光……他们会安安稳稳地生活在阳朔。原本顺理成章的一切如今都是镜花水月。

…………

他揣着薪水，隔着玻璃站着。

里面的姑娘笑着哭，求他离开。

细胞重生得快，从头到脚的剧痛，止疼药早已不管用，昏死和醒来的间隙，她一声声地呻吟：把我腿砍了吧……

他揣着薪水，隔着玻璃站着：

会好的，小蓝。

小蓝，咱们不会分开。

这句话他做到了，也是他唯一能做的。

他垮了小蓝就完了，于是他扔掉了未来，背朝着世界逆行着。

念头只剩一个：小蓝活下去。

蠢子初来时的话少，很久之后我才理解：心力他都攒着，话都省着，全都留给小蓝。

亡命地唱歌，是他那时唯一的泄洪方式和挣钱途径。

闭嘴，是他最后的自尊。

（十五）

曾几何时，在基础认知上，不离不弃这四个字是中国人婚恋价值观的基本常态。

古人不讲爱，只说怜惜，若干经典的怜惜故事中有信有义、有一以贯之的不离不弃。

时穷节乃现的时代早已远去，生死与共的故事亦越来越罕有，在2010年代的爱情里，人们渐已不再趋同自我牺牲或献祭，而是趋向恰当地投入产出、理性地断舍离。

这或许也是一种与时俱进吧。

没有对错只有真假，广义上来讲，任何价值认知的迭代都合理，包括爱情。

故而，没有必要惋惜矫情，或厚古薄今。

…………

只是，我却在一个刚刚大四结业的九〇后穷孩子身上，诧异地看到了一些东西：

一份过时的倾心怜惜。

一种古老的不离不弃。

那些古老的文化基因，原来依旧驻世，原来依旧传承，原来并不曾败北隐去自认过气。

亘古至今，她慈悲，总是示现在人性的关隘处，示现在命运的绝境里。

她偏心，总爱护持着那些最底层的普通人，教他们抵御世间风雨，帮他们直面命运无情，危难时她几乎是他们唯一的武器。

…………

我曾不止一次在祖辈、父辈的故事里，获悉过她的踪影。

当我在一个九〇后穷孩子身上再度看到她的痕迹时，诧异之余，我明白这或许只是个例，但更知道这是古老的道统依旧存世的证据。

…………

起初，对蠢子和小蓝我无感。

初见小蓝时，并不知隐情，只对她总戴口罩的习惯略感奇怪。

那时她头发好短，贴着头皮的一点点。

她那时骨髓移植完毕，行走坐卧皆无大碍，但尚需每三个月接受一次化疗，每个月接受一次骨穿、一次腰穿、三次抽血。

治病专需的药只有苏州有，需每月采购一次，于是即便想家想疯了，她也无法离开。

于是她随蠢子来了西塘，西塘离苏州不远，看病方便。饮食起居，西塘省钱。

小屋江南分舵给歌手们包食宿，略略减轻大家的负担，但他俩不肯住宿舍，非跑去租住最廉价的民房，一住就住到了古镇边缘。

起初只道他们不合群，后来才明白是不想白吃白住：小蓝不是小屋员工，蠢子之外小屋其他歌手都没有家眷，故而，便宜他们不占。

其实又何必这么敏感，多双筷子多间房而已，又会花掉小屋几个子儿的公款……

再后来，听说他们搞来几张高低床，把那几间东倒西歪的小破房改成了青旅小客栈。

那简直是全西塘古镇最小的客栈，靠天吃饭，除了一个微博号，对外也没什么宣传，每日的营收换不来两瓶醋钱。

这是一家没什么前途的小客栈，即便日日满房，也不过冲抵掉房租，减轻点生活负担。

应该是从那时起，我开始对他俩高看一眼：

一来克己，不肯占便宜。

二来，小屋里不乏客源，他们却从未向客人们推荐过自家的小客栈。

有志气的人值得扶一把。

我那时只道他们家境贫寒但人穷志不短，故而一次聚餐时半开玩笑说看好西塘住宿业市场，打算投资小蓝的小客栈，并迅速转过去一笔钱——应该足够交交房租扩大一下经营规模。

微博名字也逼他们当场改了，改为@大冰的小屋-小蓝客栈。

这样所有搜小屋的人，都可以看见，说不定能带来一点客源。

当着众人的面，他们什么也没说，低声道了谢，而后按照惯例，提前悄悄退场。

转过天来，钱被退款。

尴尬之余，发现冒犯了他们的尊严，我联系了小蓝，辩解了半天那并非施舍，千万别多想。

手机那头，她好像比我还要尴尬，她说：冰叔，谢谢你想帮我们，可我们的情况真的不是你想的那样的……

我汗下来了，小蓝，真的真的，真的不是施舍！唉我挂了哈，咱不说了……

她急了，道：我们知道啊，你千万别多想啊，我们不是你想的那样的……

鸡同鸭讲了半天，那个电话实在打不下去了，懊恼成马了。

半天的混乱后，或许是为了让我心里好过点儿，小蓝安慰我说：冰叔，不如你帮我个别的忙吧。

她说：也许这个忙，只有你能帮我。

我说：太好了，快点快点，但讲无妨！

她却说不急，说还要好好想一想。

（十六）

半个月后的一天，西塘江家弄9号，猫叔的客栈。

小蓝忽然出现，她和我坐在茶室里，从午后坐到黄昏，有了一次漫长的对谈。

她讲了一个故事，故事里有跌宕起伏有生死磨难，也有普普通通和平平凡凡。

长达五个小时的对谈，小蓝体力明显不支，我打断她，希望她停下来歇一歇，改天另找时间。

她不肯歇，说还是一次性讲完吧，这样保险一点……

……她说她坚信和蠢子前世曾经遇见，来生也必将遇见。

至于这一世，她说最近她一直在思考：如果她提前离开，剩下蠢子一个人该怎么办。

蠢子说过的，不止一次地说过：会好的，咱们不会分开。

小蓝俯在桌子上笑：好拗哦，可拗可拗了，认准的事情他从来不肯改变，谁也没有办法让他改变……

见我沉默不语，她轻轻道：
先前当护士，遇到救不回来的病人，总是崩溃，事到如今才终于学会了坦然。不是放弃，是真的坦然，这半生，被他这样的男人爱过，还有什么不甘心不坦然的呢？

她说她一直在想，那么究竟该怎样做，才能让不离不弃的蠢子也同样地坦然。
她笑：要快一点儿做好准备才行哦，我的时间可能不多了。

我说呸！不吉利的话少说，赶紧摸摸木头……说吧小蓝，我能帮你做点什么？
良久的静默，她望着窗外，手撑着腮，珠串般的雨在屋檐上垂挂着，瓦顶上沙沙的、沙沙的江南三月天。

她轻声说：等到最后的时刻来临，我只想抱着他，紧紧的，什么也不用说什么也不用做。
或者，她说，或者悄悄地走吧，在他唱歌的时候，听着听着就睡着了……
就不醒了，醒着太苦了……

她道：所以，帮我保存一段话吧，将来合适的时间，拿去给蠢子看。
我翻开笔记本接通电源，沉默地打字记录。
我没有开口去问，什么才是"合适的时间"。

小蓝全名蓝鸾英，1991年生人。

广西来宾市忻城县新圩乡老街人，阳朔县人民医院前护士。

下文是她的口述：

……………

忘了我，会不会让你好过一点？

知道你忘不了，也舍不得你忘了我，我们好不容易才重新遇见，谁又忘得了谁呢。

那就不要忘吧，记着我，然后重新去生活，以后的日子一定不会像现在这么苦了。

我总感觉你一辈子的苦，都在过去的这一年里了。

该承受不该承受的都已经承受过了，剩下的路也就好走了。

那些苦我负责全部带走，你负责好好活着，好吗？

可以难过，但不要一直难过，最担心你会丢了自己，或者不要自己了。

别让我担心好吗，悄悄看着你呢。

以后不要过得那么省了，对自己好一点儿，那件冲锋服就不穿了吧，快去买件真的。

饭也要好好吃，少熬夜，实在睡不着就抽支烟，不要多抽，酒也不要多喝，要喝也不要自己一个人喝。

要学着开朗一点哦。

最重要的是，我走了以后，你不要不再唱歌。

最喜欢听你唱歌了，一直为我唱下去吧……你怎么知道我是听不到的呢？

以前你在歌词里说：就算失去了青春，也在所不惜，要去背叛世界与你相依……
可是并没有失去啊，还来得及的，真的，蠢子，去和世界讲和吧，一切都是可以从头再来的。
很多人说喜欢你的歌，都说你是会有出息的，蠢子，会有那一天吗？
为了我，去试一试吧。

我只是一个最普通的姑娘，这辈子能遇见你，什么命我都认了。
舍不得你，却并没有什么不甘，我不过是先走一步而已，先走不等于永别，就像你说的那样，咱们不会分开。

前年三月三，在漓江边的那个晚上，我给你唱过的：
连就连嘞，我俩结交订百年……
哪个九十七岁死，奈何桥上等三年……

这句歌词是我现在最真实的心愿。
我先走一步去等你，在那边等你40年、50年、60年……
等你娶妻生子，等你把这一生过得圆满，等你终于变老，等你拄着拐来找我。

蠢子，我不急的，你也不许急，先把这辈子的路好好走完。
蠢子，这辈子是来不及了，下辈子我一定嫁你一次。

蠢子，下辈子咱们一起生在阳朔吧，这样好找。

谁先到了，谁就先去西街上等着。

…………

2017年4月30日，我和一个壮族姑娘有过一次长谈。

应她的要求，我帮她提前整理记录了遗言。

四天后，她在爱人的歌声中倒下，病情复发，再度入院。

（十七）

现在是2017年5月9日，早上5点。

窗外又发白了，两个通宵的时间方把这个故事写完。

不能说写完，谁也预测不了未来，都说命运善嫉，但谁说娑婆境没有奇迹？

那天我给小蓝打过气的：

等你好了，我一定要帮你们主持婚礼，谁拦都不好使，小屋的兄弟们全都会去帮忙操办婚礼，到时候用最奢华的婚车最豪华的车队风风光光地去迎亲……

咱们再把小屋开到阳朔！

西街上找最好的位置开山立柜，舵主就是蠢子和你，只要小屋字号一天不倒你们就永远有地方温饱体面挡风遮雨……

我跟你说只要你小蓝撑住，这一切都在等着你，所以说你如果不肯痊愈的话对吗你……

那时我们走在青石板路上，穿过雨巷，送她去小屋接蠢子下班。

我絮絮叨叨个不停，她抿着嘴微笑，伞下嗯嗯地应声。

小屋窗外止步，我们悄悄往里望着，蠢子正在唱歌，烛火摇曳，24岁的脸上忽明忽暗。

小蓝指指他，告诉我说：

真的，总感觉上辈子就听这家伙唱过歌。

小蓝问：

你说，世间真的有轮回转世吗？

如果有，怎么又不让人去记得清呢？

她说：下辈子如果能多记起来一点儿就好了，就可以早点儿去找到蠢子，多陪他几年。

再帮我个忙吧，她轻轻地说：

把我们的故事写下来吧，让我多一点儿线索去找他。

什么都不用忌讳……不论接下来我是死是活。

…………

当我履行对小蓝的承诺，写下这篇文章，写到这一段这一句的这一刻，小蓝正在血液科病房里躺着，未卜凶吉。

但我坚信小蓝能活——谁还没点预感是怎么着？

反正我就是觉得小蓝会好的，回头等她好了，我拿着这篇文章羞她去：

你看你看，这不是都挺过来了吗，难熬的日子都远去了，一切都好起来了，以后就不苦了。

（十八）

那些动人的故事，大都始于平淡，蕴于普通，却又伏藏在人性关隘处，示现在命运绝境中。

生死相续，轮回转生。

这是一个普通而平凡的故事，正在进行时，尚未写完。

所以，受人之托，这篇文章是写给她的，也是写给未来的你的。

虽然不知那一世的你叫什么。

人活百年，书或许可以活得再久一点。

更长久的是愿力，心生心造，辗转于轮回间。

所以莫笑我诳语，请容我妄言：

多年之后，若这本破书有缘残存世间。

多年之后，若这个冗长的故事给了你似曾相识的感觉。

若那时的你落泪，是因为文中细节和你隐约的记忆不停重叠。

…………

那么，你好小蓝。

小蓝小蓝，拿着这篇路书，快点快点去西街。

这一次，希望你们的故事可以长一点久一点。

▶▷ 大冰的小屋·陈硕子《等你》

▶▷ 大冰的小屋·蠢子《无题》

▶▷ 大冰的小屋·蠢子《小蓝》

▶▷ 大冰的小屋·鬼甬《新娘》

老兵不死

所谓英雄，或许大都是如此这般自惭着的吧。

锁心苦行，把自己囚禁在真挚中，真挚到荒谬。

像你这样不忠不孝不仁不义的人不会再有了。

不会再有人可以成为一个像你这样的父亲，或英雄。

我厌离这个时代，这个反智和毒舌的时代。

我记述这个时代，这个尚有英雄驻世的时代。

欲持一瓢酒，远慰风雨夕。

那些侠隐市井的浊世金刚，又岂止我笔下的这一个老兵？

（一）

老兵疯了。

老兵非要送我一个女儿，亲生女儿。

这很让人震惊。

我震惊的点有三：

一、你竟然有女儿？大家兄弟一场，你个老东西隐瞒了这么多年都不提！

二、女儿这种生物又不是英短加菲或哈士奇，你怎敢像猫猫狗狗一样地送来送去？

三、大家兄弟一场，难不成你想招我当女婿？哎呀我去你你你胆敢如此嚣张地占我便宜？谁给你的勇气？梁静茹吗？

我痛斥他：你这么做是不对的！……女儿在哪儿？好看吗？九几年的？什么星座？让我见见……

老兵指着我说：10个月以后你就见到了。

……指什么指啊，把你手指头撅断信不信？

说这话那会儿，老兵面前一海碗滋阴壮阳的玛珈酒，他时不时端起来抿一抿。
午夜三点，老兵火塘，两壶泡酒已然见底，烤鸡翅烤鱿鱼培根白菜大黄鱼，一脸懵B的我，毅然决然的老兵。

啪的一声巴掌响，鸡翅鱿鱼一哆嗦……哎！有话你就好好说，别老动不动拍桌子。
老兵不听，又拍了一下，踌躇满志地叫唤：10个月后你就见到了……马上播种！
他指着我的鼻子叫：等我女儿生出来，你必须给她当干爹！
他拍着桌子，泪眼汪汪地指着我：当亲爹也行！送给你！

真惊悚，这玩意儿还有白送的……
指什么指啊，把你手指头撅断信不信？
好啦好啦，不就当个干爹吗，又不是没当过……可连根毛都还没有呢，连个胚胎都还没存在呢，连个固体都还不算吧？
再者说，你咋知道就一定生闺女？

还有最关键的，你咋确定就一定能整出来……

老兵不语，嘴噘得老高，端着那碗滋阴壮阳的玛珈酒，严肃认真地抿一抿。
那时候玛珈神话还没破，他示意我也喝，我不，我不喜欢萝卜，我还是喝我的樱桃酒好了。

我劝他：你的心情我理解，谁不喜欢有个女儿啊，小情人小棉袄小拖鞋哦，光是想想心里就暖和，但别人是别人，你就别抱太大希望了……

我掐着指头算他的出厂日期：老家伙你快60岁了吧，妈呀，太感人了……

……指什么指啊，把你手指头撅断信不信？

他那会儿表情特别好玩，和背后那幅肖像画形成了强烈反差。

面前的老兵绷着脸，画中的老兵嬉皮笑脸。那画有年头了，不知是哪个二把刀画的，明显高仿的岳敏君，大嘴咧得像蛤蟆，没心没肺穷开心。

烧烤味儿的油画见过没？

那画歪歪扭扭地悬在泥巴墙上，和满墙的香肠腊肉大火腿一起饱经烟熏火燎、岁月沧桑，笑看火塘众生相，笑看老兵撒癔症——要去创造生命的奇迹。

他能活到今天，已经是个奇迹。

几十枚弹片至今还藏在他的胸腰和肩胛里。

耳朵只剩一个，牙齿全是假的，脑部颅骨变形，上面两个弹孔，直径3厘米。

右肺穿透伤多处。

左手手腕断裂、右肩粉碎。

胸椎骨断4截、腰椎骨断2截、左肋骨断5根、右肋骨断9根……

31年前的国境线旁，炮火曾撕碎了他，他的肉身本就是重拼起来的。

当年7个月内24次大手术，医生曾笃定宣判：全身瘫痪，终生卧床，能勉强捡回这条命，已是人类医学史上罕见的奇迹。

7个月的昏迷中发生了许多事，比如奖章和荣誉，等他醒来时，已是个英雄。

他全身瘫痪，在疗养院病床上躺着，躺到80年代末的某一天，忽然宣布了一个惊人的决定：

将终身俸禄全部捐献给希望工程。

那天是"八一"。

自此他开启了震动模式，一次比一次惊人。

先是科幻片，他告别了瘫痪，奇迹般地站了起来。

后是悬疑片，他跑了，翻墙跑的，一跑就是几十年。

荣誉和安逸随手拂落，并无半分留恋。他在人们的视野中消失了很多年，与至亲家人亦是失联。

八千里山河大地，他两手空空独行天涯，一路向南。

南方的南方，是掩埋着袍泽兄弟们尸骨的国境线。

那片曾经尸横遍野的红土地，他最终并未重返，而是止步于不远处的一座边陲小城，自此于市井中隐居，娶了泸沽湖畔的摩梭女子拉措为妻，开了一个火塘卖烧烤，生了个儿子叫小扎西。

再后来，他发了疯地挣钱玩命地攒钱作死地省钱，继而倾家荡产——搞来消防车，囤好单兵装备，招募来一拨又一拨的退伍消防兵。

50岁那年，他凭一己之力，养活了中国第一支民间义务消防队。

他是我今生最敬重的人之一，敬重到无法仰视也无法平视的一个老东西。

十几年来，我们在那座小城比邻而居，一起干架一起大醉一起抱头痛哭，没皮没脸忘年相交。他喊我"小不死的"，我喊他"老不死的"，但我一清二楚地知道，若哪天他真死了，我会像失去父亲一样伤心……

啊呸了个呸！不能让他占我便宜，走江湖跑码头出门肩膀齐，年庚算个屁，他再老也是兄弟。

弥足珍贵的，有今生没来世的兄弟。

我曾写下他的故事搁进书里，也因此而被他骗到河沟旁，一个扫堂腿踹了进去。

他蹲下，摸兜，点燃两根玉溪烟。

滇西北的漫天晚霞里，我们默默地抽烟，安静地对峙，一个蹲在岸边，一个站在水里。

他不肯用战友的血给自己脸上贴金，我明白的。

我还明白这个活着的英雄，为何总在大醉后抽自己的脸，骂自己不忠不孝不义。

在他执拗的认知中，身为军人未能殉国是不忠；身为儿子杳无音信几十年是不孝；身为战士，没能在31年前和他的兄弟们埋在一起，是他半生都无法自谅的不义。

未能重返沙场故地，或因此故吧——一个孤独的残疾老兵，旧债满心，日日生息，心力无以为继。

往事蜉蝣，遇水分流，见风沉底。

那场战争早已远去，模糊在老时光里，被人们遗忘或解构、反思或铭记。

可日子总还要过下去，多年来我一直担心老兵会在哪次大醉后弄死自己，现在他想生女儿，我不信，我恶狠狠地笑话他，但我真心替他高兴。

比墙上那张肖像还要开心。

好吧老兵，一言为定，万一你真生得出来闺女，我给她当干爹……当亲爹都行!

老兵热泪盈眶，大声地撸鼻涕，一口年糕味的乡音：娘希匹，仗义！

……指什么指啊老东西，把你手指头撅断信不信？

然后……

然后，一周后，老兵跑来通知我，他授粉成功。

（二）

2016年4月10日，七珠满周岁。

周岁礼也是认亲礼，七珠周岁那天正式成为我干女儿，摩梭女儿。

我姑娘名字真好听！根汝七珠，平安一生的意思。

我姑娘名字可真洋气，人家摩梭人起名习惯用藏语。

我姑娘的模样那叫一个好看，她可是江浙沪包邮区和泸沽湖的混血品种，粉嘟嘟的肉嘟嘟的圆嘟嘟的，像从老年画里直接抱出来的一样。

我姑娘和我一样，脑袋上也是三个旋儿，脾气那叫一个动人那叫一个冲。

这孩子一岁时就会操作手机和我视频，视频呼叫三声如果没接，直接扔手机，不是往地上摔，是往空中扔抛物线，扔手榴弹那种，真不愧是老兵的种。

老兵让我赔手机，跳着脚和我骂街，还抢过来一只灭火器，后来每次预判到姑娘打算视频接见我，他都先打个紧急电话过来：一级战备，作战员迅速就位。

饶是如此，依旧是换了四次手机屏。

后来他学精了，央求我录了一段视频，存进了手机里。

后来他换了手机……

永远不要低估任何孩子的智商。

我姑娘根汝七珠，那可不是一般人。

摩梭人母系文化传承，向来尊崇家主老祖母，村中族人逢年过节从外地回来，按规矩都需先去老祖母家请安、火塘敬锅庄，而后才回自己家。

村中现任老祖母是拉措的阿妈，下一任老祖母是拉措嫂子。

我姑娘七珠是板上钉钉的未来老祖母，辈分高得不要不要的。

等七珠当上老祖母，我一定可以在村里横着走，想怎么走就怎么走，骑猪都行，想想就让人激动。

嗯，把老兵忘了，毕竟人家是亲爹。

那我们俩多爹叉着腰并排横着走，看上哪个玉米就咔嚓掰下来吃了，看上哪只鸡就抓来烤了吃了。

…………

拉措嫂子说，阿巴巴巴[15]，你老兵哥终于对我负了一次责任了。

她说她生下女儿后，全村人都松了一口气，好险，幸亏不是男孩，三代单传啊，全村人差一点儿将来就没有老祖母了。

未来老祖母满一周岁那天，筵席盛大而隆重。

老兵转性了，那么抠门一个人，居然舍得包下酒店的大包间，菜有龙虾、乳鸽、牦牛火锅，酒是茅台，真假不论，瓶是那个瓶。

我被硬安排在主宾位上，正对着那堆瓶子。

和老兵喝了那么多年酒，头一回享受此般待遇，我受宠若惊地打哆嗦。

更受宠若惊的是，还给我准备了专门的礼服行头?!
一进门就被逼着换上了，一堆人七手八脚把我扒光，又严严实实地将我重新包裹。

拉措亲自跑到宁蒗去给我定制了皮靴，又发动婶子们给我缝制了棉被一样厚实的金边大襟衣，还把老祖母也请出山，亲手为我缝制了高筒长毛狐皮帽，那大尾巴拖的……
那别样的感动和温暖，在快5月的云南，热出我满头满腔的汗，捂得我欲仙欲死的。

如此兴师动众盛装打扮，听拉措说，是老兵的意思，为此他还拨了专款。
哎呀我去，他想干什么?

那天我浑身好似贴满暖宫贴，但热死了也不能脱，礼数还是要守的，于是顶着湿漉漉的狐狸皮帽子吃热气腾腾的牦牛火锅，一不小心咬到一口小米辣，五脏六腑爆浆了。

偏偏旁人不识趣，还逗我：小酒量哦，怎么没喝几杯脸就这么红了?
你一个穿半袖T恤的你问我? 你们满屋子都穿夏装了你问我?
狐皮帽子啊，你他妈试试!

满屋的人众星捧月，居中坐着粉雕玉琢的七珠和热气腾腾的我，细一琢磨这身行头，事儿不太对哦，怎么搞得像在给我补过摩梭成丁礼一样?
今天的主题到底是什么?

老兵不解释，只是劝酒，他那天奇怪得很，一脸的郑重其事，一杯接一杯地用茅台灌我，每一杯都是双手端起来的。

端来端去终于把我端毛了，杯子啪地一扣：说！怎么个情况这是？客气个毛啊？

他咕嘟干掉一杯酒，摇摇晃晃地站起身，指着我冲众人说：七珠有了这个干爹，我也就放心了。

鼻子酸了一下，仿佛有那么一点儿明白了，又仿佛愈发糊涂和迷惑……

好吧老家伙，你今年54岁了吧，七珠要起码17年后才能长大，到时候也就指望不上你了。

放心，交给我了，咱们接力当爹。

老兵稳住身形，郑重地搞了个交接仪式。

他抄起七珠递给我，我小心翼翼地接过去，他啪地一个军礼！我慌了一下，把七珠高高举起，就像举起奥运火炬。

……可我姑娘七珠不待见我，不喜欢我身上的汗味，各种扑腾，一脚接一脚地往我小肚子上踩。我噘嘴去亲她，她两只爪子伸直了怼我，打得啪啪的，好，有种，爹都敢打，我看好你！

（三）

七珠最喜欢小扎西，动不动就左顾右盼找哥哥。扎西不理她，忙着摔盘子砸碗儿，动不动就来声冷哼，拿根筷子不停地戳，戳戳戳戳戳，这烤乳鸽招谁惹谁了，鞭尸吗……

拉措使了个眼色，我挽起了袖子，我把扎西倒提起来，提溜到门外搞精神文明建设。

拜托拜托扎西大哥，这可是你亲妹妹，怎么还吃起醋来了，你老人家已经小学一年级了，别老那么油盐不进啊。

扎西委屈极了，含泪诉说：

老兵也太偏心了，妹妹周岁在大酒店办酒，我周岁怎么没给我办？

他分析说，自己一定不是亲生的，哼，别说周岁了，满月酒都没给他办，他说他都记得呢。

什么鬼？我问他还记得些什么，他想了想，说还记得他出生的时候，老兵连医院都没去，太不像话了。

他问我：你见过这样当爸爸的吗？你说！

……指什么指，把你手指头撅断信不信？怎么和你爸爸一个熊毛病。

扎西说要把全部家当都给我，请我去把他爸爸打一顿，再把桌子给掀了。

但同时他又很严肃地警告我，光揍老兵就行，不能吓着妹妹，如胆敢把妹妹惹哭了，他会找人去QQ空间里黑我。

我们详细地研讨操作步骤、作案工具，以及酬金支付方式，一直协商到屋里散席，人全走光。

等七珠长大了，是否也会像扎西这样想揍老兵呢？

生七珠那天老兵倒是去医院了，去了又跑了，剩拉措一人躺在产房里，生死未卜着。

谈恋爱好比攻坚战，结婚类似阵地战，生孩子这回事好比一场穿插战，各种不可预见性。

所有人都未预料到拉措会难产，且难产到性命攸关，她难产了快一天，从头天半夜生到第二天下午也没生出来。

听说那时老兵全副武装，像头石狮子一样守在走廊里，面无表情，端坐如松，怀里抱着消防头盔，咀嚼肌清晰僵硬，嘴上一会儿多出来一个燎泡，一会儿多出来一个燎泡。

傍晚时分护士跑来，一大堆纸递过来。

签字吧，剖腹产来不及了，只能把孩子用产钳生拖出来，结果只有两种：要么夹破头皮，要么夹成脑淤血——这取决于老兵你是想保孩子还是保大人。

毋庸置疑，当然保大人！但又是两个小时飞逝，人依旧没能推出来。

众人慌作一团，唯有老兵依旧面无表情，他拨通电话：喂，让扎西别上课了，赶快送他来人民医院，再看他妈妈一眼……

越忙越乱，乱里添乱，操蛋的事就在这时发生了，就在窗外。

隔着医院的窗户望出去，不远处升起了滚滚黑烟，少顷，熊熊的明火烧起来，瞬间红了半拉天。

2015年4月10日下午的那场火，坐标古城狮子山的老农机厂垃圾站。

那会儿，力竭的拉措开始大出血，护士跑出来知会老兵，却只闻引擎疯狂的轰鸣声，一辆山地消防车炮弹一样冲出医院，眨眼不见了踪影。

滇西北4月旱，属火灾高发季节。

每逢旱季，老兵消防救援队全体24小时待命。老兵那时在医院待命，他抱着头盔穿着消防战斗服，一边待命一边等着孩子出生，山地消防车不拔钥匙，停在门外。

发现火情后的第一时间，这老东西扔下生死未卜的老婆，开车跑了。

不用和我说什么情怀，我是那个年代长大的人，却未必苟同那些以牺牲亲情为条件的奉献。

算我格局小吧，若在亲人垂危和工作不可替代间选择，我一定不会选后者。

在这件事上，我认为老兵很操蛋，不配有老婆。

那天操蛋的老兵3分钟内赶到火场，先用车载灭火器扑火，继而紧急组织附近居民运水灭火。5分钟后，老兵消防救援队和现役公安消防队全副武装，同时杀到。

大火良久方被扑灭，起火的地方紧邻狮子山，与木府后院过街楼连着，幸亏扑救及时，不然焚毁的将是整个新华社区，乃至大半个古城。

后来听人讲，救火过程中老兵始终没什么异样，摘掉空气呼吸器后他是面无表情的。

他面无表情地掏出电话，拨通，打到医院。

电话很久才有人接，他喂了一声，然后一秒钟号啕大哭。

50多岁的老头子，摇摇晃晃地站在残灰余烬上，边哭边喊：我老婆还活着吗？！

当然活着，俩都活着，算算时间，七珠正好出生在大火扑灭的那一刻。

七珠出生后不出动静，直待老兵冲回医院把房门撞开她才放声大哭，啼音巨大，充满愤怒。

后来拉措嫂子说，七珠脾气不好，大概是因为生下来就被气着了。

也对，初次登门，结果亲爹跑了，换谁谁不气？

拉措倒是一点儿都不气，摩梭人淳朴，她自幼信佛，她说：嗷哟哟，老兵你别哭了，我不生气，就当是给孩子积德了……

拉措说：过来，亲亲。

这句对白是小扎西提供的，和我没关系，他恰好那时赶到的，恰好目睹了这一切。

他发誓说，当时听到的真的是：过来，亲亲……

扎西很不屑，断言老兵不配享受亲亲的待遇。

他的理论是：你一身烟味脏兮兮地回来了，回来了却不第一时间去抱我妹妹，反而抱着我妈妈的腿哭得死去活来的，初次见面不搭理亲闺女，有你这么当爸爸的吗？太不像话了！

扎西说：当着我妹妹的面，老兵不要脸了，他真的和我妈妈亲亲了……我咳嗽了好几声他们也没停，过分！

……指什么指啊，把你手指头撅断信不信？过分的是你爹，又不是我，你指着我做甚？

扎西表示摊上这么个不争气的父亲，他很闹心，他再度提出了那个把老兵教训一顿的动议。

我打不过老兵，打得过也不会打，事后我只问了他一个问题。
面对我的质问，他一秒也没犹豫，只回答了五个字：
那我也去死。

彼时滇西北的旱季已过去，我们坐在老兵火塘的角落里，听着瓢泼的子时雨。
酒是喝不动了，话也不想多说，他盯着面前的炭火一动不动，我看着墙上的那幅油画，画中有个笑得没心没肺的老兵。

（四）

他仿佛并未从31年前的那场战争中真正醒来，随时都在等着冲锋号吹响。
他曾是兵，于是一生都让自己是个战备状态的兵，不论是昔年的沙场还是如今的火场。

"2·29"火灾发生在木结构的客栈，客人在浴霸上面烤内裤，差点烤焦了整个院落。
老兵抡着消防大斧劈开厨房，扛出两只发烫的煤气罐。

"3·11"火灾发生在老孤儿院，游客家的熊孩子玩火，玩废了半条街。
老兵抱着水枪爬上二楼屋檐，却被另外一条水龙打在身上，巨大的冲击力相当于一辆奔驰中的电动车，他被撞飞了出去，抱着水枪仰天跌下，满街的人都吓傻了，完了完了，老兵挂了。

万幸水枪关着，65消防水带满满当当压力强劲，相当于一个巨型大弹簧，无形中缓冲了下坠力。就像卡通片里演的那样，死抱着水枪的老兵在半空中蛇形摆动，最终吧唧一声后背着地……脑袋没摔碎，只鼓出一个大包包。

他颅骨本就是变形的，脑壳有包之后，反倒显得匀称。

…………

消防中的那些危难险情，无须再多举例，一言以概之：老兵每每身先士卒，屡屡大难不死、逢凶化吉。

将强强一帮，这些年他的消防队扑灭过大大小小的火灾30多场，雨季排涝挖沟几十次。

时至今日，老兵义务消防救援队共有11辆消防车，各色消防装备看齐现役部队，历任消防员70余人，每年仅宿舍租赁费用即是六位数。

他不过是个卖烧烤的残疾军人而已，却一人养活了整个消防队。

养得很辛苦，开支巨大，却并不肯接受社会资金捐赠，谁跟他提捐钱，他对谁说放屁，转过身来两手空空，只一味压榨花生油般虐自己。

卖烧烤、卖馄饨、卖腊排骨火锅，背着奸商黑店的戏谑去挣那些块儿八毛……他曾是赚到过大钱的，古城房地产泡沫巅峰的时候，也曾投机倒把买卖过客栈院落。那时上天悯老，让他白得到大几百万去养老，他不领情，转身把钱投入义务消防队里，全部散光。

千金散去不复来，天给的钱不要，以后再挣也就难了。

经济形势不好，他手头那两家排骨火锅小店接连倒闭，只剩最初那家老兵火塘卖卖烧烤。进项越来越少，他越来越捉襟见肘，却依旧任何捐款都不收不要。

有段时间他估计是山穷水尽了，不然不会选择开青旅。

青旅开在他的消防救援队宿舍里，宿舍位于古城外北门坡上，他从宿舍里腾出几间房，安上高低床，军用被褥一铺，即日开张。

那应该是全滇西北最简陋的青旅，也最有特色。

隔壁住的全是膀大腰圆的消防员，客人们每天可以欣赏到紧急集合的哨声、对讲机的呼叫声，叮叮当当的单兵装备拿起又放落，以及此起彼伏的呼噜声山响。

吵是吵了点儿，若说好处，倒也有一条：

此地是全古城最安全的地方，地震了都不用着急跑，敲敲墙就有人过来挖你。

老兵的青旅30元一个床位，挣不来几个钱的，即使天天满房。

可饶是如此，还是有人热衷砍价，依旧有人坚信天下有贼、无奸不商。

那些把价格砍到20元钱一天的年轻客人应该并不知道，微薄的盈利，老兵全换成了汽油，为的是让他那11辆消防车吃饱。

我帮他的青旅发过微博，2016年9月29日的那条。

不是我主动发的，这种操心又受气的青旅，我并不支持他搞，我的建议是少养几辆消防车，一劳永逸地把钱给省了。

可有一种广告不发不行，老兵从不是个肯求人的人，为了和我开这个口，他迂回了一个多星期，不仅主动说想念我了，而且还主动投其所好，和我探讨了好多次人生。

部分留言有截图，自己翻微博看去吧。

看完不要笑，你并不会明白我心里的难过。

他但凡把这求人打广告的工夫拿出来，多少钱他借不到？不用还的那种。

但凡稍微变通一点儿，拉下脸来打几个电话、下几个命令，多少钱他要不到？

…………

看完那条微博的人，不用去照顾生意，老兵的青旅已倒闭关张。

我打的广告只管了两个月的屁用，之后生意依旧不好，觍着脸砍价的人依旧不少。

老兵挣钱无望，主动关的张，床位省下来，免费提供给公安消防执勤点的官兵们，让现役部队的战士们累了乏了时，能有张床躺一躺。

至于那11辆消防车，大可不必太担心，汽油钱已基本解决。

对付狠人要下蒙汗药，对付倔人要用巧方法，既然他谢绝捐赠，那不如大家合作做个小生意哦，合法挣来的钱花起来总没问题了吧，天经地义。

大冰的小屋总舵的对面，有一家10平方米的无名小书店。

店是从老兵火塘里生隔出来的，店里卖的是我的书，全是签名版。

刨去运费，一本书挣3到5元钱，这些钱没有一分一厘是被我和老兵吃了喝了挥霍了的。

感谢所有曾经在那家小书店里买过书的朋友，稽首百拜。

你们买下的每本书，都是给老兵的消防车加了油了，那一场场被扑灭的大火背后，也有你们的贡献。

（五）

女儿的到来明显软化了老兵，他救火救援英勇依旧，打架时却不再那么狠了。

古城酒吧扎堆，酒鬼多，常有散德行的酒鬼骚扰消防车。

酒鬼横在狭窄的路中央，大大咧咧拦车：按什么喇叭！你闪什么红灯，你横什么横？

……唉，兄弟伙，你这又是横什么，灌了几瓶"风花雪月"就当自己是奥特曼了？

火情紧急，不容耽搁，一劝二劝劝不动的，必是由老兵解决。

他老侦察兵出身的好不好，最擅长瞄准了，灭火器一开，酒鬼嘴里立马满了，白的，几秒之后浑身变雪人，呛得满地打滚死去活来的。

老兵上前补上一脚，人滚到沟里，也就挡不着车。

他因此没少进派出所，前脚灭火归来，后脚做笔录去了，该道歉道歉，该赔偿赔偿。

有了七珠后，事情大不一样了，老兵不再用那么恶劣的态度对待阻挠公务的酒鬼了。

他的进步很明显，比如，不再用灭火器把人家喷哭了。

他只是上前一个高鞭腿，人滚到沟里，也就挡不着车。

然后该道歉道歉，该赔偿赔偿。

其实有了七珠以后，老兵进派出所的次数确实少了。

之前大年三十他一贯在派出所过，接连三年风雨无阻。

每年年三十那天，整个老兵消防救援队受"119"直接调配，专门接警处理那些违规燃放的烟花爆竹。

兴头上的人轻视火灾隐患，哪儿肯自己主动把爆竹灭了，于是救援队动用灭火器消灭明火，于是口角升级为摔跤，打得噼里啪啦的，然后老兵就进去了。

所里的人愁死了：尽忠职守是必须的，但我们也辛苦了一整年了，还有几分钟就跨年了，你们哪怕晚来一会儿也行哦，还让不让人喘口气安安静静地过个年了……

我也都已经养成习惯了，每年吃完老兵家的年夜饭后，都相约第二天早上去派出所门口接他，互相拜年。

七珠出生后的第一个大年三十，情况不一样了，整个大年三十平安无事。
大年初一中午，短信嘀嘀响：兹代表所里全体干警给老班长拜年，同时感谢老兵同志昨晚终于没来录笔录，望再接再厉，成为一个既热心公益又守法的好公民。

其实老兵三十夜里去了派出所，只不过没进门而已。
夜巡途中他路遇一迷路的醉鬼，开着车陪人家找了个把小时也没找到目的地，无奈之下，把人送到了派出所门口。

醉鬼很感激老兵的热心，道：来，进来一起坐会儿，喝杯茶……
醉鬼说：老哥，你千万别和我客气……

老兵说不了，他说，虽然他很想进去拜个年……
但他如果真进去了，里面的人会很闹心。

（六）

这样一个让人闹心的守法好公民，后来被人捉到了北京。

要去北京的消息传来时，老兵的第一反应是躲。躲了，没躲成，被拖到北京去了，死拖活拽，好说歹说。

2016年11月8日是个特殊的日子。

北京公安部礼堂，由公安部颁发的"中华人民共和国第三届全国119先进集体奖"，授予云南省丽江市老兵消防救援队。

当天老兵出了不少洋相。

当天受奖的全国代表有75个，颁奖结束后，大家忙着各种合影留念，唯独老兵找不着了。

后来有工作人员在大巴车上找到了他，他困坏了，呼呼大睡，鞋都脱了。

搞什么搞，天子呼来不上朝吗……

那天没有单独和领导合影的，应该只有他一个。

也难怪他困，在北京的那几天，他几乎没时间睡觉，公安部许多领导自己掏钱，轮流私人宴请他。五天四顿大酒，往死里喝的那种，很给力，也很给他面儿。

可这老家伙却很变态，领了那么大一奖，不拍照不炫耀，喝大酒时却玩命地拍照，不是合影，他拍的全是餐桌菜品，像个朋友圈里爱发美食的小姑娘一样。

哎我就纳了闷儿了，你说人家私人宴请他，还安排他坐在主宾位，可他举着个破壳掉漆的烂手机咔咔拍菜，就不怕人家笑话他山炮[16]？

他偷偷发微信给我炫耀：看！茅台！货真价实的！
我鼻子快气歪了，好好好，露馅儿了吧，我就知道你以前请我喝的是假的，我就知道你不可能那么大方……

那天有位退休老领导破例饮酒，满满的一杯端起来，全桌人都迅速站了起来。
那位老人家说：老兵同志，这一杯，我替国家敬你。
有资格说这句话的人不多，老人家算一个。
老兵敬礼，一饮而尽，然后接着吃菜喝酒。关于那些让他山穷水尽的困难，他什么都没说。
好好的机会，就这样撒手错过。

应该是能理解他的吧：他早已习惯了孤军奋战，一生的斥候命。

古时候的斥候相当于现在的侦察兵。
讲个关于侦察兵的故事给你听：

若干年前，有个侦察兵，曾穿插作战深入敌后200公里。
没有后援，没有补给，每次执行任务都是破釜沉舟。
那个侦察兵曾率队将敌军特工级的侦察员整小队全歼，也曾领着一帮侦察兵一次次击退敌方整营建制的波状攻击。
那时他手下的战士大多十八九岁，大多和他一样年轻，大多留在了离国境线48公里处，埋在了异国他乡的腐殖土里。

1985年春末的一天，他和他的侦察兵们在离国境线很近的地方遭遇前所未有的重火力伏击。

包围圈在缩小，突围无望，被俘被歼几成定局，枪林弹雨中他组织大家举手表决，继而呼叫后方：以我们为中心，500米半径内炮火覆盖！

用四个字说的话，即为：向我开炮。

他们如愿以偿，请求来了一个侦察兵式的结局。

…………

31年后，一个老侦察兵来到人民英雄纪念碑前。

他穿着他最体面的那身军大衣，站在11月的清晨里，听国歌响起，看国旗升起。

他请人帮忙拍了一张照片，照片中他伫立着，背朝着天安门，面朝着人民英雄纪念碑。

过路的人应该不会对他太过在意。

不会有人知道，这个貌不惊人的老头子手刃过十几个敌人，二等甲级伤残，耳背、好酒、抠门儿，打架时爱用灭火器，建了一支牛×的消防队，开着一家黑店叫老兵火塘，娶的老婆叫拉措，生的孩子一个叫扎西一个叫七珠……

没人会知道，这个自我放逐了整31年的残疾老兵，本可以是个将军。

（七）

他残存的兵曾来找过他，早在12年前就来过。

12年前，两个中年男人站在门口不敢进来，孩子一样涕泗横流。

中年人的肚腩，中年人的发型，却站得笔挺，一眼就能看出，当过兵。

他们立正敬礼，冲着院子里那个正在拖地的背影高声喊：首长好！

……终于找到你了，首长。

听说那个时候，老兵愣了半天才转过身来，仔细地辨认，慢慢地走上前去。

没有抱头痛哭，没有久别重逢后的拥抱。

他把手抬了起来，一人一个嘴巴，撕心裂肺的两声脆响。

他说：滚。

转身，泪落如雨。

那两个中年男人扑通跪下，哭着把三个响头磕完，转身离去。

他捡起拖把，继续拖地。

他们没有走远，坐进对面的酒吧里，面朝着那扇没能踏入的门，守了整整一个星期。

每端起一杯酒，都先泼一半在地上浇祭，再双手高举，冲着那扇门里遥敬，然后一饮而尽。

…………

当年他们十八九岁，他领着他们枪林弹雨。

分吃同一块压缩饼干，同蹲一个猫耳洞，同生共死，求仁赴义。

眨眼12年过去，他们理解他的绝情，恪守着那一个字的命令，没有再去打扰过老兵。

12年里他们不止一次地来过古城，每次都远远地端起一杯酒，遥敬老兵。

按常理推算，他们当下应该都已是将军。

（八）

人都说，不想当将军的士兵不是一个好士兵。

那么一个只想当士兵的将军呢？那么一个三十年如一日只想自我放逐的士兵呢，能不能算是一个好兵？！

我很想拿这些问题去激一激老兵，却于心不忍，总难张得开口。

十几年来，我不止一次地看着他发疯。

他总在大醉后用力地抽自己的脸，痛骂自己不忠不孝不义——在他执拗的认知中，身为军人，未能殉国是不忠；身为儿子，杳无音信几十年是不孝；身为战士，没能在31年前和他的兄弟们埋在一起，是他半生都无法自谅的不义……

他发疯时我不劝，没那个资格，蝇营狗苟于凡尘琐事的你我，有什么资格去劝解一个活着的英雄。

喝酒就好，陪着他就好，闭上嘴就好，把他那些疯话当成醉话，且把那些遏不住的伤心当作旧伤未愈偶有新脓。

没历经过他那样的生死，就别去妄想读懂那些纠结和羞惭、真挚和荒谬。

所谓英雄，或许大都是如此这般自惭着的吧。

锁心苦行，把自己囚禁在真挚中，真挚到荒谬。

…………

31年来，他就这样自我放逐自我囚禁，直到七珠降生。

七珠改变了好多东西，我曾一度松了一口气，为老兵做出的那些改变而高兴。

第一个改变是联络了家人。

二十多年没见面的姐姐抱着他哭：弟弟，你怎么老成这样了……

老姐姐抱住老弟弟的头，一下接一下地捶他：姐姐对你不好吗？这么多年活不见人，死不见尸，你怎么狠得下心……

姐弟俩自幼要好，老兵年少时调皮捣蛋犯的错，大都是由姐姐认的。

姐姐也抱着拉措哭：委屈你了，嫁了这么个坏东西……

姐姐是连夜赶来的，老父亲派她来的，一并捎来的还有个口信：你可以不回家，爱死哪儿去就死哪儿去，但两个孩子必须送回来让我们看看，这是命令！

父母双亲尚在，年已耄耋，都曾是军人。

老兵的姐姐与我母亲同庚，我实在不知该如何喊她，于是按江南人的口音习惯，舰着脸把她喊作"伽伽"。

伽伽慧眼识珠，第一次见面就断言我和老兵一样：都不是什么好东西。

……指什么指啊，把你手指头撅断信不信？

你们一家人这都什么什么毛病啊怎么都喜欢杵着手指头指人……

伽伽眼里，连小扎西都不算什么太好的东西，只有七珠宝宝是个好东西。

伽伽对七珠好，全家人都把七珠当个宝，家里所有的家具全部包角，连爷爷的拐杖都包上了海绵，生怕她磕着碰着绊着。

七珠半岁时被伽伽接走，拖到满周岁时才还回来，拉措失眠了快半年，天天盼着女儿回来，真回来的那天却一把没抱动，一个踉跄，差点儿把七珠跌到地上。
她吃惊极了：怎么养得这么沉这么高这么胖？我的天，粉白粉白的，像个大白馒头一样……这是我们泸沽湖畔摩梭人生出来的姑娘？

七珠周岁礼时，伽伽也在场，她得意极了，人人都夸她把孩子养得像年画里的一样。
认亲仪式时，老兵郑重地把七珠递给我，还啪地敬了个礼，我一时情急，不知该如何还礼，于是像高举奥运火炬一样，把七珠高高擎起……

但闻伽伽惨叫一声，母豹子一样蹿起，一把将七珠从我手中抢走，还忙里偷闲地在我脸上挠了一爪子……
她是不是怀疑我这个亲干爹要把我的亲干女儿往地上摔？

我捂着左眼好委屈，我说我只是举一下而已……
她抱紧七珠，扭头啐了我一口：啊滚！

好说歹说，她才肯把孩子还给我，可七珠不待见我，各种扑腾，一脚接一脚地往我小肚子上踩。
我噘起嘴去亲她，她两只爪子伸直了怼我，打得啪啪的。
好，有种，爹都敢打，我看好你！

伽伽说，七珠真不愧是他们家的种，脾气又倔又硬。

伽伽说，小孩子难免爱吃吃手指头，奶奶随手帮她拔出来，随口说一声"宝宝不能咬手指"，从此七珠就不理奶奶了，拿什么哄都不行。半年里不论奶奶怎么喊她，她都"嗯儿"的一声扭头不看，各种不行。

伽伽说，把七珠送回来以后才发现，扎西也爱说这个"嗯儿"……

众人笑的时候，老兵也笑，笑着看看扎西、拉措、七珠、伽伽……笑着看我。

口轮匝肌上提，褶子全部堆起，他那会儿笑得无比难看，像极了火塘墙上那幅肖像，仿岳敏君风格的那幅油画。

（九）

我曾一度暗喜，认为老兵的自我流放即将完结。

种种迹象表明，他正在改变的过程中：除了继续给消防队挣钱，他也开始为自己挣钱。

七珠出生后，老兵倾其所有又开了一家客栈，颇有要大干一场的气势。

这真是件极好的事情，从31年前到今天，他付出的已足够多了，于情于理，都有权开始去为自己和家人多赚些钱，过得好一点儿。

我的认知也在改变：穷就是高尚，富就是罪过？

曾经当过英雄，就活该一辈子啃着窝窝头去搞奉献？

我为自己潜意识里曾经的道德绑架而汗颜，什么狗屁三观！

英雄、偶像或标杆，崇敬、仰视和期望。

被赞美着的往往也是被绑架着的，人们总把自己的道德上限当作他人的道德底线，并打上标签，认知为理所应当。

那些拥戴其实并不走心，取关和失望都只在一瞬间。

人们只是爱着自己的想象，投射又破灭。

那就快点儿破灭了吧，让他搁置那些孤独和清贫，温饱体面地为自己活几年。

我期待着老兵发家致富咔咔赚钱，等着看到他真正与往昔和解的那一天。

……只是，问题是，老家伙选错了进场时间。

2016年起，大半个滇西北的客栈市场泡沫开始破灭。

有人被套牢，有人在跑路，没人肯再千八百万地掏转让费，大量的民宿客栈无人接盘。

按之前的经验，转让费若想挣得多，装修成本必须高，老兵砸锅卖铁，把客栈装修得像样板间，于是彻底砸在了手里。

讨价还价的人铁石心肠，张嘴就是对半砍。

看在眼里急在心头，2017年正月十三，我和老兵翻了脸。

我劝他稳住阵脚多等上几年，早赔晚赔都是赔，何必着急这几天？

世事走的大都是抛物线，市场已开始触底，终归是要反弹，与其现在被人抄底，不如耐心等上几年。

他完全听不进去我的话，一味心疼钱，坚持要割肉平仓，能变现一点儿是一点儿。

又不是明天就要翘辫子今天必须要留遗产，为何这么怯于展望未来，如此着急变现？

别那么抠行不行，你是多急着囤钱？非要吃亏赔本地套回本钱藏到枕头里面天天枕着才心安？

你这样着急瞎搞，将来是对得起七珠还是对得起扎西？

…………

我说错什么话了吗？叹什么气？……哎，我说你摔缸子给谁看？！

好，当我放屁好了，不用解释，爱赔赔你的去吧，我毕竟是外人，就当我多管闲事瞎操心。

原本计划一起过元宵节，节后我从古城出发去北极，那天当真气极，我从老兵火塘摔门出来，回家拎上行李，连夜去了大理。

大家很多年没真正翻过脸了，上一次翻脸也是因为客栈问题。

就这样吧，爱抠抠他的去，爱赔赔他的去，爱咋咋的……

我去了大理山水间，陪着另一个老侠过了节，吃了元宵喝了茅台，晒了微博发了朋友圈。

是真的茅台。

去大理后的第4天夜里，小屋的歌手一个接一个地电话轰炸我。

他们说老兵出事了，从台阶上摔下来了。

摔死了。

（十）

我赶回古城时，老兵已苏醒过来，正仰在被窝里舔奥利奥，脑袋下枕着一个冰袋。

肝都快气爆了，我打车回来花了700多元钱……你居然没死？

太让人失望了！

笑什么笑？你居然还有脸吃奥利奥？！

给我来一块！

他颈椎拉伤动不了脑袋，努力把脸部肌肉挪向我这边，讨好地冲我乐，一脸讪讪。

他说将来的事不好说，能拿回手里的才叫钱……

他说等不及了，也不敢冒险，吃亏就吃亏吧，只想给孩子们能套回多少钱就套回多少钱。

孩子们慢慢长大了，需要用钱，而他并没有什么本事马上赚到钱……

他说，如果现在能从天上掉下来100万元就好了，也就放心了……

什么放心？什么来不及？什么100万元？

100万元就能一劳永逸地保障孩子们的未来？太感人了，跟谁学的数学？

他的数学真的不好，太多的账都没算明白。

如果当年没把终身俸禄捐献给希望工程，他现在起码给孩子们存下了上百万。

如果这些年别把全部身家投入义务消防队，他给孩子们存下的钱又何止上百万。

如果从现在开始少操心救火，多关心生意，谁说他接下来不可能挣到好几百万？

…………

可他那天梗着脖子枕着冰袋仰面朝天，不停地咂嘴、叹气，感慨着那笔缥缈于空中的100万元，絮絮叨叨，俗气而市侩。

那一刻他完全掉进了钱眼儿里面。

我却发自肺腑地高兴起来。

终于走出来了，31年的自我捆绑终于解开，老兵的自我流放终于完结，他开始重启人生，为自己和家人规划未来。

那还有什么来不及的！振作一点儿，从明天起发愤图强，去给孩子们攒钱！

至于挣钱的办法，内个[17]，内个，办法总会有的……

他说：啊，如果能买张彩票中个大奖就好了。

我说：嗯，如果能继承一大笔遗产就好了。

他说：唔，如果能捡到一坨石头里面全是翡翠就好了。

我说：唉，如果火塘墙上的那张油画是岳敏君的真迹就好了……

他叹气：是啊是啊。

少顷，他问：谁是岳敏君？

我说：一个大画家，当代艺术领军人物，一张画能卖1000万，是个光头。

他说：哦，当年送我画的人也是个光头，好像也姓岳……

我们俩对着笑，心脏怦怦跳，啊哈，发什么梦呢？光头画家海了去了，人家岳敏君怎么可能随随便便就把上千万的画作送路人，又烟熏火燎油渍麻花地在烧烤店里挂这么多年？

我边笑边擦汗，肯定不是岳敏君，他估计和你一样老，不是能干出这种疯狂的壮举的年轻人。

老兵也擦汗：送画那个光头不年轻，也是六字头生人，和我同岁。

我们四目相对，我陪着他笑：哈哈哈哈哈，哈哈哈哈哈……

…………

老兵诈尸一样从床上挺起来，嘴里噼里啪啦开机关枪，说都不会话了[18]。

大意如下：你个小不死的快快快拿手机去搜一搜那个岳什么敏的照片给宝宝看看！

……指什么指啊，把你手指头撅断信不信？这不正在搜吗！

我们翻来覆去地辨认照片，一脑袋一脑袋地出汗。

认了半天都不敢确定，时间过去太久了，人家的长相，老家伙已记不清。

…………

数年前，老兵的火塘来了一个奇怪的光头客人。

他胃口极佳，酒量极大，差一点儿把老兵喝趴下。

因是同庚同时代生人，两人聊天颇有共同话题，往事下酒，各抒心怀，喝着聊着，很快都醉了。

醉了的老兵唱起了往昔的战歌，唱得那光头客人泪眼婆娑，他肃然起身，咔咔干掉半瓶白酒，揽住老兵，主动求了一张合影。

几个月后，那光头客人托人捎来了老兵的肖像画。

他为老兵的行事所感，专门创作，诚心以赠。

一并捎来的还有一句话：好好保存，就别送人了，将来可以传给儿子。

好意心领，但老兵不懂现代派艺术，并不认为这玩意儿能传给儿子。

他摘下一扇火腿，腾出一个钉子，挂上了那幅画。

年复一年，烤鸡翅烤鱿鱼烤牛肉的烟熏火燎夜夜熏陶着那幅画，画中的老兵开怀大笑，穿着军装敬着军礼，如同置身硝烟中。

若干年来，老兵火塘人来人往，喝酒吃肉吹牛干架。

那幅画静静地看着浮世众生，看着扎西长大、七珠出生，看着拉措拿军用罐头砸老兵，看着老兵一次次扔掉酒碗紧急出火警，看着他指着我的鼻子撒酒疯：等我女儿生出来，你必须给她当干爹……亲爹也行！

没人去仔细打量那幅画，没人认为是真的。

此刻当下，我和老兵也都不敢确信这幅画真的是真的，妈呀1000万元啊，这也太惊悚了吧这也太仗义了吧这简直是光头天使啊……

哦，其实那光头客人送来的是三幅画。

其他两幅塞在库房角落里，和陈年的樱桃酒坛子挨着。

（十一）

我在北方的北方写下这篇文章，此刻北极雪落满甲板，四周是苍茫茫的北冰洋。

打了整整一天的字，这会儿我双手冰凉。

漫长的记叙过程像在放一场电影，忽而偷笑，忽而哑然失笑……

忽而愤怒以及遏制不住地悲伤。

来，老兵，咱们来聊聊天，这次不喝酒，隔空。

说说看。

有了天赐神授的那几幅画，孩子们将来的物质保障就等于有交代了，是吧？

重新联系了家人，就等于终于给了父母双亲一个交代了是吧？

生了七珠，就等于今生今世给了拉措一个交代了是吧？

…………

然后呢，完成之后你想干什么去？

你还想给谁一个交代？

为什么要急三火四地去完成这一切？

你想给自己一个什么交代？

寒风让人冷静，感谢北冰洋上的低温，让我头脑清醒地把上述问题通通看清。

老家伙，分开一周后的今天，我把你种种反常的迹象串了起来，我发现我忽然
就明白了你那些可笑的用心——

比如为何着急给孩子们攒一笔钱。

比如为何终于肯寻回家人，甚至要去参加母亲的八十大寿。

比如为何非逼着我认七珠当女儿，甚至说：当亲女儿也行。

13岁成丁，摩梭人规矩。

2020年，扎西13岁，你57岁，你说过会风风光光地操办扎西的成丁礼。

2028年，七珠13岁，你65岁，你计划让我到时替你去参加七珠的成丁礼，是吧？

我猜得没错吧？

所以你在七珠的周岁礼上给我穿上最隆重的摩梭人礼服——帮我补办了我的成
丁礼。

这样我才有资格按照摩梭风俗去代替你，是吧？

好，你信得过我，我很高兴。

那你呢？你干吗去？

可把你给牛×坏了是不是？

是不是以为安排好漏洞百出的这一切，就可以走得从容？

那究竟是怎样的一种创伤剧痛，负疚到可以让人否定活着的意义？

那到底是怎样的一种执念，几十年如一日地腐骨蚀心，心心念念只想和自己的兄弟们埋在一起？

整整31年过去了，整整一个时代都早已远去，老兵，原来你一直还留在当年的那场炮火里。

说说看，你从多少年前起，就做好了这个决定？

…………

好，你牛×。

你向来是我服气到无法仰视也无法平视的一个老东西。

如果真定好了日子，让我陪你去边境，我送送你。

如果那天真的来临，我会履行承诺，替你去当七珠的父亲。

只是你要想清楚——我永远无法成为一个像你那样的父亲。

像你这样不忠不孝不仁不义的人不会再有了。

不会再有人可以成为一个像你这样的父亲，或英雄。

晚走几年行不行？

→ 那幅画

▶ ▷ 大冰的小屋·丁唯哲《花》

▶ ▷ 大冰的小屋·白亮《天净沙秋思》

▶ ▷ 大冰的小屋·王二狗《愿》

成都姑娘

那天夜里她问我，读这篇文章的人里，会不会有许多个"曾经的莉莉"呢？

她说她明白那些莉莉最需要什么，她说她想为那些莉莉做点儿什么。

好吧，如果你读了莉莉的故事，如果你也是一个莉莉，请接受莉莉的邀约：

莉莉计划每半年邀请一位莉莉去波尔多，食宿全包，她出机票，她陪你吃喝玩乐。

她希望你能和她共同生活一个星期，或许她能帮你夯实一些东西，帮你把疑虑和困扰解开很多很多。

失恋失业又如何，咪咪掉了碗大个疤。

谁说下一个变身的莉莉，不会是你呢？

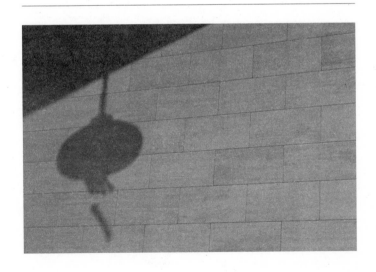

这个世界上真的有人在过着你想要的生活。

而那些人大都曾隐忍过你尚未经历的挫折。

（一）

永远不要小看任何一个成都姑娘。

尤其是那些大龄的单身的有点儿艺术特长的成都姑娘。

她们好比潜伏在冒菜里的小花椒，乖乖巧巧娇娇小小，貌似人畜无害，实则内蕴劲爆，一旦破壳即刻变身，麻得人嗡的一声脑浆子冒泡。

我有个妹妹叫莉莉，在我已知的成都姑娘中，她变身变得最劲爆。

劲爆高能小花椒，霹雳无敌灰姑娘。

莉莉定居法国，住的是有300年历史的古堡。

当下她供职佳士得拍卖行，独挑大梁卖酒庄，一年业绩5000万欧元，折合人民币小4个亿。客户不乏中国人，不乏各行各业排头大佬。

可她最擅长的不是卖酒庄，而是品红酒，葡萄酒工程专业的硕士文凭她一口气拿了两个，还拿了一个酒庄地产交易执照，是整个行业里唯一有这个执照的中国人。

其实和她凭实力获得的荣誉比起来，这些都不算什么——

她当下是法国波尔多的形象大使，货真价实的华人之光。

细想想，先觉得好笑，后是惊诧。

世界葡萄酒之都波尔多的形象大使，居然是个爱啃兔儿脑壳[19]的成都姑娘……

这事儿就好比中国酒都仁怀市茅台镇的形象大使，找了个爱吃蜗牛的法国姑娘一样稀奇……

更稀奇的是，这个成都姑娘同时还曾是《中国好声音》欧洲赛区总冠军，组建过自己的爵士乐队，个唱开到过巴黎香榭丽舍大剧院。

更更稀奇的是，她后来遭遇的那段虐杀全体单身留学狗的跨国爱情……

开挂的人生扑腾在异国他乡古老的葡萄地，啥好事儿都让这个成都姑娘一个人占全了，上辈子拯救过全世界一样。

可十年前的她不是这样。

十年前你就算把我扔到火锅里烫死我也想象不出这个妹儿有朝一日能拥有自己的城堡。

十年前兄弟伙初识时，她已经快算大龄妇女喽，住的筒子楼挨在臭水沟子旁。

她那时是成都金沙遗址博物馆的普通讲解员，讲双鱼讲太阳神鸟，腰里别着小音箱。

那时她白天上班讲讲讲，夜里在酒吧抱着吉他当驻唱，杯子里泡着胖大海，口袋里揣着润喉糖……

自费留学费用高昂，很长一段时间里她不谈恋爱不化妆，不换手机和衣裳，一张一张地攒钞票。

家人极力反对她出国：妹儿，二十大几才留学，你那个脑壳是不是有包？

又分析利弊道：现在的工作是事业编，五险一金齐全，丢了可就再也找不到了。

她抽抽搭搭地撇着嘴，跑来找我们掉眼泪，退堂的小鼓嗒嗒响。

那时她心下小乱，前途凄惶渺茫——万一饿死了咋个办？会不会穷到买不起逃回国的机票？到底是去还是不去呢？要不扔个硬币决定一下吧……

没有哪个人天生内心强大，强大和脆弱往往只一线之隔，很多时候需要有人临门踹上一脚。

出蹄的人是铁成，那天他罕见地板起脸，把莉莉痛骂了一顿。

骂完之后，铁成翻出了一张储蓄卡。

他道：如果你真把我当哥哥就收下，听话！

那时我坐在一旁，掏出手绢递过去，莉莉边擤鼻涕，边把脑袋抵在铁成肩膀上。

她那会儿用唱歌一样的旋律哭着：哥呀……

…………

十年之后，我和铁成赴北极猎光，返程时拐到意大利，去米兰拜蔡爷的码头。

谁都没想到莉莉会从天而降，她背着个小行囊从巴黎飞来，颠颠儿地缠着我们，从米兰跟到佛罗伦萨，最后硬生生把我们劫离罗马。

成都妹子牙尖，她操起一口川普软磨硬泡：走嘛，到我屋里头切[20]住两天嘛，咱们回乡下葡萄地里当两天农民，红酒喝起，血战到底打起嘛，咱们骑着自行车沿着加龙河去耍噻……

然后，落地波尔多机场后，一辆加长宾利在门口停着（参见我2017年3月11日的微博）。

饶我还算是个见过世面的人，也被这阵仗唬着了，开车司机那衬衫那叫一个白哦，穿得比我和铁成体面多了。冲着锃亮的车窗玻璃照照，我和铁成大棉袄二棉裤的，塞进辆面包车就能冒充成装宽带的。

莉莉拼命地解释：哥呀哥呀，你们是看着我长大的，老子我怎么会是炫富的人呢？

这个"老子"说：车确实是家里的，是九九坚持要安排的，家里还有100来辆古董拖拉机，本来也想搞个车队来迎接的，万幸他没找到那么多开车的人……她说：哥呀哥呀，别怪九九啊，他说了，哥哥们是整个家族的贵宾，当年如果没有哥哥们，现在的他也就遇不到这段爱情了……

看来九九这两年貌似受中国礼仪文化影响颇深……
九九法文名叫Jonathan Ducourt，是个法国农民。
他是莉莉的爱人。

（二）

不慌聊爱情。
莉莉的故事，需先从神勇的英雄婆婆讲起。

英雄婆婆是莉莉亲妈，成都石人公园那一带打听打听去，赫赫有名的街红。

这个胖婆婆出没时常牵一条灰色贝林顿梗，走哪儿都有人和她热情打招呼：英雄婆婆来啦……

英雄婆婆是居委会元老。北京有朝阳群众，她是成都的青羊群众，积极调解街坊矛盾，热心化解邻里纠纷。

可新到公园的狗友大都不敢和她聊家事，怕触及她的伤心事。

唉，光听这字号就知道，应该是某位烈士的母亲。

他们并不晓得这个称呼的来由……

其实"英雄"是条狗。

莉莉初把英雄捡回来时，被她亲妈打了一顿：背时鬼，从哪儿抱回头羊羔子？

后来发现这条长得像羊的狗狗会特技，精于狗嘴开瓶，你只要喊一声：英雄，表演一个噻。它立马扑到路边翻垃圾桶，不管是可乐脉动还是矿泉水瓶，专找带盖儿的那种。

英雄抱着瓶子往地上一坐，咔咔地用嘴拧瓶盖儿，姿态特别像人，男友力特别惊人。

都说狗和主人会越长越像，英雄后来胖得肥而不腻，和英雄婆婆有一拼。

英雄婆婆带着它减肥，跑去练健美操，两个月下来补过十几次健美裤——伸腿运动需要侧躺抻腿，一抬腿一刺啦，裤子绷坏了……英雄就特悲悯地扭过头去不看婆婆，拖着舌头叹气。

不过减肥效果显著，英雄婆婆一度从沈殿霞瘦成韩红。

有些东西有遗传，莉莉从小也肉嘟嘟，爱吃爱睡不爱动。

成都五中是篮球特长生学校，她是罕见的体育差生，只要打球必被砸头。

后来在十八中读高中时亦是如此，一个足球飞过来，别人都躲得开就她躲不开，脑壳跟着球一起飞出去。

莉莉大学本科读的是川师大，刚入学一军训就全校闻名，公演了一出肥天鹅坠湖记。

许多人疯传她为情自杀投湖自尽，并不知是军训的帽子不小心掉落湖里，没办法，胳膊短，捞帽子时重心不稳。

体育细胞匮乏的孩子大都文艺细胞富裕，她修的是法律和中文双学位，还当上了合唱团团长。那时她开始搞原创，文艺晚会上经常吉他弹唱，唱来唱去唱出点儿名堂，有一年"统一冰红茶大学生歌手大赛"，她发着烧感着冒，凭借唱功和原创拿下了四川赛区第一名。

第二名叫靓颖，姓张。

这些成绩并不入英雄婆婆法眼，她极力反对女儿玩音乐，最看不惯她没事儿就练琴，于是出门买菜时偷偷杀回马枪。

母女俩在小卧室里自由搏击，大熊猫和小熊猫摔跤。

英雄婆婆是相扑型选手，莉莉被放挺，吉他被抢走，琴钮全被卸了下来，英雄婆婆把它们藏进了马桶水箱里。

后来多亏了英雄，才把琴钮嗅回来……

成都的青沟子娃娃爱耍，莉莉打小儿调皮，英雄婆婆防贼一样地盯梢她，时时提防她翻天。

她小时候翻过天的，那时一家人挤住在14平方米的小房子里，一栋楼12户人家共用一个厕所，厨房集体造在走廊上。

莉莉小时候不爱洗澡，英雄婆婆忙着往大盆里倒开水，被莉莉从背后顽皮蹬了一脚，一脑袋栽进了开水盆儿里，水漫金山，惨叫声响彻楼道，然后莉莉被追着打成了熊猫……

莉莉那时跟小伙伴展示两团乌眼青：是嗫，你看我妈打人多个性……

从小到大她没少挨打，揍到高中才消停。

高三那年莉莉成绩不稳当，英雄婆婆怀疑她早恋，躲在学校角落潜伏观察，裹着好大一件黑雨衣。有一遭，雨衣侠翻窗台偷窥时被学校老师逮了个现行，老师端着拖把截她：这位胖婆婆，你是做啥子的？

学生们跑出来仰着头围观：哎哟，忍者吗？哎哟哟，这个胖忍者上去了下不去。

莉莉那时很得意：噢，这个是我妈，是嗫是嗫，嗨有个性……

莉莉说，英雄婆婆有许多奇葩行径，其实比她调皮。

比如热爱尝试新鲜事物，买水果买回一堆仙人掌、仙人球，自己吃，给女儿吃，也给英雄吃，然后二人一狗肿着香肠嘴去看医生。

一路上三条小生命边走边哀号，英雄婆婆担心莉莉的嘴自此消不了肿，将来嫁不出去。

刚上大学那会儿莉莉零花钱少，口袋里罕有"毛爷爷"，通常只有"各族人民"。

那时候有一种叫脉动的饮料开始流行，价格小贵，她爱喝却不舍得敞开喝，喝完一瓶后不舍得扔瓶子，自己天天往里面灌蜂蜜水。

有一天一进门莉莉就被感动了，整整一箱子脉动啊，闪着光圈摆在桌子上。

啊，这肯定是英雄婆婆买的，为了给女儿解馋她终于大方起来了！这不是母爱是什么！

咕嘟咕嘟喝下半瓶……味道咋变了？

仔细瞧瞧瓶子……

脉劫？

就算是脉劫也是花钱买的，一瓶将近两元钱呢，英雄婆婆说她自己都没舍得喝。

她其实蛮疼莉莉，有一年莉莉做阑尾炎手术，她隔几分钟就摸摸莉莉的鼻子探她的呼吸。

莉莉逗她，闭气，她拼刺刀一样地狂戳红按钮，整个医院都听得见她的悲鸣：

来人啊！我女儿不得行喽！

又啪啪地拍莉莉的脸：醒醒噻，醒醒噻！

她哀求：乖女儿哟，只要你醒了，我以后再不拦着你练琴喽……

说出的话泼出去的水，老成都人讲信用，她后来没阻拦莉莉去参加《我型我秀》，那时莉莉大三，请了一个月的假去上海，英雄婆婆给她准备的行李箱巨大，能塞进一头猪。

到了魔都后一开箱，辣酱辣酱和泡菜。

英雄婆婆怕她不够吃，还塞进了一罐子泡菜水，还有切好的萝卜。

罐子密封不严，衣服被打湿了不少，参赛期间莉莉一身母爱的味道，隔着两丈远就知道是从四川来的。

音乐理想并未拗过母爱，毕业后的莉莉被母爱一耳屎[21]打翻。

英雄婆婆送她的毕业礼物是个入学通知单——四川烹饪高等专科学校。

川师大中文系那一届的毕业生里，莉莉是唯一一个上完大学就去学厨师的，学的还是川菜……

还没完，颠了半年的大勺后，英雄婆婆用自行车驮回了一堆国考教材。

她欣慰地通知莉莉：又能做一手好菜好饭，又能考上公务员……将来就不愁嫁喽。

英雄婆婆的这份欣慰在莉莉去博物馆上班后达到了顶点，接着便被女儿要出国留学的消息一耳屎打翻。母女间的相扑自然难免，不仅肉体上还有精神上，那句话就是她说的：妹儿，二十大几才留学，你那个脑壳是不是有包？

出发的日子越来越近，母女间的拉锯战未艾，房门常被摔得哐哐响，英雄趴在地上大气儿不敢喘。

有天早餐时，莉莉发现雷打不动的鸡蛋稀饭换成了过节时才吃的肉臊面，于是明白了妈妈开始举起白旗，她红着眼圈把碗舔得比脸还干净，第二天起床后发现盘盘碟碟铺满小餐桌，袖珍版的满汉全席……

世上最迁就女儿的总是母亲。

关于英雄婆婆，莉莉后来总结说：前一秒你还觉得投错了胎，下一秒你忽然就决定下几辈子也给她当女儿。

吃了人的嘴软，免不了虚心听亲妈的唠叨。英雄婆婆那时叮嘱了她很多，比如不许坐法国地铁，小心被怪蜀黍[22]摸；比如不许进法国酒吧，小心杯子里被人下药迷奸了。

唠叨得最多的是不许交法国男朋友。
英雄婆婆说公园里的狗友们说了，有的法国男人至少十几个情人。哎哟，打小三儿的话根本打不过来，太多了……

临行筵席，英雄婆婆广撒英雄帖召唤三姑六婆。
席间她举杯祝酒：我女儿当不了真心英雄，也要当头雄起的狗熊！来，大家鼓掌！
后来她跟莉莉说，都是骗他们噻……这是为了方便将来借钱，亲戚们酒都喝了掌都鼓了，也就不好意思不借钱喽。
莉莉当时敬佩死她了，英雄婆婆啊，你果然是个心机girl！

走的那天，莉莉拖着那个能塞进猪的大箱子，抱着一口电饭锅，锅里掖着5000元现金，英雄婆婆的私房钱就这么多。
她反复和心机girl英雄婆婆确认：妈你没偷偷往箱子里塞泡菜吧？千万别啊，不然行李出不了国……
到了法国一开箱子，果真没泡菜，蹦出来的是卫生巾，边边角角全掖满了，拿来铺床都够了。

莉莉出国一个月后，英雄婆婆……拿四川话说，她气疯球了。

她开通了国际长途，天天打电话，一个月之后才知道国际长途要隔月生效，话费欠了4000多元，巨款啊！

她赌气说再也不给莉莉打电话了，隔天注册了QQ，让莉莉加她。

她后来又被QQ气疯球了。

莉莉QQ被盗，有人说出了车祸，正在医院抢救，让赶紧找银行打钱，不然就直接推太平间。

英雄婆婆救女心切，半天时间筹来几万元钱，一分钟灰飞烟灭。

她后来天天去围堵办案警官，自行车横在派出所门前，一旁蹲着英雄，抱着个瓶子啃着……

英雄后来越长越雄壮，莉莉不在家，母爱只能它来承受，英雄婆婆往死里喂它吃好吃的，好好一条贝林顿梗，吃来吃去吃成了一头肥绵羊，不得不送出成都，送去西昌度余生。

英雄婆婆给莉莉打越洋电话哭诉：

你爸，你爸把我的英雄孩儿送到西昌卫星发射去了！我要跟他拼命啊！我的儿啊！

莉莉也难过，但劝了半天劝不住英雄婆婆，只好扔撒手锏：你打了半个小时喽，这个话费……

电话嗖地就挂断了，连句拜拜也没说。

莉莉后来和九九提起过英雄对婆婆的重要性。

她找瓶矿泉水，盘腿坐到地上，想给九九示范英雄狗嘴开瓶的特技。

但九九弯腰，伸手把瓶子摘走，帮她拧开，又轻轻递到她嘴边。

很不解风情，很体贴。

（三）

不慌聊爱情。

莉莉的故事，要先从跌跌撞撞的留学生涯讲起。

一下飞机就后悔了，浪漫之都并非处处鸟语花香。

处处飘香的是好运，静静躺在大街上，静静等着她踩上一脚。

踩完狗屎自然走狗屎运，钱包当街被抢，报个警说不清地方，哭着挂断电话。

她在法国读书的头几年，颠沛得像个吉卜赛人，为省钱搬了20多次家。最便宜的家是个阁楼，老鼠小强，夏暖冬凉。

那几年她最远大的人生理想是买个空调，其次的理想是狂吃一顿中式大餐，没有大餐的话何师烧烤也行，没有烧烤就火锅，没有火锅就冒菜，再不济就钵钵鸡……

于一个地道的成都人而言，最残酷的人生是嘴被亏欠。

可超市里最便宜的是生鸡和生兔子，兔子还不带脑壳，莉莉啃鸡啃兔整整啃了两年半。多亏了英雄婆婆无心插柳的先见之明，如果不是那半年的川菜厨师培训，她不可能靠一鸡三吃、一兔五吃撑过那囊中羞涩的岁月。

那时为了省钱，她放弃发型，从没舍得在法国剪头，囤的牙膏和手纸都以年为单位计算，超市打折时抢来的。

最让人肉疼的是交通费，狠狠心买了辆二手自行车，按出厂日期推算推算，巧啊，和英雄婆婆同年。语言障碍导致学业吃紧，更吃紧的是钱袋，她骑着那辆和妈一样老的自行车打工上学，早上出去，午夜回来。

夜路她不怕，反正车铃铛已经快锈断了，随时可以拧下来当手榴弹。

和许多家境寻常的留学生一样，她自己换灯泡打小强撵老鼠修马桶交水电费……

也自己换煤气罐。

刚到法国那会儿，她住Biscarrosse（比斯卡罗斯）小镇，空罐子用自行车驮在后座，一路上前轱辘几度被压得撅起来，幸亏平日里鸡肉兔肉吃得多，全靠体重吨位镇住了。

返程时惨了，灌满气的罐子半天抬不起来，好不容易抬上自行车后座，自行车立马站了起来。

那会儿她蛮委屈，唉，要是英雄婆婆在就好了，人家英雄婆婆可是能扛着煤气罐上楼的人的说……

地广人稀，鬼都没一个，她只好把煤气罐搁在地上拖，边拖边紧张，千万别摩擦生热给弄爆炸了的说……

走两步，拖1米，直起腰来歇一歇，10分钟的自行车车程，她死拖活拽了两个小时，然后扶着腰走回去挽救自行车。

回家换好煤气罐后，她一脑袋栽在床上不肯起来了，迷迷糊糊不知睡了多久，门被撞得震天响……力气这么大，门外有只熊吗？

这熊咋还一口法国乡村口音?

她迷迷糊糊地开门,臂酥手软如棉花糖,门外的邻居老大爷悲悯地看着她,问:

Bonjour Mademoiselle,est ce que vous êtes en train de vous suicider?

(小姐您好,请问您是在家自杀吗?)

累傻了的莉莉在换煤气罐时接头没拧紧,煤气飘到了隔壁,邻居大爷寻味而至,救了她这条小生命。大爷不受谢,只捂着心口叮咛她说:

C'est pas possible!!Si vous recommencez la prochaine fois,je vais appeler la police tout de suite!

法国大爷的叮咛语重心长篇幅也长,翻译成四川话的话,大意如下:

谢啥子谢,谢个铲铲儿噢,麻烦你龟儿以后不要再瓜兮兮地耍宝气,不然老子一定会报警!

其实和蘑菇事件比起来,煤气罐这段公案真心不算什么。

Biscarrosse小镇挨着一片森林,常有人去采蘑菇,采完后去药店让工作人员辨别一下,无毒就可以吃了。国外伙食贵,莉莉好几个星期没舍得大口吃菜,于是找了个大勺子当铲子,大义凛然地往森林里摸。

也是难为她了,为了一口吃的专门穿了一身红衣,想着万一走失了,容易被人搜寻。

这个在成都青羊区长大的小红帽并不会采蘑菇,但听人说过越鲜艳越有毒,于是采了一大盆偏黄偏褐的长得都很像蘑菇的蘑菇。

端着这么一大盆蘑菇去药店，往返需一个多小时，恰好附近有个法国大妈也在采蘑菇，她上前求教，请这位貌似有经验的当地人当鉴毒师。

法语复杂，单词分公母，一个东西10种说法，莉莉那会儿将过未过语言关，和人交流时免不了连蒙带猜带比画，大妈却很有耐心也很热心，细心地看了半天，认真地冲着其中某一种指了指。

莉莉后来咽着口水跑回家，结结实实吃了一顿面条烩蘑菇，然后精神百倍地骑着自行车去学校。

然后积极踊跃地起身回答老师的提问。

然后一脑袋栽倒在地上。

第二天她在病床上醒来，同学亲切地告知她：你边回答老师的问题边流哈喇子，然后吧唧一声昏倒了，不停吐白沫。老师很震惊，以为是自己的教育方式出问题了……

同学说，医生也很震惊，医生说洗胃洗出来的蘑菇和面条，足够喂饱一匹马……

医生的鉴定结论是蘑菇中毒，他告诉莉莉：感谢上帝吧，幸亏你倒在课堂上，如果是独自在家里的话……你现在应该已经插着翅膀，永远飞翔在法兰西的上空。

类似的蘑菇事件后来屡次发生，莉莉屡屡大难不死，却迟迟不见后福。

铁成说，有一天他半夜心惊肉跳，给莉莉把电话打了过去，不出所料，小姑娘又把自己搞进医院里去了。

他说莉莉哭着嚷嚷：哥呀……幸亏人家法国是免费医疗……

她哭：哥呀，我血都要流干了……

后来听莉莉说，她那次一喷嚏把自己打成了神经病，鼻子冒泡的那种。

当时她揣着热水，骑车去上学。难得波尔多好大一场雪，奈何糊着护垫的人无心赏雪景，手脚冰凉地骑着车……

冷不丁一个阿嚏！

她一喷嚏把自己打到轻轨电车的凹槽轨道里去了，哐的一声……

换谁谁都会神经病，委屈死了，屁股也疼腿也疼，眼泪鼻涕还有……该流不该流的都在狂流。

对一个漂泊异乡的女孩子而言，最难熬的是受挫时的举目无亲。

举目无亲时最锥心的，是大姨妈来探亲……

别人大姨妈莅临顶多井喷，莉莉水土不服，基本是海啸。

连摔带吓加感冒，她那次孤零零血淋淋地去阴曹地府走了一遭，没人陪。

这些狼狈的经历她从未和英雄婆婆讲起，怕家人操心，后来也没怎么和九九提，怕他产生过多的怜惜。

只有铁成和我知道，她最狼狈时曾推着自行车走到加龙河边，哭着站在圣诞节的夜里，浑身上下只剩几欧元，即将被房东请出门。

那时候如果有人端给她一碗煎蛋面就好了，或可暖一下手和心，可是没有，张嘴只有西北风。

天高皇帝远的，除了打气只有叹气，都什么年代了，出国留学的人里怎么还会有她这么背的经历？

极少有人像她那么背，也极少有人后来像她那么出人头地。
世事大都走的是抛物线，大凡出人头地，总要欲扬先抑。

几年后人们猛地发现，这个哭哭啼啼的成都姑娘不仅超标完成了学业，还变身业界女一。有个叫Violaine Esnault的法国作家想帮她出个自传；有本叫*LA VIE ECONOMIQUE*（经济时代）的法国杂志把她印在了封面上，标题是：坐火箭成长的莉莉。

再后来，她不再孤家寡人，爱上她的人是个种葡萄的法国农民，家里有庄园的那种。
那个农民叫九九，常搓热了双手，去帮姨妈疼的莉莉焐暖肚皮。

爱情是一个灵魂对另一个灵魂的态度，而不仅是一个器官对另一个器官的反应。
九九有着罗曼蒂克的灵魂，爱制造小温馨。
例如看电影时，他忽然打开一个小方盒，新鲜紫亮的车厘子均匀等大20多粒，全是他亲手从他妈妈家的树上摘下来的。

莉莉一粒粒吃，核吐在他的手心里。

（四）

不慌聊爱情。

莉莉的故事，还需从挥汗如雨的打工岁月讲起。

是的，她后来上过两次研究生，当过酒庄经理，当过佳士得酒庄部中国大区市场总监，有了自己的乐队、品牌、庄园、旅行婚庆公司和餐厅，温饱体面，受人尊敬，往来无白丁。

但在那段搓个麻将都四缺三的岁月里，为了完成学业，她曾当过中文老师，当过声乐老师，当过饭店里跑堂的，当过后厨，当过司机，当过导游，也当过保姆。

当保姆那会儿她自己都还是个孩子。

她曾在一家叫Courtepaille（法国最大的连锁餐饮企业古特拜）的比萨烤肉店端过盘子。

为了保温，盘子从热盘柜取出后需直接使用，她一次端3个大号的盘子，手都快烫熟了，这种感觉好让人思念家乡……成都的烤猪蹄英雄婆婆经常买给她吃。

她那时颇受客人欢迎，人们爱听她用花椒味儿的法语推荐葡萄酒，都开心坏了，恰好她那时学的就是葡萄酒相关专业，用词到位且妥帖，在满是行家的餐厅里一站，毫不露怯。

服务行业很能锻炼人的口语，一段时间后，有客人问她：你那可爱的中国口音怎么没了？

口音消失后没多久，这份工作也没了，这里毕竟是失业率居高不下的法兰西。

她还在波尔多市中心Tourny（图尔尼）广场上的一家法餐馆当过后厨，切菜洗菜干墩子活儿。

最累人的是洗沙拉菜，一次要洗上百公斤，一米多高的大桶，磨磨一样地边转边用水。

这活儿全凭臂力，比驴累，她边摇胳膊边哭，手心的水泡好了又破。

那时她法语已很流利，曾因看不惯污垢，向主管认真汇报过。

主管很不屑：什么？你反映卫生有问题？一般都是法国人投诉中餐馆，从没听说过中国人指责法餐厅卫生有问题的——你们中国人知道什么干净不干净？

说事就说事，搞什么地域歧视？她激烈的还击惹恼了主管，工作当场就丢了，每月100多欧元的学徒工资没了。

好在苍天不饶人，Tourny的这家法餐馆后来被卫生署查封，那个主管也失了业。

不停打工不停失业，同时尚需兼顾艰深的学业，日子酸涩得好像闷着一口泡菜水，有时候她抱着自己瘫坐在淋浴下，出神地缅怀成都安逸的生活，想念英雄婆婆。

铁成那时跟她说：勇士与懦夫的区别是什么？勇士不论被打倒多少次，还会站起来；而懦夫被打倒一次，就开始装死。

她说：哥啊，我没装死，就是有点儿累哦。

她一直是疲惫的，曾经有一整年的时间，她在一家功夫学校当翻译，骑自行车往返两个小时去挣那一天30欧元的工资。

学功夫的小朋友多，后来她开始教那些孩子中文，一次教9个。

一年后学业愈发繁重，时间不够用，不得不辞去这份工作，但有个孩子的家长坚持邀请她去家里上小课，还出人意料地给她开了两倍的工资。

那个法国小孩叫玛丽，法文名Marine Audinette，父母都是法国公务员，每次莉莉授课完毕都被留吃晚饭。
他们家的番茄、南瓜、苹果、无花果都是自己种的，经常会给她准备上一包瓜果蔬菜，请她带回家尝鲜。
很长一段时间里，那是她重要的维生素来源。

玛丽的父母待莉莉很好，莉莉靠他们支付的工资买了空调，终于没有热死在阁楼间。
装空调时玛丽的爸爸过来帮了忙，他后来还主动帮莉莉搬家，帮她刷墙、修水管、换锁。

父母喜欢这个中国姑娘，玛丽也喜欢，可她并不喜欢学中文，嫌难，每每愁眉苦脸。
好在她终究是坚持下来了，这个法国小孩后来被莉莉教出了一口正宗川普，对金沙遗址特别了解。

玛丽的中文一直无用武之地，直到若干年后莉莉在成都大婚。
那时玛丽全家从法国飞了过来，他们不让莉莉破费，自己掏钱买的机票。
婚礼上，玛丽用中文念了一篇演讲稿，感谢莉莉老师当年对她的教育，演讲稿是用中文加拼音写就的，夹杂不少成都方言。
玛丽读完后，全场乐疯了，掌声响得像放鞭炮，她红着脸跑下台扎进莉莉怀里，搂着莉莉的脖子和她聊天。

那时才知道，玛丽从来都不爱学中文，但爸爸妈妈当年曾和她商量说：
如果你不肯继续学中文，莉莉生活就过得不好了。

善良并不分人种和国别，为了让一个辛苦的异国姑娘过得好一点儿，那家人用心了。
当年若没有他们，莉莉差一点儿就夭折了学业。

…………

莉莉后来变身成功，不再愁于温饱，于是学着玛丽一家人的方式去帮了不少人。
达则兼善，她一个成都姑娘能当上波尔多城市的形象大使，亦与此有关。

从某种意义上讲，若没有玛丽一家人的好心，法国波尔多后来的形象大使不会是来自中国。这个喝着醪糟长大的中国成都姑娘不仅在红酒之乡成长为一名顶级品酒师，还致力于中法文化交流，在积极塑造华人形象方面建树多多。
许多人以能邀请到这个中国姑娘去自己的酒庄开音乐会为荣，很多人因为她而了解中国，乃至向往中国，尤其向往麻辣鲜香的天府之国。

当下中国文化在波尔多大行其道，那里的葡萄酒经济依赖着中国市场，中国已连续数年是法国波尔多葡萄酒进口第一大国，莉莉一个人包揽了佳士得酒庄部60%的营业额，几乎算是波尔多红酒庄园交易井喷的诱因之一，几十上百个酒庄、大片大片的葡萄园经她的手易主为中国人。

波尔多的市长曾感慨：小姐，你是不是打算把波尔多变成China town[23]？

人家市长说：那简直太好了……

那时候九九还不认识莉莉。
那时的九九无以复加地排斥中国人。
他并不知道自己有一天会骄傲地向人炫耀：我是法国四川人！
他做梦也没想到有朝一日会爱上一个成都姑娘，每天清晨上班前都在床头俯
身，吻她的额头。

（五）

不慌聊爱情。
莉莉的故事，少不了要从葡萄酒说起。

在中国，不怎么懂葡萄酒的人大都嗤笑过分优雅的慢品，认为是装×，懂葡萄
酒的人大都鄙视咣咣干杯式的豪饮，认为是牛嚼牡丹。
莉莉说：其实都没有错，只要你高兴，怎么喝不行啊？
她说品酒和喝酒本来就是两回事，要不然怎会出现品酒师、侍酒师这些不同的
职业。

她说夏天热的时候，去九九爷爷的庄园做客，眼睁睁看着他们把纯净水直接倒
在粉红葡萄酒和白葡萄酒里面，有时候还加两块冰。
她很奇怪：不会吧，还有这样喝葡萄酒的？我老师可从来没这样教过我。

九九的爷爷端着酒杯笑：喝酒，喝的是开心和解闷儿，喝的是氛围；品酒，品
的是酒本身的滋味和酿造工艺。如果我们是在喝酒，那怎么觉得好喝怎么来。

如果是品酒，那当然就需要讲究方式方法喽。

莉莉向九九的爷爷描述中国KTV式饮法：雪碧+红酒。他立马号召家族里的人一起试一下，并赞道：中国人很有创意呢……

倒还真不能说老头儿不专业，他们那个家族叫Ducourt（都古鳄），家谱可追溯到16世纪，在波尔多的酒庄界是元老级别，曾一度为法国王室御用酿酒。现有自家的庄园十几处，年产葡萄酒200多万瓶，其中包括白宫的宴酒……若真论起品酒，人家是家传的功夫，货真价实祖师爷级别。

莉莉的品酒功夫亦不遑多让，她去意大利逮铁成和我时，曾在蔡爷家里认真地给我们速补了一课。她说，品一杯红酒，应从色泽入手，由眼睛到鼻子到口腔再到脑子，等同于望闻问切……

她说：先看酒体的颜色，越是偏鲜红或者紫红色，代表这酒越新；越是偏砖红色，年纪就越大。刚拿着杯子时别乱晃，动不动就晃杯子晃半天的，会让内行笑话。

酒一般开瓶入杯后，需一闻二闻，需去感受酒是否已被充分氧化而停止发酵了。
一闻是将鼻子贴在杯子的下围，然后小啜。二闻是贴着杯子的上围闻，然后小口饮。
一般二闻时才需要晃动你的杯子，摇慢点儿，别用力，别把酒杯晃成滚筒式洗衣机……

闻酒，主要是为判断鼻中和口中的味道是否一致，越是前后一致，越是口感复杂，越说明这个葡萄酒的工艺高超，算是好酒……

莉莉讲了好多品酒知识，我只记得上述这么点儿。
她教了我半天怎么含着酒在口中吸气、轻轻打嘟噜，我没学会，老是被呛着，但好歹明白了仰天漱口式是错的，如果再看见有人这样玩儿，基本可以肯定他是在装样子。

我蛮喜欢莉莉的一个理论：
选酒品酒如选男女朋友，男女朋友最终生活在一起，等于把酒喝掉。
大部分人选男女朋友时看外表、人品、教育、智慧、家庭背景、未来个人上升空间，更现实一点儿的，注重存款和有非贷款的几套房……
这很像选酒时关注酒的包装、质量、口感、品牌故事、价值上升空间以及倒手转卖的概率……

可品是一回事，喝是另外一回事。
酒终究是要用来喝的，只把精力花在品鉴和评估上，而未寻找到最适合你的喝法，再好的酒也会失色，乃至放坏。

说这话那会儿我们已经在波尔多。
莉莉把晚饭安排在一个百年小酒窖里，匆匆赶来的九九拿胡子挨个儿扎我们的脸，使劲儿拥抱。
九九会说一点儿普通话，他摇着铁成的肩膀热烈地喊：哥哥铁情！
又摇着我喊：啊！大B！
要不是他身高一米九体壮如牛，我真想蹦起来就是一个野马分鬃……

还没完，落座后他说：我们，今天喝莉莉！

我和铁成面面相觑，莉莉笑而不语。
九九钻进酒窖捣鼓半天，本以为他会抱出个机器来把莉莉榨汁儿，结果他拎出一瓶造型别致的起泡葡萄酒，说这就是莉莉，味道很阿姨……

我猜他本意是想说安逸……

酒叫Blanc Lime，出自九九之手，在欧美市场名气不小，销量很高。
这种酒的技术难度远超一般葡萄酒的工艺，需用一等白苏维翁葡萄酒液作为基酒，然后要把橙子、柠檬、柚子、百香果等水果加热蒸馏，再把基酒和蒸馏精华混合，调配出香气浓郁的起泡酒。这个酒对蒸馏技术、酿造冷冻技术、加气技术的要求高，一个环节出错，前功尽弃。

第一瓶问世的Blanc Lime放在莉莉的书桌上，压着一张字条：
Pour Toi Mon Amour，Blanc Lime.
（致我的爱人，白丽美。）

这个法国农民把爱意装进瓶子里，把专属的浪漫献给他的莉莉。
这款Blanc Lime是他用了一年的时间，专门为莉莉研发的惊喜。

……爱一个姑娘，就酿一款酒，并以她的名字命名。
可以说是非常厉害了，你说人家咋就那么善于经营爱情？

◎和平视同样重要的是平衡，

　　不论是人生规划还是人际关系，平衡才是第一。

◎入世即俗人，但总有一些俗人，俗得和你我不太一样。

◎所谓有情，又名众生，生死相续，轮回转生。

◎情浓路短，天冷路就长。

◎一代人有一代人的价值观，

如果很难做到相互理解，那就尽量互相谅解。

◎越是真正的旅行者越懂得去平衡生活。

越是理智的旅行者越明白去平视生活。

越是资深的旅行者，

越不会煽动人盲目辞职退学去流浪，只把旅行当生活。

（六）

不慌聊爱情。

莉莉和九九的故事，需先从九九对中国人曾持有的成见说起。

认识莉莉之前，九九曾和中国商人做过生意，那个热情洋溢的客户一次订了8个集装箱将近10万瓶酒。货都快运往海关了，人消失了，不接电话不回邮件。

10万瓶酒拖回庄园，雇来上百个工人忙了一个月方把商标贴牌清除干净，经济损失倒在其次，无法理解的是失礼的失信。

中法文化差异大，九九无法理解有人会用断绝联系的方式来毁约，他当时刚接手家族生意，受挫严重，自此发誓不和中国人打交道。

他怎么也没想到，后来他会为了让一个中国姑娘开心，专门飞越半个地球，跑到成都去学"血战到底"。

学成归来后，麻神附体，他把那个姑娘和那个姑娘的中国朋友打得落花流水，不仅没把人家姑娘哄开心，还让人家生了好大一场气。

法国男人嘴甜，九九很爱那个姑娘，很少叫她的名字Lily或者李莉娟，总是称呼她为：

Mon Amour，Mon Amour

Cheri，Cheri

翻译成中文都是一个意思：我的心肝宝贝亲爱的。

在这种语境下是很难吵起架来的，左一个亲爱的右一个宝贝，那个姑娘不知不觉就消了气。

也对哦，吵架就像往墙上钉钉子，每吵一次，白墙上扎进去一个洞。和好如初是拔钉子，但洞永远留在墙上了。几年下来，钉子可能没几个，但是满墙大大小小的洞，又是何必？

莉莉说九九聪明，从不教她骂人的方言单词，导致她想钉钉子时总苦于单词量不够。
莉莉一和九九冒火光，九九就说中文，这样可以把措辞的强度控制在幼儿园水平，他最常用的几句话是：
你让我生气了！
你太不乖了！你是龟的儿子！
我要打电话给我中国的妈妈和爸爸说你欺负我，不美好和我说话！

莉莉通常用法语回敬他：
你是一大坨屎屁屁，我不和你吵，我不会那些讨厌的单词！反正我赢了！

然后两个人接吻，高高兴兴地出门吃好吃的去。

莉莉说九九是French Kiss[24]狂人，她脸上总是有九九的口水。九九像条沙皮狗，一会儿在她脸上蹭一口，一会儿在她额头上嘬一口。九九是个大胡子，莉莉说French Kiss时，她总感觉是在亲一个大毛刷子。

这个大毛刷子和英雄婆婆的关系非常之好。
英雄婆婆常骂莉莉：还是九九有孝心，经常给我们发微信，不像某些人，给她亲妈发发微信好像会累死她似的。

莉莉蛮奇怪，以九九的中文水平，怎么可能和人良好沟通？

英雄婆婆跟他见面时，交流不是全靠拉、扯、拽、拖、拍、抱、拧、戳、点等基本手势与肢体语言吗？

后来发现他们之间的微信沟通是靠斗图，斗得那叫一个日出江花红胜火，超越语言和国籍。

图文对译的例子如下：

英雄婆婆发来一张莉莉的头像，加了一个问号。（莉莉呢？）

九九拍了一张莉莉正在睡觉的照片。（在睡觉。）

英雄婆婆发来一张手表的照片。（多久起？）

九九回了一张一根香蕉的照片。（1个小时的样子。）

英雄婆婆发了两张照片：一个手机的照片和一张自己的头像。（让她给我回电话。）

一个小时后，莉莉被九九喊起来回电话，她悲愤地琢磨：老子学这么多年法语有啥子用呢？还不如人家英雄婆婆随便耍耍表情包……

九九后来中文有长进，斗图升级为发语音。他的中文是在波尔多偷偷报班学的，他还偷偷学了中式按摩，去成都时孝敬过英雄婆婆。

他对莉莉很用心，知道她爱吃虾，他带着莉莉变着花样地吃遍了全法国。来回7个小时的车程他不嫌累，累的时候就和莉莉练中文，请教各种食物用中文该怎么说……

他其实也是个吃货，后来吃辣椒的本事不亚于四川人。辣椒不说辣椒，他学着四川人说海椒，还学会了说：火锅是一群人的冒菜，冒菜是一个人的火锅……

莉莉有段时间嫌他吃胖了，他听话地去练习跑步，跑来跑去跑回来一个马拉松纪念奖牌。
他所付出的汗水和时间把莉莉感动坏了，1万人的马拉松，他跑了第7689名，成绩不错。
九九那天满身臭汗破门而入，冲过来就要亲亲：
奖励奖励，亲一个亲一个！九九不胖，九九不胖！
莉莉说：胖了我也喜欢你。
他跺脚，说自己已经不胖了，说不胖了莉莉会更喜欢的。

法国男人的风评是不靠谱，莉莉说罕见的靠谱的那个被她遇见了。
女孩子被宠的时候喜欢耍赖，他们一起划船，到最后使劲儿划的只有九九一个。
九九跑步莉莉骑车，到最后都会变成九九骑车莉莉在后座上唱歌吹海风。
莉莉吃鸡蛋吃蛋白不吃蛋黄，九九就吃她剩下的，他让着她，像在让一个孩子。

莉莉却说其实九九才是个孩子，她最喜欢九九身上那份孩子气的认真，她说：
我们一年能真正在一起的时间只有8个月，因为剩下的时间，他要全球飞来飞去地卖他家的葡萄酒，我也要忙着打理自己的工作和小生意，可他从没有哪天忽略过我……

九九的哥哥是酿酒师，负责酿造家里十几个酒庄的葡萄酒；爸爸管理着550多公顷葡萄园的种植和森林及草地的维护；妈妈管理财务；九九管理着公司的运作和销售，出差是难免的。

他出差时特别搞笑，每次在酒店睡觉之前都会跟莉莉视频通话，把酒店的厕所、浴室、客厅、衣柜、床底甚至抽屉都看一遍，然后来一句：

自我查房完毕，没有女孩子，我开始睡觉了。

每次莉莉都会哈哈大笑，要是她在工作，不能接视频，他也要拍照给她看。

一开始觉得他是开玩笑，后来算算，连续5年他都是这样，认真得像个孩子……

还有一件事情他很认真，关于银子。

那时九九的妈妈发现儿子动了真格的，于是约莉莉喝咖啡，把一份婚前财产公证摆在她面前。

全世界的妈妈都是一样的，总要向着自己的孩子。

莉莉自然受伤，看都没有看就签了字，起身走人。

临走前她说我要嫁的是您的儿子，不是钱和家族，要真是为了钱，我买卖酒庄的亿万富翁里难道没有追求者？

她那时问九九的妈妈：再说，以我现在的工作收入，您觉得我缺钱吗？

这么网剧式的故事桥段自然有逆转，九九后来屁颠屁颠地跑来，递给莉莉另一份公证文件：

我妈最近给我买了20多套波尔多市区的房子……但是不怕的，我找公证人做了这个文件，有了这个文件，以后我死了，我俩婚前婚后的财产都是你的。

他说：我的全是你的，你的还是你的，不要告诉我妈。

莉莉那时候发飙：你这样搞，别人知道了会觉得是我在逼你！

她说：我什么都没要求过，我只不过想要和你开开心心地在一起，所以你求婚我答应了。我现在自己挣的钱花到我老死都没有问题，你这样搞，难道没想过会让我压力很大吗？！

天下的女人生起气来，逻辑都是一样的，她说：好了，我明白了，你其实不是真的在乎我！你不爱我！

可九九并不给她机会往墙上钉钉子。

他抱住她：既然我要娶你，我就想你拥有我的一切……

他说：莉莉，你一个中国女孩在法国，万一我将来坠机了、出车祸了、生病死了，我就保护不了你了……但至少我还能让我的财产保护你！

他说：我会跟所有不理解莉莉的人去解释，这个文件不关莉莉的事，是我自愿的！

莉莉当时泣不成声。

她后来复述九九的这段话时，亦是泣不成声。

那时我们披着衣裳站在波尔多午夜的清朗月光下，靠着门框，看着乡野和星空。

门前有樱桃树、无花果树、核桃树、桃树、橄榄树、橘子树、李子树，莉莉说都是九九为她种的，他知道她爱吃什么，要亲手种给她吃。

还有那100多株不同品种的玫瑰，都是他亲手刨坑亲手种的。

莉莉说九九追她的时候，曾每天送各种各样的玫瑰花，跟花店卖的不同，那些玫瑰白色花瓣上有黑色纹，红色花瓣上有白色纹，还有紫玫瑰、黑玫瑰……千奇百怪，几乎不重样。

那些玫瑰全是九九亲自为她偷的。

（七）

不慌聊爱情。

先把那些玫瑰花的来历说清。

当时他们初识，莉莉连收了4个月的玫瑰，尚未和九九确定关系。

有天九九罕见地没送她玫瑰，只说要带她去一个地方参观，连哄带骗地把她载到一座古老的城堡前。莉莉以为那天的项目是参观古堡，没承想九九从后备厢里搬出一整条火腿，并问她：你准备好了吗？

他傻笑着说：反正我准备好了。

没等莉莉反应过来，他一手扛起火腿，一手抓住莉莉，门铃都不摁就闯进了屋里。

客厅里有位老爷爷正在看报纸喝咖啡，有位老奶奶正在用iPad看剧，俩老人年纪加起来貌似快有200岁，他们稳重得很，对忽然闯入的九九一点儿都不吃惊。

九九放下大火腿，第一句话就把莉莉惊着了：爷爷奶奶早上好！我刚从西班牙回来，给你们买了一根大火腿。哦，这位是我女朋友莉莉。

啥啥啥？啥就女朋友了？咋？这是你爷爷奶奶？你带我来参观你爷爷奶奶？
没等莉莉反应过来，那个老奶奶一跃而起，熊抱住莉莉一顿法式亲亲，她说：
终于见到你了，Lily！

她二话不说，拉着莉莉就去后花园，花园足有2公顷，走了快5分钟也没到尽头。
奶奶停下脚步，问：莉莉，你在花园看到什么没有？
除了绿色就是绿色，满眼的绿草和绿树……
奶奶说：那就对了！九九把我种的几百株玫瑰全剪秃了！他天天来偷！啊，真的是个强盗呢……

奶奶说她一点儿都不生气，她说满园的玫瑰换来了这么好的一个姑娘，她很开心。

那是很精神的一位老奶奶，走路带风，米其林级别的厨艺。
铁成和我被莉莉劫持到波尔多时，恰逢她八十大寿，我们以娘家哥哥的身份坐在大圆桌旁，和从天南海北飞回来的家族成员一起大啖奶奶准备的大餐。
她明显偏心莉莉，每过几分钟就笑眯眯地走过来拍拍莉莉的脸，摸摸莉莉的手。

莉莉说，其实法国乡下的风俗，极像过去中国的乡间，也讲究请安。

九九在家里，几乎每天早上都会去奶奶家喝一杯咖啡，跟两个老人聊会儿天，然后再去上班。小时候每天早上去学校前，也是雷打不动地来请个安。

许多事他最乐意和爷爷奶奶说，姜还是老的辣，葡萄酒还是老藤的好喝，他当时能拿下莉莉，很难说和那快200岁的智慧没有干系。

除了奶奶，另外一位可爱的老太太是九九的外婆。

外婆知道莉莉喜欢吃兔头，就买来兔子在家养，一次性养20来只，搞得莉莉的冰箱里一度全是小骷髅。

法国人不啃兔头，他们爱吃蜗牛，外婆会去森林里捡大蜗牛回来，养在酿酒的橡木桶里。

每天要撒1次面粉，让蜗牛吃新鲜的面粉，排出黑色的脏东西，连吃15天面粉后的蜗牛肥美无比，外婆反复烧煮蜗牛4次，和腌制的烟熏肉、香肠、火腿、洋葱、大蒜一起小火焖煮3个小时……

工艺这么复杂，外婆每年都要给莉莉做3次，莉莉吃的时候，她坐在一旁戴着花镜看着，九九想吃，她不给，只给莉莉吃。

法国老太太很像中国老太太，隔代亲。

法国婆婆却不太像中国婆婆，婆媳关系在那里好像并不是值得探讨的话题。最初的尴尬结束后，莉莉发现她婆婆真挺可以，牢牢地记住了她的生日，还有一大堆中国的节日，动不动就送个小礼物给莉莉，或请她去城里逛街街吃饭饭。俩人后来处成了闺密。

莉莉后来帮闺密婆婆打理过账目，那时她才知道，几十年来，这个家族每年纯利润的10%，都会无偿捐赠给需要医疗救助的儿童。

细算一下账，好大一笔钱！

闺密婆婆代表全家人咨询过莉莉：莉莉如果认为合适的话，家族的这笔钱，很希望能捐赠到中国去……

话分两头，总要说说英雄婆婆怎么看待这段感情。

当年莉莉出国，她三令五申不许找法国男朋友，没承想女儿变本加厉，找了个毛茸茸的法国女婿。

起初恋爱时，莉莉没敢告诉她九九是个少庄主，怕她仇富，只说是个法国农民，会种葡萄。

英雄婆婆在电话那头背了半天气，后来勇敢地面对现实，说：农民就农民嘛，对你好就行……

又问：养猪没得？家里有牛吗？

后来听说订了婚，她倒是蛮高兴：终于有人肯娶你喽！

她说：你喊我亲家母来成都耍噻，我带她去宽巷子挖挖耳朵，去人民公园打打麻将……

英雄婆婆后来还带着亲家去杜甫草堂喝了茶。

还去听了巴蜀男神爆眼子老头李贝贝的评书假打。

李贝贝曾教育群众说：一日夫妻百日恩，百日夫妻就光扯筋。

九九和莉莉例外，他俩不扯筋，他们全家都没和莉莉扯过筋。

一切都很好，预想中因文化差异而导致的矛盾并未发生，所担心的豪门恩怨也毫无踪迹，莉莉是都古鳄家族第一个东方媳妇，家族里的人都很爱这个爱吃辣椒的姑娘，以她为傲。

每逢莉莉开音乐会，全家人盛装出动，上台前轮流亲吻和拥抱。

亲得最狠的自然是九九，"大刷子"每每蹭花了莉莉的口红和粉底。

…………

我不是崇洋媚外的人，没必要替一个远隔万里的家族去立牌坊，也并非美化跨国婚姻。

只是当那些日常琐事一点一滴地汇总到一起后，由衷地为那个漂泊异乡的妹妹高兴。

世界本就是个村，中外信息越对称，东西沟通越频繁，误解和隔阂越会加速融冰。

某种意义上讲，理应多一些莉莉这样铺路搭桥的排头兵。

可见不得别人好是某些国人的劣根性，他们爱用清高和不屑，去遮掩自己那份莫名其妙的嫉妒心。

不可否认，不论是事业或爱情，莉莉都交了好运。

可为什么好运偏偏落在了她头上，而不是别人？

励志的话不多说，我又不是贩卖鸡汤的人。

我只知：

星光不问赶路人，时光不负有心人。

这个世界上真的有人在过着你想要的生活。

而那些人大都曾隐忍过你尚未经历的挫折。

（八）

不慌写爱情。

倒吃甘蔗才叫甜。

不妨先写写莉莉和九九的婚礼。

2016年4月2日，33岁高龄的莉莉在成都大婚。

那天，英雄婆婆和来自法国的50多位亲友本着睦邻友好双边合作的精神展开了热情而积极的互动和交谈，她欣慰地表示：

按理说该我们包邮，结果麻烦你们上门提货，辛苦喽……

她深情地说：讲好了哦，不许退货。

50多位法国亲友集体穿着英雄婆婆专门为他们定制的中式礼服裙装，积极参与了不给红包不开门等生动有趣却让人费解的婚礼环节。

他们在头一天晚上集体被川菜里的辣椒和小花椒干翻，不少人跑肚子跑到半夜，第二天却依然精神抖擞地黑着眼圈撑到了拜天地入洞房的环节。

对此，英雄婆婆感动地说：坚持坚持，坚持住！明天中午我请大家吃晚宴……绝对不再放海椒！

婚礼隆重而精彩，尤其是游街环节，不少路人看傻了，哪儿蹦出来这么多汉服老外？哎，那个骑马的大胡子蛮威风，像个袍哥噻。

大胡子洋袍哥接过了建川博物馆的樊舵爷送来的古董结婚证书，证书现今悬挂在法国波尔多乡下种满果树和玫瑰的小庄园里。

其实关于婚礼仪式，莉莉和九九辩论了很久。
起先莉莉希望是普通的白色婚礼，长长的白婚纱拖地。
九九却强烈要求红色婚礼，他有限的中国知识告诉他，中国人结婚，骑马坐轿一身红，从天红到地。

九九疼老婆，不论莉莉怎么解释，都认为莉莉是在放弃传统迁就自己。
他怎么也想不明白，骑马坐轿怎么会土得掉渣？嗯，一定是莉莉太爱我了，爱到要把古老的习俗放弃！

他终究还是让了一步，说好了的，一场红色婚礼，一场白色婚礼。
中国红色婚礼2016年办，白色婚礼回法国乡下办，定在2018年。

2018年8月25日莉莉白色婚礼时，铁成和我都会去波尔多当大舅子哥。
届时漂在欧洲的留学生读者们，咱们小小地组个团吧，莉莉说恰好那时她自己的法式自助餐厅会开业，她会准备很多Blanc Lime、Rose Lime，欢迎大家来喝。
哦，Rose Lime也是九九为她酿造的葡萄酒，樱唇般的粉红色。

…………
在我正式动笔写这篇文章前，莉莉回国探亲，顺道来江南看我这个哥。
长达三夜的畅谈后，我采访记录下了整3万字的桥段和细节。
最后一夜，我们喝着黄酒聊着天，谈及那段孤身打拼的岁月，她强忍着不让泪水掉落。

她说：哥，你别把我写得太惨了哦，都是过去的事了……

那天夜里她问我，读这篇文章的人里，会不会有许多个"曾经的莉莉"呢？
她说她明白那些莉莉最需要什么，她说她想为那些莉莉做点儿什么。

好吧，如果你读了莉莉的故事，如果你也是一个莉莉，请接受莉莉的邀约：
莉莉计划每半年邀请一位莉莉去波尔多，食宿全包，她出机票，她陪你吃喝
玩乐。
她希望你能和她共同生活一个星期，或许她能帮你夯实一些东西，帮你把疑虑
和困扰解开很多很多。

失恋失业又如何？咪咪掉了碗大个疤。
谁说下一个变身的莉莉，不会是你呢？

（九）

要不，关于莉莉的爱情故事。
咱就不写了吧。

不是我懒啊，她光求婚就被九九求了6次……
从镜厅广场到比拉大沙丘，从图卢兹玫瑰之城到5000英尺跳伞的高空……
每一次都整得像《碟中谍》一样曲折离奇出人意料你让我咋写……

莉莉的故事，最好让莉莉自己写。
写写她和九九是如何神奇相遇。

写写她如何不置可否九九如何笨拙追求。

写写为什么人家九九求婚6次才最终成功。

写写她曾经遇到过的那个无敌渣渣法国前任。

写写九九难以忘却的那位不幸去世的美国前女友。

写写曾背着草鞋带她游历欧洲卖唱旅行的哥哥铁成。

写写她为什么当年一定要出国，出国后为什么学红酒。

太多的故事可以写了……

干脆写本书得了。

别跟我说你不行。

开了挂的成都姑娘嗦，啥子事不敢干？啥子事干不成？！

▶ ▷ 文中主人公李莉娟《Je ne veux pas travailler》

▶ ▷ 大冰的小屋·宋钊《成都爱情故事》

▶ ▷ 大冰的小屋·张晏铭《你好重庆》

▶ ▷ 大冰的小屋·鬼甬《西村》

我的东北兄弟

如果你二十多岁，别跟我提什么浪迹天涯，有本事的话，你去既可以朝九晚五，又能够浪迹天涯。

如果你已三十出头往四十上奔，别跟我说什么浪迹天涯。有本事你浪迹天涯的时候，也带上你妈。

（一）

生如逆旅单行道，哪有岁月可回头。

人间道是向死而生的，一路生长一路告别，反反复复地擦肩而过。

圆缺无常，八风凛冽。

少有永恒，只有永别。

提到永别时，第一个浮现脑海中的是哪张脸？

怅然还是微疼？或像歌里唱的那样：你都如何回忆我，带着笑或是很沉默？

都懂的，有些人一旦走了，就是没了。

但人性贪侥幸，爱掩耳盗铃，总认为那一天无比遥远，遥远得像是不存在的。

于大部分人而言，总要到一定的年纪才能学会环视，才会猝不及防地发现那一天早已近在眼前，静静地在你身旁立着。

事情就是这样，眼睁睁地看着它登门造反。

我奔四了，大洋也奔四了，他比大多数奔四的人提前遭遇了那一天。

大洋东北人，社会人，十几年前我们曾在拉萨处过兄弟。

他海量，一个人喝得完一箱东北老雪大绿棒子[25]，酒量不错酒品也不错，没见过他酒后散德行。

但有一遭例外，那夜他忽然打来电话，扯着嗓子，非要和我诉诉衷肠。

电话声忽远忽近，此起彼伏的车喇叭声响成一片。

好吧，酩酊大醉的他应该正逆行在车河中，不然怎会有恁多南腔北调的嗓音在骂他傻×或浑蛋。

他喊：该骂！骂得好！

他拖腔拉调地喊：喂，冰啊，你也骂骂我，拣着最狠的来！

我处兄弟的原则是不看人对人只看人对我，大洋曾待我很仗义，我找不到任何理由骂他，于是耐心劝：伙计，你消停点儿哈……不管出了什么事总能扛过去的啊！

……我吓得差点儿把手机扔出去，是在哭吗？你也会哭？你这么爷们儿的人也会站在大马路上号？

他在那边大声地擤鼻涕，大声地哽咽：爷们儿个屁啊，垃圾扒倒吧，完犊子[26]了……

出啥事了？啥事能让他站在路当中掉泪，走到路边掉泪，坐在马路牙子上掉泪，眼泪一把鼻涕一把。从没见他说过软话办过尿事，头一回见他这样在大马路上丢人现眼，崩溃得一塌糊涂。

破了天荒了，以前的大洋不是这样的。

以前的大洋有钢，是个硬气的东北炮子[27]，硬桥硬马膀大腰圆，面相煞气森森，墨镜冷光森森，胸前的黑毛也森森……

以前的大洋像头熊瞎子，天不怕地不怕的座山彪。

若干年前的拉萨，没几个人敢惹他，传言里他是字头中的、绺子上的[28]，犯了事来跑路躲仇家。

还有传言说他在境外当过雇佣兵，双手是在血里洗过的。

（二）

十几年前的拉萨午后，满街摇着转经筒的朝圣牧民、扣着遮阳方帽的安多喇嘛，还有看啥啥新鲜的游客。那时贪玩，街头卖唱的歌手里有我一个，我是那个敲手鼓的。

人群聚集时，我们爱唱大昭寺晒阳阳生产队的队歌：

我们全是一群没皮没脸的孩子
我们从小就他喵的这么的放肆
别人不要来感受我的生活
感受了，你丫会倒霉的，你丫会倒霉的
我们全是一群浪迹天涯的孩子
我们从小就他喵的这么的放肆
别人不要来感受我的生活
感受了，你丫会倒霉的，你丫会倒霉的
…………

那时还年轻，并未完全读懂啥叫浪迹天涯，但已明白某些生活方式并不适用于所有人，如果有人鼓励你去流浪，那多半是扒瞎[29]。

人群一聚拢，宵小之辈自现，莫道此地高海拔，小偷作案和内地是一样一样的，都是胳膊上搭着件衣裳打隐蔽，爪子藏在里面往人口袋里摸。

被偷的游客是个穿"真维斯"的年轻人，拉链已经被拉开了，钱包眼瞅着就要被钳走……

青天白日的，这也太不要脸了，在下顺手一个抛物线，手鼓呼啸带风，结结实实地朝那厮砸过去。"咄！"他抱着手鼓仰天倒地，人还没爬起来呢，骂声先甩过来了：

妈皮[30]！日你先人哦！老子打……死你！

人群哗的一下散开，又慢慢地聚拢回来，把小偷和我们围成一个四方圈……我去，擂台吗？！

正是二十出头血气方刚吃串串不数签签的年纪，三个对你一个，我怕个铲铲儿啊。

这厢撸袖子系鞋带做战前准备呢，那厢风云突变，小偷身后不知何时也拱出来三五个人，死瞪着我们阴沉着脸，手通通按在后腰上。挨砸的那个小偷爬了起来，一边提裤子，一边狞笑着努努嘴：走，兄弟伙，咱们巷子边边里聊聊切。

哎哟嗬，可把你给牛×坏了是吧，装什么黑社会？……你以为你是遂宁帮啊你。

他的手也按上了后腰，没错了，都别着刀。

拉孜刀善挑筋、卡卓刀善放血……我下意识地摸了一把自己的后腰，只有口琴。

我说我不去，有话咱就所里说去，你偷东西。

他说：屁！你龟儿哪只眼望见我偷东西喽？

我说我两只眼睛都看见了！

他意味深长地"哦"了一声，盯着我的眼睛打量了起来，盯完了左边盯右边。

青天白日朗朗乾坤，你还能当街把我眼睛剜出来不成，不就仗着带着刀吗，我们也……我们只有吉他。

我说：……别人也看见了！大家都看见了！

话一出口，立马悔了——干街架仗的是一口气，怎么言语上先尿了。

话既出口，只能硬撑到底，我抬手往人群里指去，指望发动群众扳回一城……手只画出个尴尬的半圆……

我是不是会六脉神剑？怎么手指到哪儿，哪儿的人就往后出溜……

寒心，往后出溜的包括那个被偷的孩子……

敌方疾步上前不再废话，包围圈迅速缩小，我心里面咯噔一下，毁了毁了输了完了……

然后，一分钟之后，人全躺下了，地上好几颗牙。

躺下的不是我们，是那帮小偷儿，完全没看清是怎么回事，就乒乒乓乓一个个全被放翻了。

他们真的很可怜，已经躺在地上了，还被大皮靴挨个儿补刀，大洋的钢头大皮靴足有五斤沉，一踹一个肿疙瘩，他每踹一脚就骂上一句：小王八犊子，再装，再给我装……

那时候流行腋下夹手包，戴着大墨镜夹着小手包的大洋冲我们点点头，道：

没事了，你们接着唱，这些瘪犊子³¹躺在这儿太碍事了，我帮你们先倒个地方……

他在旁边的巷子里找了个角落，拖死狗一样，单手把人拖过去，又摞麻袋一样，把人码成了堆。

远远地听见他在那儿叫唤：憋叫唤，瞅你们这损色³²，还黑社会呢，装，再给我装……

少顷，他夹着小黑皮手包走回来，左顾右盼地在人群里扫视着，一个大脖溜子³³甩出去，那个穿真维斯的年轻人捂着后脑勺子直叫唤。

大洋训儿子一样地训他：人家帮你出头，你往后出溜，你这玩意儿也太不仗义了，出门的时候你爹妈怎么教育的你……

训完真维斯，他又训围观群众：都瞅我干哈³⁴？好好听歌。

过了一会儿又撇着大碴子口音嚷嚷：唱得这么好听，咋都不给钱？都欠熟食³⁵啊？

够了，真的是够够的了。

我央求：这位壮士，咱这是卖唱不是打劫，别别别来劲……

（三）

六个小时后，我把这话又喊了一遍，喊得撕心裂肺。

彼时我们一堆人光着屁股欢聚在澡堂子里，他正用杀猪的劲头帮我搓背。

说是搓背，和熄皮也差不多了，嘿哟一声，老泥儿排成队。

我趴在池帮子上哀号：差不多行了，别来劲……

他纳闷：瞅你也挺尿性³⁶的哦，咋这么不吃劲儿？

毛巾重新裹紧，他下死力搓我，这家伙臂力惊人，搓得我后肋骨嘎巴嘎巴响，搓出我满背满腿的痧。在我正式疼昏厥之前，他攒了个泥团递给我看，啧啧感叹：哎呀妈呀，这也太埋汰了。

这虎×一连搞了好几个泥团搁在我鼻子旁，把我腻歪³⁷坏了……

幼不幼稚啊你，差不多行了，别来劲。

大洋是个讲究人儿，我们请他喝完酒，他非要回请我们去泡澡，此举大有古风，大家赤诚相见……知长知短，一下子拉近了距离。

那天大洋挨个儿帮我们扒了层皮，但我们没人敢去扒他的。一来他浑身是毛，搓起来技术难度略高；二来，他前胸后背不是刀疤就是文身，蜈蚣一样盘踞在森森的黑毛里，越瞅越瘆人……

自此就熟悉了，算是朋友了。

处的时间长了，有时候就觉得这家伙应该活在宋朝，是话本里才有的那种一身花绣的市井游侠儿。

他不像好人，可能也不是好人，但那两年拔刀相助的事儿他没少干，有些是路见不平动拳头，有些是江湖救急掏荷包，交朋友的方式千千万，他的方式倒也稀罕。

他丢朋友的方式也稀罕，手指直接举到人鼻子前面去：滚犊子，别和我说话！

被指鼻子的，大都是被他认知为"不仗义"的人。他有一套独特的道德评判体系，许多旁人觉得无伤大雅的事，到了他这儿不行，那些事往往与他无关，他却并不乐意容忍半分。

和我的"不看人对人，只看人对我"不同，他秉承的是"也看人对我，更看人对人"，在他那套奇怪的价值体系里，"仗义"二字可以用来界定许多事情，一旦犯禁就是路人。
实话实说，和他这样的人当朋友挺累心，随时担心被翻脸，蒸包丢进油锅里，生煎何太急。

我朋友多且杂，上至庙堂下至庙会，个中像大洋这样的社会人倒也有，大多维系着一个不远不近的距离，尽量不去走心。起初和大洋亦是如此，你乐得和我喝酒唱歌称兄道弟，我乐得多个稀奇古怪的江湖兄弟，大家萍水相逢一场两不相欠就好，玩得来就好好玩，玩不来就散，没必要走心。

说是不走心，走动却颇频繁，大昭寺广场的午后阳光没少晒，光明甜茶馆的藏面没少吃，许多个月朗星稀的午夜，大家结伴去大马路上踢足球，晃着膀子去宇拓路吃烤羊蹄。
老板老板，胡辣羊蹄来五斤，老板老板，再加五斤……
啊呀老板，你的这个盐茶咸咸稠稠的很好喝，比我们山东的甜沫还香嘴……
啊呀老板，你这个羊蹄啃起来真不含糊，跟俺们东北的大骨头棒子一样带劲！

大洋当年的酒品极好，平日凶神恶煞般，酒后却不散德行。旁人酒后话多，他不过是拄着膝头喘粗气，牛一样的几声闷音，听不出来是酒嗝，还是叹息。

说也奇怪，大凡社会人，大都爱标榜自己，他却罕见地例外，不仅不谈自己的生平履历，且从不吹牛×，不仅不吹牛×，而且极烦别人吹，有时与坐者酒后妄语，他眉疙瘩越拧越深，冷不丁砸出来一句：扯什么犊子啊，快拉倒吧，憋跟我俩装。

没人敢跟他装，于是接着喝酒吃肉啃羊蹄。

这话他和康巴人也说过，康巴汉子彪悍，喝了酒后战斗力指数爆表，午夜的冲赛康巷子里横着走，鬼见了都躲，不躲的话指定给撞个跟跄。

我被撞过一回，我把那几个人喊住，告诉他们这样是不对的……后来我跑了很久才跑到安全地带，差点儿跑出高反来，再后来一看到红色英雄结就腿肚子打哆嗦。

大洋不躲，反正两肩相撞飞出去的不是他。

他腋下夹着手包，慢悠悠地感慨：瘪犊子玩意儿……削你信不信？

干架的具体过程不多写了，他速度那么快，我看不清。

我只是很好奇，东北人是不是都爱夹着手包干仗？

我俩偶尔也结伴去泡澡，按惯例，我哭爹喊娘，他下死力气扒皮。

一通忙活后，哥俩儿舒舒坦坦地浮在池子里，滚烫滚烫的水面上一层沫子一层泥。

他咂嘴，哎呀，太硌硬人了……

他一次点两根烟，分我一根，袅袅的烟气加水汽，模模糊糊的两个脑袋。

大洋说：冰，就你还成，你不装犊子。

我虚心请教他：伙计，犊子到底是种什么神兽，怎么又可以装又可以瘪还可以滚？

他看来很想给我个优质的回答，但憋了半天没憋出来，只憋出来一句：扯什么犊子……

过了一会儿，他说：好几次下午晒太阳的时候，听见你给家里打电话，和爹妈
唠嗑……嗯，不装犊子，挺仗义。
我乐坏了，大洋，和爹妈打打电话叫仗义？那你这方面仗不仗义？

他把毛巾搭在脸上，不再说话，脑袋枕在池帮子上，手打着节奏，荒腔走板的
二人转。

我们（那）全是（那）一（呀啊）群，没皮没脸的孩子（儿那啊啊）
我们（那）从小（那）就他喵的，这么的放肆（儿那啊啊）
别人（那就）不要来感受我的生活（呀啊），
感受了，你丫会倒霉的，你丫会倒霉的（儿那啊啊）
…………

好好的一首《没皮没脸》，他非用二人转的调门哼，要多硌硬人有多硌硬人。
我抽着烟，听着他闷声闷气地唱，听着听着，居然听出点儿乡愁的味道、想家
的意思……
于是发觉，这个犊子还是值得走走心。

（四）

我并不总在拉萨，当年的拉萨只是我诸多平行世界里的一个，当年那个街头艺
人和酒吧掌柜的身份，亦只是多元生活中的工作之一。
大洋也不总在拉萨，他也有自己另外的世界，没人知道他干吗去了，连我也不

知道，有时候想想那个雇佣兵的传言，他难不成又重新亡命去了？

有一次他离开的时间很长，长到让许多人几乎都忘记了有这么一个人存在。那次临行前，他找我喝了一次甜茶，人声嘈杂的光明甜茶馆里，他把那个黑色手包丢了过来，漫不经心地告诉我，帮忙保管一下，说如果雪顿节前他还没回来，就帮个忙，替他把包里的东西邮寄出去。

手包瘪瘪的，内里一个信封，信封很薄，捏得出里面有张卡。信封上的地址是东北，收件人是他妈妈。
这架势，交代后事吗？很多事情无法细问，依他的性格，问了也不会说。
唉我就奇怪了这种事儿怎么老有人找我来办？唉我说你们都找我干什么……

我把那个手包丢了回去，一开始我是戏谑着的：钱应该不老少吧，你就不怕我给吞了？
他说吞了就吞了呗，恁当白瞎了一个兄弟。
我不肯接那个手包，我说这也太不吉利了，一旦我帮你保管了那万一不就变一定了你要不然就自己收好要不然现在就去邮寄献孝心别搞得像演电视剧一样……

他烦坏了：冰，你怎么和俺们东北老娘儿们似的，能不能痛快点儿啊你？别跟我磨叽。
我说嗯，好吧，痛快点儿——弄死我我也不会帮你保管这东西，反正我迷信，我可不想招惹什么"万一"。
他终于和我急眼了一回：你跟我装什么犊子？！

声音太大，两旁的人纷纷侧目，他挨个儿回看过去，冷冷地问：你瞅啥？

这里是岁月静好奶茶飘香的藏地甜茶馆，不是刀枪剑戟斧钺钩叉的关东烧烤摊儿。

有人友好地对他说：秋珠德勒[38]。

没有人回敬他一句：瞅你咋的！

趁着他找人对眼神的工夫，我抱着一壶甜茶撒丫子跑了，那个包我没收，爱咋咋的……所以，几个月后，他得以大吉大利毫发无伤地站在人群里听歌，戴着那副大蛤蟆镜。

我热情洋溢地冲他挥手致意：真高兴你还活着……回来了哈伙计！

他伸出一只拳头，捏得嘎巴响，道：……专门回来削你。

我一边敲鼓一边冲他乐，明晃晃的太阳挂在西天，满世界转经朝圣的人，和以前一样，他那个黑皮小手包夹在胳肢窝里。

（五）

和大洋相处了三年，然后"3·14"，地覆天翻。

我告别了我的拉萨后，一度和大洋失去了联系，不仅是他，很多朋友都丢了，大部分再也寻不回来。2008年3月，一个时代结束，那一代的拉漂四散，自此，提起藏地已是伤心地。

两年之后，忽然有了大洋的消息，听说他依旧行踪不定，偶尔才回黑龙江老家待一待，和先前一样，惯走江湖的他身旁不缺朋友。

并不清楚他那两年具体是怎么过的，只知他开了一些铺面，做了一些生意，依旧社会人打扮，尿性依旧。

那时已是2010年了，玉树地震，另一种地覆天翻。

听说大洋撂下生意第一时间去了震中，抗震救灾押送物资，一并带去了他的大半积蓄。

这事干得仗义，像个真正的拉漂，我们都爱藏地，但不应仅仅爱在嘴上。

传来的消息里，他开着一辆前四后八的大卡车，载着移动板房和15吨救灾物资，蹚过冰雪，穿越大雾，从黑龙江一路冲到青海玉树。

一路上遇见了好多飞驰的车，大家方向一致，目标相同。

雪野茫茫，冰路难行，山下躺着一些车，目标本也相同……

4000多公里的路，大半雪中行，争分夺秒，昼夜不停，铁打的人也扛不住。抵达震中后，他疲惫到极点，生平第一次有了高原反应，和衣昏睡在废墟旁，余震也未能将他晃醒。

玉树原本富足，盛产虫草和藏獒，罹难者中不少是前来收售的内地人。倒塌的建筑物许多是宾馆，有的三层变两层，有的像麻花一样扭曲，里面囚着横死的异乡人。赛马场那边的房子大多是由青石和黄土夯起来的，地震时很多人被砸在下面，被塌下的黄土窒息。

据当地人说，地震那一刻黄天遮日，电影中才有的那种世界末日。

大洋在玉树遇到一个男人，全家往生了，他日日在格萨尔王广场点长明灯。大洋每天会去陪他点几盏灯，男人扳着指头数：阿爸、阿妈、妹妹、老婆、儿子、女儿……

他们一起抽根烟，盘坐在寒夜里，男人低声反反复复机械地数，没有悲怆，人早已疯了。

大洋后来和我提起过另一个男人，是个校长，他夸那校长仗义，是个真男人。最后一批撤离玉树的民间救灾志愿者里有大洋，在玉树的那段日子里，他出了力也出了钱，遇到真正需要帮扶的灾民，几万几万地散财。最后的2万多元钱，大洋送去了玉树孤儿院。

危房不能住人，孩子们已转移，打听了几十个当地藏民才寻到踪迹。把钱交给校长时，校长好生为难，反复强调：这个钱我们要有三个人在场，才能接受。都啥时候了，还这么磨叽？好吧，那其他说了算的人呢？
……有些救灾去了，有些没了，但孩子们还活着。

那位校长的老婆和女儿却是生死未卜，同样生死未卜的还有校长的老阿妈，被埋了10个小时才挖出来，送去了外地抢救，尚不知何时脱险。
从地震发生那一刻起，校长就没见过家人，当然想见，想跑着去见……但孩子们怎么办？

临走的时候，校长不让他上车：饿吗？吃饭。
热气腾腾的方便面，还有一瓶罐头。知道这已是最高规格的款待，但这又怎能下咽？
校长问：以前来过西藏吗？玉树来过吗？
校长说：等将来好了，你带着父母回来玩。

返程的路漫漫，青海民政局给救灾车辆开了证明，一路上免费通关。如此甚好，那时大洋散财完毕，除去汽油钱，基本已算穷光蛋。

未承想，出了青海界，前方省份的收费站不认这"通关文牒"，坚持收钱。

理由倒也充分：没接到上级通知，所以我们这里对任何社会车辆都必须征费，不论你是不是去赈灾。

按大洋之前的脾气，冲突总是难免，但意外的是他并没动手，罕见地忍下了这些"不仗义"，没张嘴对任何人说滚、扯、瘪犊子。

他后来告诉我说，想想玉树那个教条的校长，也就懒得去跟那些收费站起争端。

大洋说最出人意料的是哈尔滨的收费站。

开到哈尔滨时饥肠辘辘，已是半夜，他掏穿了那只小黑手包，只倒出来59元钱，无论如何也凑不够过路费。

三掏两掏，顺带出那张破破烂烂的"通关文牒"，收费员问：你从玉树回来？

收费员喊来班长，班长说：这还请示啥？人家这是去救灾。

班长抻长胳膊和大洋握手：哥们儿，辛苦了，你给咱们黑龙江人长了脸。

班长说：你走就是了，这边我们搞定，钱我们替你垫。

…………

从2010年到2017年，"玉树地震"这四个字被时光稀释，在许多人心里变浅变淡。

持续关注玉树并自发对玉树进行灾后帮扶的民间志愿者不多，个中有大洋一个，他还是一贯的作风，咔咔掏钱捐款到人，不绕那些弯弯路子。

类似的事情他其实做了许多，且一直在做。

这个东北炮子和他的社会人朋友们一起捐助过十余所学校的孩子，捐赠到西藏、青海、四川、云南、新疆的衣物共计1000包左右，书籍捐赠和发放他们也做，仅《藏汉字典》就有数千册。

这些牛×哄哄的事儿，我认识他那会儿，他已经悄悄做了好几年了。

他那时经常匆匆忙忙不告而别——原来如此。唉，干吗不拽上我一起做？我当年好歹也是个万元户啊，我当年留给他的印象是有多穷多落魄？

他不爱扯犊子，这些事从未主动和我提起过，只不过江湖不大世界很小，大家共同认识的朋友却很多，十年八年下来，想不认识也都认识了，想不知道也都知道了，于是隔空竖个大拇哥。

但和大多数朋友一样，我并不清楚他往昔的履历、过往的经历，他终是有些神秘的。

但那又有什么关系？不偷不抢不骗就好，有意思比有意义更有意义，百分百了解了一个人，还怎么当朋友？

我挺开心自己能有这么个东北朋友。

那方白山黑水就是盛产这样一种人，你说不上他是好人还是坏人，也说不清是喜欢还是讨厌他的德行和脾气，但十年八年处下来，嘴上再骂他是犊子，心里却总会悄悄补上一句：兄弟。

（六）

和大洋恢复联系后，大家隔三岔五地常聚一聚，和当年一样，没什么主题，就是聚。

聚得最多的地儿是云南，也有东北，有一遭他怕我写书累死，带我快闪去了北方的油田散心，一下飞机，乌云压城的大庆，结结实实的一大条子彩虹。

我按山东规矩，想去家里看看老人，请个安什么的。他说：免了吧，老头儿老太太看见我会闹心。

他说的"我"不是我，是他自己。

他说他前段时间回过家，老太太逼婚不成，生了好大一场气。

老头子也生他的气，嫌他动不动就跑得不见人影，开店做生意就是为了敷衍家里，到底是禀性难移……

他叹气：唉，按东北话说，我这辈子呀，就是个二流子命。

他说：就这么的吧，爱咋咋的。

我记得那天一人半箱东北大绿棒子，我们在马路牙子上蹲了很久，远处的磕头机被夕阳余晖镀金，又一个接一个陷入沉沉暮色。说也奇怪，那么厚的云，却没再下雨。

我告诉大洋，我打算在我的第一本书的书稿里加上一段话：既可以朝九晚五，又能够浪迹天涯。描述的是一种独特的平衡，只有平衡了生活，才能担得起各种责任……

他打断我，说嗯呢，平衡挺好的，谁不想平衡啊？理是这么个理，就是做起来太难了。

他装酷：回不了头喽，我就是个二流子命……浪惯了，收不了心。

我说：可是兄弟，咱都三十多了……

他笑：是啊，咱既然已经都三十多了……

他说他有数，只不过将来的事，将来再说吧，但是他有数。

他说行了憋扯犊子了，就这么的吧，爱咋咋的。

他用二人转的调门哼歌，浪里浪气地打拍子：

别人不要来感受我的生活，感受了，你丫会倒霉的，你丫会倒霉的……

那天是2013年6月21日，我记得我发过一条微博，配图是乌云压顶的大庆。

那天的情景历历在目，我记得后来我喝吐了，脑袋底下垫着他那只黑手包歪在一边儿哎哟，他却精神得很，各种蹦跶，拎着大绿棒子哼歌，还扭秧歌，晃得我眼晕。

我记得我那会儿一边哎哟一边琢磨：

你说这家伙，既积极又消极，说是个浑蛋吧却总爱去帮人，说是个好蛋吧却又是个二流子，说是个炮子吧又是个浪子，说是条汉子吧却又像个孩子，太犊子了……

那天是2013年6月21日，从那天到现在，整四年过去，时间颠覆了许多事情。

其实并不需要四年，短短一年零四个月后，大洋的人生翻天覆地。

他重新坐回原地，酩酊大醉，痛哭流涕。

他给我打电话，让我骂他。

他号：爷们儿个屁啊，垃圾扒倒吧，完犊子了……

让这个浪子崩溃的，是一个从未预想过的消息：母亲查出了绝症，发现时已是晚期。

母亲反倒没有那么崩溃，起初母亲拦着家人不让说，怕儿子闹心。

母亲说：最后的时候让他回来送送我就行，就别这么早通知他了，让他搁外边好好晃荡吧。

（七）

有些人一旦走了，就是没了。

世上罕有能陪你走完一生一世的父亲和母亲。

但人性贪侥幸，爱掩耳盗铃，总认为那一天无比遥远，遥远得像是不存在的。

于大部分人而言，总要到一定的年纪才能学会环视，才会猝不及防地发现那一天早已近在眼前，静静地在你身旁立着。

我奔四了，大洋也奔四了，他比大多数奔四的人提前遭遇了那一天，然后崩溃。

起初，他后悔、自责加不解，那天的电话里他问：

我知道我不算好人，可我这十几年也帮助了那么多人啊，从老军人到孤儿，还有希望小学……怎么还会有这样的事落在我们家，落在我妈身上？老天瞎了吗？

他问：是因为我浪得太久了，老天要惩罚吗？那冲我来就好干吗冲我老妈？！

我又能说些什么呢？攥着手机想了很久，我犹豫着宽慰他：兄弟，想想玉树，想想那个校长……
他说：你闭嘴吧，别整那没用的，我想那些干哈？人家是条汉子，我算个屁啊！

他说：处兄弟处兄弟，处了满天下的兄弟，到头来丢了妈……
他喊：你们所有人，以后别喊我兄弟了，我不配给人当兄弟，我连给人当儿子都不配，我就是个王八犊子，我不配有妈。

他醉醺醺地喊：我不和你扯了，回家了，我想我妈。
然后电话挂了。

有些人活的是一口气，气松了，人也就废了，从此一蹶不振。
像他这样的男人，只有真正崩溃时才会自我否定，这算是另外一种天翻地覆吗？排山倒海的悔意，溺水一样，将人拖向水底。

是悔意吧？嗯，悔意。
尤其是得知了母亲的那句：最后的时候让他回来送送我就行，就别这么早通知他了，让他搁外边好好晃荡吧。

（八）

东北人有个特点：什么都懂，就是不愿面对。
但一旦愿意面对了，没有什么能让他们后退。

起初我以为大洋废了，许多朋友都这样以为。
他销声匿迹好几个月后的一天，有朋友急三火四地催我去看朋友圈，我看到他终于更新了一条朋友圈消息，抬头第一句是：成功逃离医院。

先是松了一口气，不是噩耗，老太太还在。
紧接着舒了一口气，看他的语气，人还没废。
然后是纳闷儿——逃离医院？搞什么鬼？

当我把那条消息看完，血哗哗地冲上脑子。
还可以这样？真有人敢这样？！

大洋你牛×！我认识的所有东北人里数你最尿性！
得令！OK没问题！我们所有的兄弟姐妹，从现在起做好迎驾的准备！

考验人民群众的时候到了，你这些年的江湖不可能白混，天涯海角我们等你！

（九）

在正式展开这段传奇前，先问一个问题吧。

如果你是他，那时的你会做出何种决定？

——那时化疗化疗又放疗，妈妈的病情每况愈下，终不见好转，医生给出的倒计时是半年，快的话是随时。

这期间大洋做了三件事：

把烟戒了，把头剃了，把所有的店铺卖了。

戒烟是因为妈妈，妈妈一直反对他抽烟，他20多年来不肯听话，如今一夜之间想听话了，烟说戒也就戒了——再不听话就晚了。

剃头也是因为妈妈，剃的光头，爸爸也剃光了，一家三口三颗光头，这样妈妈就不孤单了。她头发早就掉光了。

转让店铺也是为妈妈，这样才能在最短的时间里拿到一大笔钱，开展那个逃跑计划。

老妈年纪大了，一次次的化疗太遭罪，她已经扛不住了，不止一次地说：儿子，带我跑了吧，咱们从医院逃出去吧，就这么死在床上，真是不甘心啊……

她说：反正也治不好了，还搁这儿遭这罪干吗？还不如跑得远远儿的，有多远死多远再不遭这些罪了……

好不容易睡着了还会喊梦话：松手，别给我插管子！

有时候也会猛地蹬腿：跑啊，我要跑啊……

真到跑的那天，老太太反倒蒙了：儿子！你个小兔崽子来真的？！

当然是真的，比真的还要真。大洋告诉老妈：车就停在楼下，行李全收拾好了。走，老妈，儿子带你环游世界去。

他说：别操心钱，卖店的钱全搁在后备厢里，老鼻子钱了，够花！

大洋揽着老太太，替她擦眼泪：你消停会儿行不行啊，将来的事你就别替我操心了，钱花完了可以挣，不会娶不上媳妇的。
他说：当务之急是抓紧时间……让我好好给你当回儿子！

他让老太太牢牢搂住他的脖子，起……走你，唤呀老妈，你轻得跟个塑料袋子似的，咱们慢慢儿下台阶哈……这叫公主抱知道不？我爸年轻时这样抱过你没有？
抱过啊？真抱过啊？
唤呀这老头子当年这么不害臊啊……

老爸已经在车里了，撅在后座上理好了枕头，铺好了褥子。
喇叭嘀嘀响，车启动了，半个医院的人扒在窗上，看着这说走就走的一家三口，三个秃子。
就这么走了？彪³⁹了吗？

他们应该不知道，老太太从蒙圈状态中清醒过来后是红光满面的，她目不转睛地盯着儿子的后脑勺子瞧，一会儿伸手去摸一摸，一会儿伸手去摸一摸。

儿子！她拍着大洋的后脑勺吆喝，咱真的，环游世界去啊？
大洋说嗯呢，你就敞开了想，大胆地说，咱们想去哪儿就去哪儿。
老太太说好嘞儿子，你你你给我掉头……
咱们……咱们先去你姥姥家！

（十）

姥姥家搁绥芬河，百年老口岸，妈妈从小在那旮旯长大，当年的街面儿上一点儿也不萧条，成群结队的老毛子。近在咫尺的是俄罗斯，妈妈从小就想过去溜达溜达。

她让大洋搀着，在口岸边远眺了半天，然后满意地说：行了，怀完旧了，咱回你姥爷家吃饭去吧。

大洋指指对面：别价，咱去那边吃去。

那边指的不是格城，是海参崴。午餐是路餐，晚餐却隆重地安排在了海边的阿穆尔湾畔，大份的马内丹冰虾端上桌，大洋说：老妈，喝点儿？

啤酒解乏，老妈累了，在俄罗斯的百年老建筑里逛了半天，她看啥都觉得新鲜，最新鲜的是逛太平洋舰队的舰船。她让大洋搀着，逛完潜艇逛甲板。

儿子搀着她，她看什么都觉得新鲜。

喝点儿就喝点儿，我儿子给我端起的酒，那我可得干！

老太太一仰脖，咚咚咚咚咚……隔壁桌的俄罗斯大闺女小小子钦佩坏了这个海量的东北老太太。

大口喝酒大口吃菜，生病以来难得的一次畅快，老太太喝得高兴吃得开心，吃着吃着却忽然不动了，她脸僵了一会儿，手在嘴里掏了几下，递给大洋看：

儿子，我掉了一颗牙……

老太太的表情是紧张的，犯了错的孩子一样，好像随时会哭出来。

大洋心里颤了一下，反复化疗不仅掉头发，骨质也疏松了，看来情况加速恶化，满口的牙先保不住了……

他拍大腿，哈哈大笑：太好了啊老妈，那你可以把这颗牙埋在俄罗斯的土地上了啊！

儿子高兴，老太太也高兴了一点儿：唉呀对啊，我这颗老牙移民了。

大洋高高兴兴地伸手：把牙给我，我给你埋在俄罗斯远东地区政府大楼下面去，几百年之后让那些考古的人费费脑子。

老太太并不知道，挖坑埋牙时她的儿子痛哭流涕，光头抵住冰凉的石墙，满身的雪花。

…………

次日早晨，他们去看海冰，远远地望见两个俄罗斯女孩坐在长椅上呼噜呼噜地吃黑色塑料袋，走近了一看，是在喝啤酒，好生猛的女孩，不怕痛经吗？

战斗民族嗜酒，老太太说这一点她打小就领教过了。

那时候冬夜的绥芬河大街上有不少俄罗斯人喝醉了直接倒头睡的，她路过时会用脚尖去把人戳醒，不然这异国他乡的冻死了可咋办呢，话说冻死的可真不少……

不过小姑娘家家一大早吹着海风喝凉啤酒还是第一次见，这家伙整的，也太尿性了。

老太太背着手瞅了许久，忽然感慨道：如果能重活一回的话，我年轻的时候也会这样的……

老头子也背着手，老头子点点头，深情地说：……那我就削你。

大洋退后两步，置身事外，看着老两口的背影，听他们拌嘴。
老妈病了有多久，老爸就沉闷了多久，这样的打情骂俏，已经许久没有过了。

他拿手包挡住脸，用拳头蹭去眼泪，老爸老妈，从现在开始，咱们他奶奶的都重活一回吧！

（十一）

从俄罗斯返回了哈尔滨，一路车轮嗖嗖，吉林、辽宁、内蒙古，平原、丘陵、沙漠、雪原。

大洋和老爸轮流开车，后座上驮着他们家的宝贝太后老佛爷，她大部分时间是躺着养神的，一分一秒地积蓄精力和体能，像在充电一般。

积蓄的体能遇到别致的风景才开机，大洋在前面发信号：你看你看……
她一个骨碌爬起来，扒在车窗上边浏览边赞叹：哎呀，哎呀……
儿子让她看什么她都觉得好看，各种哎呀。

一家人从关外哎呀进了关内，直接哎呀进了承德避暑山庄，在普宁寺旁的居士客房小住，老妈说她感觉十分心安。
承德是老妈主动要求来的，说来求佛保佑祈个平安。木佛前她跪地双手合十，念念有词，大洋听到她不停地求世尊保佑儿子一路上别遇见车祸。

关于自己的病，她反倒只字未提。

她身体虚弱得厉害，佛塔旁身形一闪，幸亏扶得及时，不然疏松的腿骨会折断。
佛塔亭台高，台阶滑，老爸搀扶着老妈缓缓上前，加起来130岁的两个老人，一级一级地、虔诚地走完那些台阶。

老太太问老头儿：你有特想去的地方没？别不好意思，说就是了……
老太太冲下面招手：儿子，你爸爸想去鬼谷子道场看看，咱们麻溜⁴⁰去云蒙山吧。

云蒙山之后是汴京，老两口都想去看看《清明上河图》的原产地。
大洋惊讶地发现，他们家这位当了一辈子家庭妇女的老太太极有底蕴，不仅张嘴就能说出这里是有2700多年历史的八朝古都，而且还知道这里是世界上唯一一座城市中轴线从未变动过的都城。

他嘴张得能塞进三个开封灌汤包：我那个亲娘咧，你咋知道这么多？
话一出口就后悔，是老妈懂得多，还是当儿子的对老妈了解得太少了？以前光吃妈做的饭，哪里真正和妈好好聊过天……

他从那天开始，决心和老两口多交交心聊聊天，但第一个话题就聊崩了，关于住宿的酒店。
大洋卖了店铺背着钱上路，一路上订的都是五星级酒店，知道老人节俭，他哄他们说都是特价，都特便宜，便宜来便宜去，便宜到开封露了馅儿。

老两口严肃地和儿子谈话，两颗光头气得锃亮：

站直了，别嬉皮笑脸，人家前台小姑娘都说了，人家是市中心的五星级大酒店，房价不可能那么便宜。你个小兔崽子，一路上都在蒙我们啊！跟你说哈，接下来不论到哪儿，咱再不住什么"五星级"了。

转天来到古城洛阳，还是五星级酒店。

一家三口在酒店大堂里急了眼，三个光头面红耳赤，煞是惹眼。

大洋问保安：你瞅啥？

保安边退边说：木事[41]木事，哥我木事……

大洋训完了保安训老妈，他说：老妈我和你说哈，你有点儿不像话了……我出去浪了多少年，你们就担心了我多少年，现在我不想浪了行不行！我就想好好陪陪你们，让你们享受享受行不行！唉你说怎么就这么难？

他两臂张开，一边一个紧箍住老头儿老太太：你俩都给我听话点儿！乖！

（十二）

洛阳水席汤汤水水，上菜频如流水，餐后去逛白马寺，逛隋唐大运河博物馆，一路逛进花城牡丹园。

老太太生病前爱养花，对牡丹尤其喜欢，东瞅瞅西看看，一两个小时的流连。大洋给她拍照，和老头子一起夸她好看。老太太谦虚地说自己光头一颗影响了园里的景致，大洋说此言差矣，你是牡丹园中一株大号花骨朵。

老头子说就是就是，哎，儿子，你是没见过你妈年轻时的模样，那家伙整的，眉毛是眉毛眼是眼，小花苞子一样，贼漂亮……

老头儿悄悄嘟囔：其实这小老太太洋气着嘞，年轻的时候最喜欢樱花……
大洋就远远地冲着老妈喊：走了走了，咱们该走了。
他喊：老妈，我带你去武汉。

…………
正是武大樱花初开的季节，一家三口走在珞珈山下，满目垂枝樱。
这是老太太此行最长的一次散步，也是大洋有生以来最长一次陪她散步。老太太说：你看，就咱是一家三口，旁边散步的都是搞对象的小情人。

大洋就说：老爸，你先一边抽烟歇会儿去，手包你帮我拿着……
来，妈，挽着我胳膊，给我当一会儿老情人吧。

他和妈妈聊小时候，想多记住一点儿妈妈的过去。
妈妈说，过去苦哦，十几岁姥姥去世，长姐如母，几个弟弟妹妹全靠她养大。
绥芬河的冬天冷，有时候找不到吃的，弟弟妹妹们饿哭成一片，七嘴八舌地喊姐姐。
她也哭，悄悄地哭，悄悄地喊妈妈。

大洋问：那……你是从什么时候开始，想起姥姥的时候就不难受了？
老妈停下脚步，叹口气：按理说都过去快50年了，可这会子冷不丁提起来，我这心里……
大洋重新挽起她的胳膊，不用说了，我懂的，老妈。

老太太说：儿子，你知道老人们为什么总急着让子女结婚生孩子吗？

她说：这原因我十几岁时就明白了——有妈才有家，妈没了家就散了，谁希望自己的孩子没有家啊？所以都盼着自己还在的时候，能看到孩子赶紧有个家，这样放心啊……
她说：儿子……儿子啊儿子……
大洋说：我懂了，老妈。

曾经他是不懂的，母子俩曾为此大吵过一架。他那时还太年轻，在摔门离去前，一拳把花盆从窗台上捣下，那是母亲最喜欢的花。

有些自以为是的顽固，终会随着年岁的增长而改变。
有时候想想，为什么没能早一点儿听明白呢？原因其实很简单，太年轻的时候，人总是不肯耐下心去，好好地听父母说话。
如今道理终于听明白了，说道理的人却时日无多，随时会离开。

花瓣雨轻盈，飘飘洒洒，一高一矮的母子俩慢慢地走着。

（十三）

上路之初，大洋就说过：妈，我在外面浪了这么多年，交了一些朋友，他们都挺想参见你一下。
老太太说见见见，我倒要瞧瞧把我儿子拐出去这么多年的是哪几个牛头马面……
大洋给她看手机，告诉她人不算多，也就百十来个，分布在全国各地……

下一拨朋友候在株洲，十来个人集结完毕，正烹羊宰牛，倒履候驾。

抵达株洲后的第三个小时，老太太说：儿子，给我也倒一杯红酒，你这些朋友我真喜欢，都是知冷知热的好孩子……咱娘儿俩并肩作战，一起把他们喝到桌子底下去。

这一喝可就收不住喽，酒频话也密，老太太一件件说起大洋小时候的糗事，如数家珍。
老头子插话：那可不，这家伙从小就破马张飞的，两岁时学步，卡倒了，抓住绊倒他的石头就啃，小奶牙啃得咯吱咯吱的，较了半天的劲……
老头子后来也加入战团，一堆人热火朝天的，生生把气氛搞成了大年三十过除夕。

喝到半夜11点时，老头儿老太太来了劲儿，带领大家叮叮当当地剁馅儿擀皮儿包饺子。
饺子快出锅时，大洋凑到锅台旁，腾腾的白气里，醉陶陶的老太太抢着铲子，她告诉大洋，刚才有好长一段时间，都忘了自己是个病人……
儿子，她说，原来那些年你在外边不是孤苦伶仃……唉，这会儿我是真高兴！

回头瞅瞅，快70岁的老头子正和一堆中年小伙子小丫头较劲，一堆人比开了仰卧起坐。老头子好厉害，没人放水，他威凛凛地比了个第一。
老太太喊他来帮忙端饺子，他抗命，小孩子一样非要接着再和人比比俯卧撑。
老太太就乐：儿子，我收拾了他这么多年才让他消停，你看看，今天一顿酒就让他现了原形。

儿子，她乐呵呵地说，回头我走了，你替我接着收拾他。

她拿铲子戳戳大洋，撺掇他：就这么定了，回头就交给你了，你常带着他找人一起玩。人老了，太孤单了不行……

株洲之后是凤凰，老妈的提议。

她说年轻时就知道湘西，那可是个处对象的好地方，又出土匪又有爱情。

大洋不知道父母年轻时是否有过关于凤凰的约定，只知道在凤凰的日子，每天一早他们都会沿着沱江去散步，手挽着手，宛如一对刚刚热恋的情侣。

大洋是被朋友喊醒的，朋友说这一幕让他感动。

大洋撑着二楼的窗台，睡眼惺忪地看着他们的背影。从青年到中年再到老年，他们还曾憧憬过哪里？如果不是这场变故，他们今生可否有缘去到那里？

车越往前开，景色越秀美，老太太的精神头也越来越好，先前总是卧在后座，后来半躺，再后来一半的时间可以坐着了。

她坐着抵达了黄果树瀑布，逛了小石林，一家三口找到各自出生那天的石头踩在脚下。

老太太哏哏儿地乐42。

她说她想起大洋小时候大舌头，总把瀑布说成破布。

接下来是在贵阳逗留，然后驱车一路干到云南。

昆明天气宜人，讲武堂里一家人静坐沉思，又吹着微风去逛文林街。

在有两百年历史的老宅子"石屏会馆"吃包浆豆腐时，呼隆隆跑来一堆人，都是朋友，都带着酒赶来。

一见面，他们就吆喝：好了，可算逮到了！来了就别想轻易走了……

他们告诉老太太，大洋陪她远行的事儿已经传开了，朋友们全都动了起来，都想和大洋一起尽尽孝心。

（十四）

另一群朋友候在西双版纳。

他们一个接一个地打电话：大洋，带着老妈快来吧，天南海北飞过来的兄弟们已集结完毕，咱们早听说咱老妈的手艺了，咱们都盼着和咱老妈一起包饺子呢。

老太太早按捺不住了，抢过电话就喊：孩子，你们抖爱吃饺扎啊？抖爱吃啥馅儿的呀？唉呀猪又茴香的爱吃不？⁴³那旮旯也有茴香啊……

撂了电话，她感慨：哎呀，这里面还有咱东北银呢，一口一个老姨地喊我，咋这么懂事儿捏⁴⁴……

她说：儿子咱出发，咱赶紧包饺子去啊。

抵达西双版纳时，大洋悄悄告诉老爸，他们一家人已经行驶了6000公里。

换句话说，两个月前被医生宣布倒计时的老妈，已经硬挺着，纵贯了整个中国。

父子俩沉默地对视，儿子帮老爸点上一根烟。

有些话无须多说，有些准备，在上路之初就已做好了。

············

版纳版纳，晨起一碗粉，午时一只鸡，晚上傣味伴酒。

其余的时间，老妈被安排躺在吊床上当太后，吃酸李子吃酸杧果吃大西瓜，每样东西都有人专门负责递送，十几二十个朋友围着她。

一堆人陪着老头儿老太太去寨子里赶摆，看斗鸡，喝野生普洱茶，陪着他们去喝石斛酒、看石斛花。

景洪江边一堆人前呼后拥，搞得游人交头接耳，纷纷侧目，这是哪个领导下来视察了？不对，哪儿有领导剃光头的……我×，是不是来自东南亚的黑帮女老大？你看她旁边那一老一少俩光头，一看就不像善茬儿，哎呀妈呀那赶紧躲远点儿吧。

游人们猜不出，这个黑帮女老大最擅长团伙作案，她后来组织并领导她的团伙一次性包了600多个饺子。

为了吃上她亲手包的饺子，有人是从境外专程赶回来的。

那人从缅甸金三角转泰国，经老挝，来到西双版纳，一天之内辗转四个国家。见面先按字头上的规矩给老人请安，接着一把抱住大洋，互相用力捶打，接着大口大口吃饺子，饺子吃完嘴一抹，那人环顾四周，道：

对不住了兄弟们，我是来接咱爸妈去金三角的。

他说从老挝到缅甸，大家都做好准备了，用招待亲爹亲妈的规格，来接待咱爸咱妈。

这边不舍得放人，一个星期处下来，人人都已舍不得老爸老妈。

后来找了个折中的方法，小车队组织起来，一起护送光头一家去东南亚。

站在中挝边境，老太太乐呵呵地摸界碑，哎呀……这是咋说的呀，咋又出国了？

儿子啊儿子，她踮起脚，伸手去扒拉大洋的脑袋，拧他的耳朵：你个小兔崽子，那几年给我浪得挺远的啊，咋啥都没和我说过呢？

（十五）

翻过崎岖的山路，从中挝边境一路来到挝泰边境，驶过了刚建成的清孔大桥，到达泰国清盛。

这里就是发生"湄公河惨案"的那个河段，对岸是老挝的金三角。

香蕉代替了罂粟，如今这里并没有想象中那么恐怖，朋友招待他们住在家里，从二楼就可以甩鱼竿到湄公河里钓鱼。

夜里河边铺满草席，琳琅满目的小吃夜市，老太太说：这阵势，有点儿过去咱东北夏天晚上的意思，你看你看，这儿也有刺龙刺凤光着膀子的，你看那大金链子粗的……

大洋说，清盛有座300年的老寺庙是一定要去看看的。

他说几年前他去过那座寺庙，那时一个老僧人莫名其妙地拦住他，捉起他的手腕儿，给他系上彩线三条。

当时他还奇怪来着，怪哉，为什么是三条？没等他问，老僧人悄悄走远了，远远地回头冲他笑了一笑。

彩线稍稍褪色，至今还系在手腕上，一道两道三道。

一行人来到美赛，大洋和朋友们站在桥头坏笑。

他说：老妈我和你说个事儿，你不许掐我哈……我们以前在这里偷渡过。

他说：别掐别掐，哎哎疼啊，老妈老妈，我对天发誓，你儿子这辈子没贩过毒
也没吸过毒……

美赛对面，是赫赫有名的缅甸金三角，当地人称之为大其力，神秘恐怖又
漂亮。

那里曾经盘踞过大毒枭坤沙。

当地人把偷渡喊作走水，过了河就是另一国。

小船一划，500泰铢一人，专载误了时辰来不及过海关的本地人，这虽是重度
违法，在当地却曾是被睁一只眼闭一只眼的，一度成功率极高。

听完了朋友们的介绍，老太太不再掐儿子，她心驰神往地看看水面，道：哎
呀，这么有意思呢哈……

她当时挽起老头子的胳膊就往前走，边走边说：走，咱们也偷渡过去吧。

她喊：儿子，前面带路。

一堆人慌忙阻拦：老太太您别这样，真要走水的话，起码要翻两排铁丝网，
是要撅着腚爬到岸边的。咱们这不都有签证吗？这可是偷渡啊，您可别冲
动啊……

老太太抺着腰问：我还能冲动几回呢？

她看看老头子，又看看儿子：我这一辈子，本本分分的，什么险都没冒过，难

得遇见这么个不伤天害理的犯错机会，可得好好抓住了……

她边走边说：儿子，要怪就怪你吧，是你把老妈这颗心给搅和年轻了！

她作案未遂。

她亲生儿子把她扛离了现场，任她怎么扑腾，也不让她脚沾地儿。

他亲生儿子苦口婆心地劝：

……我那亲妈啊，哪儿有大摇大摆去偷渡的好歹也给人家泰国边防留点儿面子啊不然人家脸上挂不住真会开枪突突了咱们一家三口的这三颗光头可真是太好的瞄准目标了……

道理说了半天，老太太不听不听就不听，她后来只被一句话说服。

话是老头子说的，老头子背着手骂：你个败家老娘儿们，咱偷渡过去了，咱家那车咋整？你说咋整？！

（十六）

如今的金三角不再是毒枭聚集地，荷枪实弹的士兵却依旧随处可见，这里的人喜欢开大皮卡车，中国没有的海拉克斯，十几万元一辆。

会车时他们奇怪地打量打量大洋的"黑E"车牌，又肃然起敬地看看车里的光头老头儿老太太。

他们下榻在这边的朋友的别墅里，朋友不种罂粟，开的是金矿。

穿过湄公河大案主犯糯康的豪宅，土路的尽头，小别墅被铁丝网保护着，推开大铁门，扑鼻的菜香，炖了好久的鸡汤。

夜里主人让出最好的主卧，老头儿老太太进去前，主人悄悄去把抽屉收拾了一下，怕吓到老人家。床头藏枪是这里的习惯，长居此地的人还是要有这防身之物的，以防万一。

这里很多人同时掌握普通话云南方言缅甸话泰国话。

主人家有个5岁的女儿只会说缅甸话，却莫名其妙地听得懂东北话。

小姑娘先前从来不要大洋抱，嫌他胡子扎人，这次也不要，却爱腻歪在老太太身旁，头枕在她大腿上，手环着她的腰，她也爱吃老太太包的东北切馅儿饺子。

主人家还有个10岁的小男孩，是大洋的干儿子，他亲昵老头子，觉得他的光头很霸气，于是寸步不离，走到哪里都"爷爷，爷爷"地喊。

一路从缅甸金三角喊到泰北，又喊到黑庙。

黑庙门前，爷孙俩蹲在地上分吃榴梿冰激凌，老爷子拿眼睛横大洋，指指小男孩，道：这要是我亲孙子该多好。

黑庙、白庙、美斯乐，美斯乐的居民大多是国民党93师军人的后裔，这里的墓碑全部朝向北方。

从清莱到清迈，一路自驾一路将异国风情玩赏，漂了流，骑了大象，去农庄里采摘了无公害蔬菜，吃了巨新鲜的沙拉和巨大无比的汉堡，还寻访了长颈族，还玩了枪。

泰北射击俱乐部多，老妈端着枪，让儿子给她拍照。那天她脑袋上包了个丝巾，枪一端起来，谁看谁说不像好人。

那天老太太又把儿子捎了一顿：你个小王八犊子，怎么枪法这么好？！

大洋委屈地表示自己早就不再玩枪了，以后也不打算再玩枪。

越往前走，队伍越庞大，泰国的朋友从各地杀到，途中大家包下一家带无边泳池的泰北山中酒店，大洋和朋友们在池边喝啤酒，任凭老头儿老太太把无边泳池承包。

他俩一个扒在泳池边上，望着红彤彤的林间落日；一个折返往复，奋力击水，奋力狗刨。

落日余晖里，老太太冲大洋叫：儿子，感觉调了个儿了……

啥调了个儿？调了个啥儿？啥个儿调了？

老太太说：你小时候那前儿[45]，我和你爸爸就是这样在池子边上看着你玩水的，哈，现在感觉换我俩当小孩了，调了个儿了。

她浮在水面上喊：儿子，下来一起扑腾扑腾！

岸上应：来喽……扑通，扑通扑通扑通通。

八九十来个儿子蹦进水里，冲着老太太的方向仰泳潜泳自由泳，各种扑腾。

（十七）

在清迈时，老太太是贵宾，随口提了一嘴看过《泰囧》，分分钟被朋友安排住进艾美酒店。

楼下就是知名的清迈夜市，大洋陪他们逛夜市，转天又陪他们逛公主的花园。

泰国规矩，进寺庙和皇家属地，短裤不能不过膝。大洋被迫套上了裙子，一堆朋友都被迫套上了裙子。

这当真是幅有趣的风景，一群套着裙子的大老爷们儿毕恭毕敬地簇拥着两位光头老人，看起来颇像两位来自东土大唐的高僧。

逛完公主的花园，女高僧给儿子下命令：带我去酒吧看看吧，你妈这辈子还没泡过酒吧呢。

大洋得令，当晚一堆人簇拥着两位高僧来到一家爵士吧，这里有乐队驻唱，满场的外国人。

老太太打扮了一下，头上裹着丝巾，音乐响起时她饶有兴趣地看着满场摇摆舞动的人，说：这可比跳广场舞热闹多了……

老太太坐不住了，扔下儿子和老头子，扎进人堆里，和着音乐一起跳舞。

两首舞曲结束，技惊四座，她成了全场的中心，几十个老外围着她学她的舞姿。

并非这个中国来的老太太神奇，神奇的是这个老太太的中国广场舞，这里的老外没见识过此番舞姿，惊艳得很，间隙休息时不停地过来和老太太挥手致意。

老太太也不认生，拿起酒瓶挨个儿碰杯。她不懂英语，人家每说一句，她就拽一把大洋：说的啥？什么"不要停"？快翻译啊。

大洋说：人家不是说不要停，是beautiful，人家是用英语在夸你漂亮、水灵、耐看、招人稀罕……

老太太乐得捂着牙笑，老头子就说：你快拉倒吧……

老太太拿眼把老头子一瞪，老头子就端起杯子和儿子碰杯：喝酒喝酒喝酒……

除了夸漂亮，还有许多人过来夸老太太酷，造型很朋克，他们并不知道这颗光头是因为化疗。

大洋骄傲地告诉老外们，这是他妈妈，收获了一堆大拇指。

好几个老外说：哇，那你真幸运！

听完翻译后，老头子在一旁很纳闷儿，捧着杯子发牢骚：这话是咋说的，我媳妇儿漂亮我媳妇儿酷，幸运的应该是我啊，怎么成了我儿子幸运？这是我媳妇儿啊！

老太太说哎呀真高兴，她说儿子，不行，我必须要败家一回了。

她说：我请客，给全场的人把酒都上一轮。

老头子说哎呀看把你给烧的，你有泰铢吗你？

老太太一把搂住大洋的脖子，冲老头子说：我儿子有就行！

老头子说：你儿子我也有一半好不好？那也是我儿子。

老太太不和老头子争，她把老头子也搂过来，三颗脑袋挤在一起，跟着音乐摇摆个不停。

老头子偷偷冲大洋眨眨眼，爷儿俩龇着牙对着笑，又各自扭头，偷偷将眼角的水渍揩去。

（十八）

回西双版纳的路上，有一处叫"望天树"，煞是壮观，在几十米的大树上行走，如同踏在云端。

吃完冬瓜猪，吃完糯米饭，他们一路驱车去云南石屏古城，去赶那里的杨梅节。

路上大洋看看里程盘，他告诉老妈，他们已经开了8848公里，相当于珠峰高度的1000倍。

去石屏的路难走，有一段盘山，路窄得很，悬崖就在旁边。
老太太胆子已被练得无比大，脑袋探出去看了又看，她啧啧称奇：这家伙，这路可真险！
大洋说，去西藏的路比这险得多，这不算什么。老太太嗯了一声，良久憋出一句话：我要是知道去西藏都是这样的路，当年说什么也要去把你找回来。

没有什么当年了，从今往后只有现在。
大洋握紧方向盘，稳稳地载着母亲去往下一个现在。

抵达南宁，吃了老友粉，吃了螺蛳粉。
抵达北海，去疍家棚吃了海鲜，百年老街口闲坐，一人一杯咖啡，看人往人来。
租了两辆摩托车去环涠洲岛，五彩滩上吃烤鱼，涨潮之前，大洋挽起老情人去踩沙滩。

他们就住在涠洲岛海边，夜里浪大，偶尔会涌进客栈的厅堂，大洋担心老人受惊吓，踩着水去听门，走廊刚一拐弯，看到老太太正蹑手蹑脚地向他走来。
……儿子，我过来看看，没把你屋给淹着吧？你包啊东西啊什么的都别搁地上哈。

大洋和她聊起之前的涠洲岛，有一遭他曾被台风围困在岛上5天，胖了5斤，原因是天天喝着啤酒吃方便面……
娘儿俩盘腿坐进沙发里，伴着呼啸的夜浪声，聊了许久的天，如同坐在炕头上一般。

台风来临之前回到银滩，继续驱车去阳朔。
下一拨朋友已经集结完毕，正在漓江边等着。

大洋有个叫大冰的又有才华又仗义的兄弟原本也要赶去阳朔给老太太请安，奈何台风季来临，被困在了广州白云机场，怎么也飞不过来。
他悲愤交加地给另外一个赶到了的朋友发微信，把两家航空公司赔付的共800元钱打了过去，附上的留言是：请你们喝顿酒，我去不了了，你们先自己喝，当我去了。

几天后通航了，那个叫大冰的真正的朋友重新买了机票，但他愈发悲愤地获悉：
人已经跑了，跑去了江西，正在景德镇买茶具……

老一代人都爱庐山，或许是因为他们在年轻时代看过那部《庐山恋》。
毕竟是病人，老太太再要强也爬不动庐山，她说：妈累了，走不动了，我搁这儿歇歇等你们，你们替我去看看那三叠泉。
大洋说这可不能替！老妈你等着，我找几个人一起抬你上去看三叠泉。

庐山之后是黄山，看雾看松看奇石。
南京之后是常州，接着是同里、周庄、莫干山。在莫干山时住在竹林里，祥和清幽的江南。
一路上依旧是四方的朋友匆匆赶来，这个拽着去杭州，那个拉着去上海，三拽两拽连云港，一路开到花果山。

花果山都到了，不如再去趟崂山，红岛、黄岛、青岛就在海那边。

螃蟹抠净，蛤蜊吃完，胶州湾跨海大桥上跑个来回，他们住到了青岛奥帆基地边。

晨起，老头儿老太太把儿子喊过去，点着地图激动坏了。

儿子啊儿子，青岛往东叫烟台，轮渡跨海是大连，当年咱祖上闯关东，走的就是这条线。

一脚油门儿踩到底，咱们快去看一看。

…………

（十九）

大洋一家人的故事发生在2015年，距今已有两年。

距他跟我讲述这段旅程，也已过去了快一整年。

彼时我俩坐在哈尔滨中央大街的露西亚餐厅里，聊着天，喝着格瓦斯，吃着大列巴。

一整晚的时间，他给我详述了这个长达15000公里的故事。

你知道的，通常来讲，很多故事都经不起一句：后来呢？

…………

换个话题吧。

你知道的，我不过一个走江湖跑码头的说书人而已，不入流的野生作家罢了，不想被收编也懒得被同化，故而，向来不混什么所谓的圈子，至交老友遍布天涯，亦罕有在什么文学圈音乐圈旅行圈里被圈着的。

但我瞻仰那些所谓的圈中达人，例如那些动辄标榜旅行了几十国上百国，张嘴公里数二五八万的旅行达人。

和他们牛x哄哄的环球旅行比，大洋的这趟自驾游算个屁啊。
同理，某种意义上讲，和大洋比，他们当中大多数屁都不算。

别跟我吹嘘什么环球旅行，有本事你纵横四海的时候，带上你妈。

15000公里的征程，三个光头，两个老人，一个儿子。
从绥芬河到西双版纳，从远东到东南亚。一个浪子回头的儿子陪着一个病入膏肓的妈妈。

早已习惯了笔下的故事被人曲解，今朝的这则，应该也难逃被误读的命运吧。
就像始终反对什么"说走就走的旅行"，却反被误以为是鼓励年轻人去浪迹天涯。
可这些故事真的是在写旅行吗？
吃包子能不能别光啃皮皮儿啊……

路人我管不着，亲生读者耐心听我哔哔两句好吗？就两句：
如果你二十多岁，别跟我提什么浪迹天涯。有本事的话，你去既可以朝九晚五，又能够浪迹天涯。
如果你已三十出头往四十上奔，别跟我说什么浪迹天涯。有本事你浪迹天涯的时候，也带上你妈。

（二十）

2016年深秋，我在哈尔滨做签售，队伍排到了中央大街上，很长。

那日冰雨绵绵，许多人没带雨具，我让人买光了隔壁商店的雨伞，大洋站在雨里帮我发了半个下午的伞，听说不少读者好怕怕地不敢伸手接伞。

这么多年过去了，他依旧腹肌满脸，一身社会人打扮，腋下依旧夹着那个黑色手包。

用了这么多年，手包居然没用坏，质量真是不赖，我记得，是他妈妈给他买的。

当夜，两个奔四的男人坐在中央大街的露西亚餐厅里，一点一滴，将那个长达15000公里的故事回放完。

然后各奔东西，然后又是一年。

然后我把这个故事写了下来，写给白山黑水的孩子读一读，写给漂泊异乡的孩子看一看。

生如逆旅单行道，哪有岁月可回头，越往前走回头越难，于是乎永别。

自欺欺人者会说无憾，心里其实明白的，没办法的办法才叫坦然。

唯一能做的，不过是尽早回头看一看，多看几眼。

趁还来得及，趁还不算晚。

趁故事尚在，趁人还没走远。

…………

许多故事都经不起一句：后来呢？

但这个故事例外。

这个故事的后来，出乎所有人的意料。

15000公里的颠沛后，老太太没挂，能吃能喝，活蹦乱跳的。

复查的结果出人意料：癌细胞消失，老太太痊愈了。

事儿是真的，我没扒瞎，谁扒瞎谁是瘪犊子——我的东北兄弟，从死神手里抢回了老妈。

你说这事儿整的，这也太生性了吧：

浪子回头的儿子，向死而生的老妈。

PS：1. 如果你想听听老太太现在的声音，请扫下方的二维码。

◎种因得果，善缘善得，

因缘具足，须待时日。

◎这个世界上真的有人在过着你想要的生活。
　而那些人大都曾隐忍过你尚未经历的挫折。

◎人无痴无趣不可与交，以其无深情无真气也。

◎要有足够的接受力，才能消化一个理想主义者的打开方式。

　要有充分的理解力，才能明白一个老文艺青年的自我修养。

◎被赞美着的往往也是被绑架着的，
　人们只是爱着自己的想象，投射又破灭。

◎往事蜉蝣，遇水分流，见风沉底。

◎常识构建底线，阅历塑造审美，
选择换来航向，修行成就慈悲。

◎星光不问赶路人，时光不负有心人。

2. 应大洋的要求，特此鸣谢那些没有血缘关系的家人，帮大洋一起抢回了老妈。

李涛、连富哥、自信姐、钦州博时进口汽车城林汉峰、俄罗斯海参崴广成兄、常州小粒子、北海王哥、洛阳陈依淳及其父母、株洲酒蒙子小妹刘锐、承德王骞兄、北京无墙博物馆丫头、武汉长腿笑笑、泰国清迈Kae、青岛哈雷胡琳、黄山驿境老掌柜、凤凰古城丹姐、贵州建哥、衡阳瑶瑶妹、昆明飞哥、西双版纳崖哥、曼谷阿辛哥、清莱赵老师、涠洲岛彬子、金三角小陈哥、Mazzo玛索、济南小俏……等等等等。

一路上的故事太多，并非一篇文章能盛下。
大洋给出的名单太长了，不是一页纸能盛下。
随手截取五分之一作为代表吧，排名不分先后。
隔空抱拳，多谢各路浪子、炮子、犊子……帮我兄弟抢回了老妈。

▶ ▷ 大冰的小屋·居阿郎《过了今年我想回家》

▶ ▷ 大冰的小屋·流浪歌手老谢《井底之蛙》

▶ ▷ 大冰的小屋·居小四《老舅》

妈妈，从来没有跟您说过的话，就写在这里吧：

丫头子

若有来生，若复为人身，让我托生在新疆吧。

富的话让我有一辈子都吃不完的羊肉纳仁揪片子碎肉抓饭烤包子。

穷的话，有阿布拉馕吃就行啊。

让我生在春天的赛里木湖，夏天的喀什葛尔，秋天的独库公路，

冬天的阿尔泰山下。

当不了人的话，让我当只鹰。

盘旋在那拉提草原上空，倏尔一生。

让我在你的沉默中安静无声，并让我借你的沉默与你对话。

——巴勃罗·聂鲁达

（一）

我爱新疆。

若有来生，若复为人身，让我托生在新疆吧。

富的话让我有一辈子都吃不完的羊肉纳仁揪片子碎肉抓饭烤包子。

穷的话，有阿布拉馕吃就行啊。

让我生在春天的赛里木湖，夏天的喀什葛尔，秋天的独库公路，冬天的阿尔泰山下。

当不了人的话，让我当只鹰。

盘旋在那拉提草原上空，倏尔一生。

爱哪里，才会爱说哪里的话。

呕吼[46]，我的兄弟马史杨奋跟我说嘛，我这个新疆话嘛，劳道[47]得很呢。

呕吼，这个新疆话嘛，好学得很，教你一套最速成的方法：

是要说四，说要叫佛。

上要讲航，下要念哈。

把所有的什么，换成撒，把所有的怎么，换成咋。

遇见傻瓜喊勺子，踩上便便喊屎尕尕。

见了男生喊儿子娃娃。

见了女生喊丫头子。

丫头子，丫头子，我佛这个新疆的丫头子，甜起来四哈密瓜，辣起来四皮牙子[48]。

你航乌鲁木齐看一哈，崴酱，这搭的丫头子，一满子的都歹得很嘛[49]。

这里的歹，不是歹徒的歹。

新疆话里好和歹都是一个意思，都是好的意义呢。

我认识许多歹歹的新疆丫头子，不谝传[50]，一个比一个攒劲[51]。

最攒劲的那个曾对我说：如果没有失去过，你又怎会永远记住我……

呕吼，只有理解了新疆丫头子骨子里的那份骄傲，才会明白她们到底有多歹。

…………

可是，今天我只想讲一个很特殊的新疆丫头子的故事给你听。

和其他人不同，她没有那么攒劲，也没有那么骄傲，没那么歹。

关于她的故事，我前后写了四稿，通通删掉重来……最终，我决定用最平淡的笔触来描述她。

就像午夜二道桥的路灯下伸手接住雪花。

静静地看它融化在掌心。

她是个很特殊的丫头子，特殊的人就像特殊的地方，总会招致特殊的关注。

我却希望我笔下的她是普通的，普通到和你我别无二致。

就像那些所谓的边陲、所谓的边疆，又和你我的家乡有什么本质上的不一样呢？

我希望你在阅读这篇流水账时，能感觉到她就坐在不远处。

就像她一贯那样——埋着头，画着画，始终是寂静的。

好了，不佛话了，让我在你的沉默中安静无声，并让我借你的沉默与你对话。

（二）

乔一八〇后，兵团子弟，农2师29团人。

她生在天山南麓秋里塔格山下，那里地处塔克拉玛干沙漠边缘，早年间无风一片白，有风白满天。

这个丫头子嘛，从小爱跟着家人进到沙漠腹地玩耍，爱看夕阳西下时的大漠金沙。她爱色彩，爱画画，画《圣斗士星矢》、画《机器猫》、画《乱马》，画得好着呢。

可生活并没有漫画里那么美好，乔一的世界也并非彩色的。

和你我不一样，她从小就是个和别人不一样的孩子……

乔一小时候有三大对手：它、妹妹和一坨屎尕尕。

先说妹妹。

9岁那年乔一委屈死了，因为有个叫妹妹的生物出生了。

妹妹乔悦委屈死了，一出生就有一个恶魔天使大姐大在等着她。

听说乔一那时下死力捏她鼻子，捏住了以后作死地甩来甩去。

听说是为了让她有个高鼻梁……鬼才信呢，分明是不喜欢她。

别人家姐姐多疼妹妹啊，搂着抱着哄洋娃娃，我姐姐咋这么不是东西啊，奶瓶往嘴上一塞就不管了。

还有还有，自己却跑去香梨地里偷吃，把我扔到棉花地里摘棉花，还哄我吃棉花……真是个亲姐姐啊！

乔悦长大之后经常拿眼睛横姐姐。

还记得小时候家里用纸条编花灯吗？我不就是闲着没事儿把编好的花灯拆开了五六七八个吗？至于吗你，趁大人不注意，一把揪住我的鼻子10分钟不撒手，还作死地甩来甩去……

牲口吗？捏变形了都。

妈妈也委屈：卖沟子的……弄巧成拙了！

本来嘛，生个妹妹陪姐姐玩儿，姊妹俩陪伴着长大不孤单，长大后也能互相有个照应……

结果父母的爱一被分摊，反倒伤了乔一9岁的心。

怀孕那会儿也没看出来哦，那时候乔一多体贴多乖巧多懂得疼人啊。

那年冬天下暴雪，妈妈挺着大肚子去幸福路接乔一放学，雪天路滑走得慢，迟到是难免的。

远远地望见学校大门，远远地看到一个快被雪埋了的小人儿立在校门外……

门卫说：我也没办法啊，这个丫头子死拖活拽就是不进屋，非要站在风雪里等妈妈。

乔一那天手冻得像红萝卜，两只红萝卜攥紧一块巧克力，怯怯地递给妈妈。

巧克力是老师发的，一年只发一回，好东西呢。

妈妈掰一块放进她嘴里，又掰一块放进自己嘴里。

乔一就蹦跶，用力地笑，她使劲儿地夸张自己的表情，好让妈妈明白，她是真的高兴着的。

妈妈早前也曾是老师，在初中教数学，爸爸开车。从29团调到乌鲁木齐后，妈妈当会计，爸爸在商场卖货。放弃事业调动工作是为了乔一，只有调到乌鲁木齐，乔一才有可能继续上学。

生妹妹也是为了乔一，只有这样，她才不会变成一个孤独的孩子。

可谁能想到，妹妹的到来反倒伤了乔一的心，一伤就是好几年，直到青春期来临，那坨屎尕尕的出现。

那坨屎尕尕叫叶峰，外号野蜂，和乔一是天敌。

在叶峰心里，乔一不仅也是坨屎尕尕，还是个勺子。

说也奇怪，自始至终一句对话都没发生过的两个人，从见第一面起，就莫名地结了怨。

乔一挺好看，叶峰也挺帅，俩人本是同学，每天上学路上、课间休息都时不时地走个对面。

同学间的那种礼貌的微笑压根儿没有，一个目光冷如冰锥，一个吹胡子瞪眼。

两个少年斗鸡一般越逼越近，气压也越来越低，两旁的人咽唾沫，都以为接下来要薅头发挠脸……俩人同时"哼"的一声不屑，同时甩头擦肩。

待到下次遇见，又是斗鸡一般。

什么春心萌动什么少年之恋，毛都没有，俩人好似前生盗过对方的墓掘过对方的坟今生终于仇人相见……日复一日剑拔弩张，从没有过好脸儿。

妹妹乔悦反倒很感激叶峰。
自打有了叶峰这个天敌，乔一的注意力被严重分散，对她好了不止一点儿，鼻子照捏，但不再甩啊甩。
多让人感动——不甩了。

后来鼻子也很久不捏了，乔悦以为姐姐终于开始爱她，激动坏了。
后来方知，解决内忧的总是外患，她姐姐那时正式和叶峰开干，一天一场遭遇战。
俩人走廊上遇见时，不仅怒目相对，且开始像橄榄球队员一样肩撞肩。
青春期的男生发育得晚，叶峰有时会被撞飞，飞得很凌乱。

很多年后叶峰回首往事，依旧耿耿于怀，但已无翻身的机会，亦永无翻身的机会……

当年乔一撞赢了他也不高兴，依旧怒气冲冲，每次遇见都怒气冲冲。
叶峰走了以后的很长一段时间，她每次路过那个走廊都会不自觉地怒气冲冲。
和以往一样，心怦怦地跳，脸火辣辣地烧，满腔莫名的愤怒……
和大部分女生一样，莫名其妙的青春期，莫名其妙的多巴胺、费洛蒙、肾上腺素……

按常理来说，小时候最爱揪你辫子、踩你鞋子、掀起你裙子往里撒沙子的小男生都是爱你的，不过是不懂表达罢了。

可乔一的人生轨迹从起点处就并非按常理来的，他俩的故事无缘逆转成由恨生爱。

天敌叶峰后来离开了乌鲁木齐，像很多人在学生时代遇到过的那种转校生一样，自此消失不见。

妹妹乔悦起初很恐慌，担心没了天敌的姐姐又要玩捏鼻子游戏。

后来发现她自己多虑了，姐姐没再收拾她，有时候手指伸到鼻子旁，停顿了一下，又收了回去。

乔悦那时沦为一个斯德哥尔摩综合征患者，她感激涕零地琢磨：

嗯，姐姐毕竟是亲的，乔大虽然和别人家的姐姐不一样，但终究还是疼我的。

妹妹乔悦误会了，姐姐乔一那时自顾不暇，最大的对手现身了。

那个缥缈无形的对手促狭地设下障碍，戏谑地质问乔一：就你这样的，也想当画家？

（三）

乔一的绘画热情是被妈妈的热情点燃的。

小时候妈妈比谁都鼓励乔一画画，微薄的工资买来各种彩笔各种漫画。

画吧画吧好好画吧，整张沙发都是你的画桌，颜料盘子打翻在身上妈妈也不生气，看到你画得开心，妈妈心里才会好过一点儿。

女儿和其他孩子不一样，她太寂静了……

既然别的小孩不愿意和女儿一起玩，那就让她用画笔寻找点儿快乐吧。

妈妈的这种热情在乔一上初中时抵达巅峰，她从新疆师范大学寻来一位美术高才生，教乔一系统地学习彩画和素描，一节课100多元，每周上3节。

乔一的绘画水平突飞猛进，妈妈的钱包迅速变瘪，家里却没人有异议，每个人最乐意看到的都是乔一安静作画的场面，你看你看，多投入哦，认真得像个天桥上贴膜的一般……

和小时候一样，除了画笔和画板，乔一没有别的伙伴。

若说有，只有那个天敌叶峰——如果天敌可以算伙伴，如果对殴可以算玩耍。

但就算是天敌，后来也没入人海消失不见，乔一终是孤单。

一并渺茫不见的还有前途和希望，节衣缩食供乔一学了这么多年美术后，妈妈忽然发现，路是断的。

乔一的学校没有办高中班，她的情况特殊，若想继续上高中，只能走出新疆，去上海、武汉或西安。

偌大个中国，专门给乔一这样的孩子上的高中，只有寥寥几所，她没的选，于是娘儿俩坐了两天三夜的火车，奔赴西安。

机票是买不起的，工薪阶层，家里没什么存款，学费生活费却不差分毫，妈妈为了这一天攒了很久的钱。妈妈想让乔一像其他孩子一样，正常地读完高中正常地去上大学，要上就上美院，画画时的乔一不孤单……

在妈妈的设想里，对乔一最好的安置是当个画家，既能养活自己，又不孤单……

失望来得猝不及防，西安的那所高中没有美术班，也没人考上过美院，白来了。

思考再三后，妈妈小心地和乔一商量：
要不，不学美术了吧？就在西安上高中吧，起码有可能上大学。

乔一木雕一样地站着，怀里紧紧抱着画板。
妈妈说：明白了，好吧孩子，那我们去武汉，或者……上海！
乔一咬着嘴唇看她一眼，开始摇头，头越摇越快。

妈妈道：丫头子，你是不是操心家里没钱？不怕的，只要你能有个将来，爸爸妈妈不怕苦一点儿。
她拽不动乔一，好生为难：丫头子，你这是干撒？
……哦，明白了，决定留在西安上学了，是吗？

答案是否定的。
乔一紧抱着画板，寂静地流泪，拼命地摇头，泪珠儿甩得四散，星星点点。

（四）

回乌鲁木齐后，乔一上了职业中专的美工班。
学素描、学速写、学水粉、学水彩、学电脑设计……没人比她学得更认真。
大部分同学是为生活所迫，不得不学一门谋生技能，唯她是真爱，后来她凭借着这份热爱，考上了本地的大专。
那时她开始画油画，不逛街、不买衣服、不吃零食、不谈恋爱，一味地画画。
每月油画开支五六百元钱。

起初这份开支家里尚可承担，后来难以为继。

2002年3月，爸爸急性心肌梗死，一个月花掉住院费9万元。出院后爸爸什么也做不了，每个月药费600元，恰好是乔一在油画上的开支。

那时爸爸工资600元，妈妈工资也是600元，600元钱养活全家四口捉襟见肘，妈妈却始终没对乔一开口说过：省点儿花钱。

只说，好好画，不要操心钱。

妈妈不说，乔一心里却有数，于是用自己的方式省钱。

那时她买不起颜料，就捡同学们丢掉的废颜料管，小剪刀裁开铝皮，一点儿一点儿地把残存的颜料抠出来。买不起画布，就正面画完了画反面，她那一时期的许多优秀习作未能保留下来，大多狠心刮掉，重新覆盖上白乳胶晾干，一层又一层地重复使用，直到画布厚到失去弹性，硬得像块三合板。

她在三合板上也画过，为省画布钱。

板子从街头捡来，边缘毛刺去不净，硬硬的，戳进掌心里面。

有段时间妈妈很奇怪，乔一怎么很久没要钱了？

她并不知道，除了拼命省油画材料钱，乔一也在想办法自己挣油画材料钱，起初羊毛出在羊身上，她拿作品挣钱。

妹妹乔悦至今还记得姐姐当年偷偷拜托她去完成的一项任务，地点是位于红山的一座大厦。

姐姐也有求人的时候？姐姐终于尔视[52]我啦！

姐姐姐姐，从现在开始，我要和你天下第一好！

乔悦憨，心大得像个库车大馕，瞬间忘怀了所有的前尘往事，忘却了自己的鼻子是怎么被揪歪的……

她激动坏了，屁颠屁颠地坐着910路公交车大义凛然地去了红山。

她按交代的话对人背书道：我姐的油画得奖了，我来领。

卖沟子的！姐姐没骗人，除了奖状，果真还有200元钱的奖金！好厉害啊乔大，这可是200元钱啊！

妹妹乔悦那时刚上初中刚发育，刚有资格穿内衣。

她躲进厕所，把钱塞进内衣里，然后登上公交，把这笔巨款用生命护送了回来。

一路上双手捂着胸。

看谁都像贼。

（五）

为了挣油画材料钱，乔一琢磨过打工。

暑假时她跑到百富、德克士、肯德基……没有一家肯雇她。

没有一次面试会超过一分钟，大多一句盘问后就把她请出了门外，人家好心告诉她：回家去吧丫头子，别出来乱跑了，以你的条件，不会有任何一家店会雇你当服务员。

人家是好心，她并不死心，下一家店面试时直接跑进卫生间，拿起拖把弯腰就干，拖完卫生间拖大堂，推着拖把往后厨里闯。

店长乐坏了，哎哟，这是哪儿来的丫头子，好能干，快把拖把放下吧，留下吧留下吧，咱们店就缺你这种眼里有活儿的……

终究还是留不下，还是简单盘问后，就被请出门去。

还是那句话：回家去吧丫头子，别再出来乱跑了。

她不想回家待着，回家待不住，老想画画，可颜料钱呢？画笔画布画框钱呢？

半个月的时间，她跑遍乌鲁木齐，翻烂了晚报找招聘信息，直接按图索骥上门推荐自己。

她只想打上一份工，好挣钱画画。

历经半个月的碰壁后，工作终于找到了，不算店铺，是小西门成功广场里的一排桌子，美甲。

艰难的沟通后，美甲摊女老板说：可以让你试试，但只给你三天的学习时间，三天后上工，顾客满意就留下你，不满意的话……

就回家去吧丫头子，别再出来乱跑了。

没用三天，一天后女老板拍板留下了她。

这是乔一有生以来第一份工作，她满意极了，美甲嘛，也算美术，指甲盖上画画。

她对收入也很满意，老板不给底薪，每单和她三七分，10元钱的简单美甲她能分3元。她专注，干什么时眼里就只有什么，一天下来几十块钱，一个半月下来，乔一挣够了半年的油画材料钱。

那一个半月也挣到了许多感动和不少委屈。

有的顾客嫌弃她，不肯把手给她。有的顾客做到一半才发现一些事情，于是忽然开始嫌弃她，嚷嚷着换人。

但更多的人是喜欢她的，她们安静地坐在乔一对面，安静地看着安静的乔一在她们指甲上作画。

临走时她们会捏捏乔一的手表示感谢，怜惜地摸摸她的头发。

每当这时候，乔一就用力地笑，她使劲儿地夸张自己的表情，让自己显得比高兴还高兴，好让别人明白，她是真的高兴着的。

笑着笑着就被妈妈给打了。

暑假结束时，乔一昏了头，把打工挣来的钱拿回家，献宝一样地交给了妈妈。

……妈妈妈妈，你看我能挣钱画画了，我还能帮你一起养家。

错愕之后是震怒，妈妈动了手，边掉眼泪边揍她。

全家人都在掉眼泪，妹妹乔悦走过来，搂住姐姐和妈妈。

……求求妈妈，不要打姐姐了，你把姐姐打疼的时候，我们心里都是疼的啊。

（六）

如果不是韩老师，那场巨大的委屈后，乔一很可能就此放弃了绘画。

如果不是韩老师，那场前所未有的震怒后，妈妈或许不会再鼓励乔一画画。

韩老师叫韩景俊，油画家。

那时新学年开学，韩老师来校授课，他在乔一身后站了很久，看着她面对画布出神，看她一笔一笔地画画。面前画布上的轮廓越来越清晰，色彩越来越丰富，身后的韩老师也越来越惊喜，他终于忍不住叫乔一，却欲言又止。

韩老师后来找到乔一妈妈，郑重地告诉她：乔一这丫头子，是为画画而生的。

于一个画家而言，真正得意的作品有时是一幅代表作，有时是一个难得的徒弟。

乔一后来常说，韩老师对她的培育之用心和细心，等同于创作自己的油画作品。

他那时授业之余常现身说法鼓励乔一：
丫头子你看，你从小就画画，起点比我高多了，我17岁才学素描，25岁才学油画，40多岁才当上真正的油画家。
可是年龄算撒，拿年龄来限制自己求知欲的人都是勺子！
同理，你和别人的那点儿不一样算撒！
老天是拿走了你一些东西，但另外给了你别人不可能拥有的才情和专注啊。听我的，一直画，想怎么画就怎么画。

好老师胜过好妈妈，乔一这辆车遇到了加油站，自此油门可以放心地踩到底了。
她比先前愈发拼命画画，学校的技能奖金三番五次地拿。这时期有人开始跑来找她买画，一幅画卖75元，10幅就是750元，好了好了，自此材料钱够了，不用再去街头美甲店打工，惹妈妈落泪了。

韩老师教徒心切，总嫌时间不够，总想多教教她，寒暑假也不肯放过她。
三年的大专，每逢假期，乔一总是在韩老师的画室度过的，她被狠狠地开了三年小灶，看饱了各种名画图册，看会了一个画家的创作过程，及各种绘画技巧。

韩老师后来带乔一参加了新疆油画学会的迎春比赛，作品喜获优秀奖。
乔一就用力地笑，使劲儿地夸张自己的笑容，好让韩老师明白，她是真的激动。
韩老师也乐坏了，比他自己获奖高兴多了。
他那次也获奖了，一等奖第一名。

韩老师无偿教了乔一许多年，没收过一分钱。
乔一明白的，韩老师教她画画，不仅仅是为了让她能有一技之长，有个端得稳的饭碗。
韩老师告诉过她的：
丫头子，我们来这世上走一遭，总难免会遇见些翻不过去的墙、迈不过去的坎儿，画笔就是梯子，就是鞋，只要把笔握紧了不丢掉，总会好过一点儿的。

老师和妈妈的心意都是一样的，都希望她这一生不孤单。
毕竟，她是一个那么寂静的丫头子。

（七）

那时的乔一很充实，除了油画，她给自己找到了许多好朋友。
他们的名字是波妞、苏菲、吉冈春、琪琪、草壁皋月、幽灵公主、无脸男……
她最喜欢的朋友是荻野千寻，好勇敢好坚强好招人心疼的小千哦……最喜欢小千那句台词了：不可以吃太胖哦，会被杀死的。

和许多孤独的孩子一样，她寂静的少年时代也是由二次元世界里的朋友陪伴着长大。

寂静的乔一从小就喜欢漫画和动画，小时候喜欢藤子不二雄，长大后知了世事，更爱宫崎骏。

她收藏了所有能找到的宫崎骏作品碟片，看完了所有关于宫崎骏的纪录片。旁人找歌星影星当偶像的岁数，她饭[53]的是一个留着胡子戴着眼镜满头白发的老爷爷。

那个神奇的老爷爷歹得很啊，那些触动人心的东西，他几个画面就搞掂了。

八〇后那代学美术的孩子里，很少有人既画油画又画动漫，乔一例外，她自己摸索着创作动漫人物，白天跟着韩老师学油画，夜里在家里自学漫画，学不会的时候就看宫崎骏的片子。

有时候她摁下暂停键，盯着屏幕出神儿，好熨帖的构图，好妥帖的色彩，漂亮得好似一幅油画，奇幻的、人文的蒸汽时代啊……

宫崎骏电影里的主人公大都是一男一女两个少年，大都朋友以上恋人未满。

她有时看着剧情也会摁下暂停键……遇到一个互相喜欢的人，会是什么感觉？不知道，从小学到大专，她与谈恋爱这件事无缘，从没有人追过她，她也从未体验过任何示好或告白。

示坏的人倒是有过一个，叫叶峰，特别讨厌，想起来就气。

可就连那个名叫叶峰的天敌，也都已消失了很多年……

于大部分女生而言天经地义的爱恋，于她只是奢谈。

她攥紧画笔，画油画，画漫画，画呀画呀画……

寂静地画完自己的少女时代。

（八）

画来画去画到毕业，然后画笔差点儿被妈妈撅断。

2006年大专毕业后，妈妈坚决反对乔一去当自由画师，坚持让乔一找一个稳定的、有保障的单位。

风向转得好快，一夜之间，妈妈从最鼓励乔一画画的人，变成了最反对的人。

妈妈怕乔一孤单，更怕乔一吃不饱饭，毕竟她和别人不一样……

别人可以趁着年轻去折腾，可以走出新疆去闯荡，但丫头子哦，就算你真的是为了画画而生的，也不要只靠卖画去养活自己好不好？

妈妈怎么可能陪你一辈子？

如果没有一份稳定的工作的话，你未来的生活妈妈想都不敢想……

丫头子，不要再做画家梦了，上班去吧，妈妈给你找了份美工的工作，按月领工资，"三险一金"有保障。

丫头子，很多年之后你会明白，妈妈终究是为了你好。

丫头子，你不用拿那种眼神瞅我，不要光摇头，想哭就哭吧，妈妈也想哭。

……但凡你和其他的孩子一样，妈妈又怎舍得狠心去扑灭你的理想。

乔一没哭，只是把自己关进房间。

妹妹乔悦怯怯地推开门，试探着靠到她的身旁，姐妹俩默默倚靠着，一起看着屏幕发呆。

摁了暂停键的屏幕里的《千与千寻》，静帧的画面上有一句字幕：

没有工作的人，会被汤婆婆变成动物。

…………

乔一后来听话地去上班，先去了库尔勒某嘉时代做美工，每天给超市价格做POP[54]。

一年后，她辞职，应聘到乌鲁木齐某美电器红山店做美工，还是天天做POP。

三年后，她辞职，应聘到某公司，当广告设计员，天天PS做图修图。

四年后，她辞职，应聘……

她按压着自己，去经历那些貌似和画画沾边实则毫不相干的工作，每次忍耐到极限时就挣脱着辞职，又再度按压着自己去实现妈妈的期望。

妈妈的期望很简单：有单位就有保障，有工资就有稳定，稳定压倒一切。

嘴上不说，心里是懂的……妈妈，你放心，我依你就是了。

眨眼10年过去了，时光静流，波澜不惊，洗白了妈妈的鬓发，洗出了乔一眼角细细的皱纹。

30岁后，生活愈发平静，乔一的生活一天比一天趋于稳定，缓缓地随波逐流。

她终究没能成为一个油画家，也没有成为一个漫画家……

我认识乔一，却是因为她的画。

（九）

几年前的一天，我看到一张图，画面上两只飞翔的馕，配文如下：

如果要你以失去双臂为代价，给你一双翅膀，你愿意吗？

那张画隶属于一个系列漫画《小馕人》，作者乔一、马史。
很长的一段时间里，定期关注《小馕人》续更成了一种小乐趣，挚爱新疆的我，总能被那两只馕惹得会心一笑。后来顺藤摸瓜，看了乔一的《大白在新疆》《小嘿咻》，看一张乐一张，真是个有意思的画者呢。

那时我猜乔一应该是健谈的、外向的，不然怎会把那些新疆故事谝得那么有趣。我猜她像我认识的其他所有新疆丫头子一样，又甜又辣，有颗皮牙子般的心。

崴酱，那时的我并不知道，乔一和我有太多的共同语言。
我们都画油画，都喜欢风景油画——柯罗、希什金、列维坦……
都画漫画，都爱动漫——坛九、old先、丁一晨、慕容引刀、郭斯特……

不仅如此，我们的梦想之地都是吉卜力工作室，都满地打滚地热爱宫崎骏。
她和我一样，老早就发现了《千与千寻》的玩具屋里有《魔女宅急便》中吉吉猫图案的抱枕……

区别倒也有，我最爱《红猪》和《幽灵公主》，她最爱《千与千寻》。

只是当时我怎么也想不到，她也是一个千寻。

几年之后，才有机缘去了解乔一。

一次小聚的尾声，在我随口提及她后，我的新疆兄弟马史讲述了她的故事。

其实也不算什么故事，没有波澜起伏，平平淡淡的三五事，普普通通的丫头子，却让人沉默良久也揣摩良久，怎么也无法等闲视之。

……原来，她是这样的乔一。

我想起最初那张图上的配文：

如果要你以失去双臂为代价，给你一双翅膀，你愿意吗？

不必误会，乔一四肢健全，但马史告诉我说，这个问句，乔一已回答了整32年。

那天马史翻手机相册给我看，有漫画，有油画，都是乔一画的，我一张张细看，越看越汗颜。

实话实说，油画科班生出身的我，画得远不如她。

那天杨奋也在，杨奋补刀：过去10年，乔一没有一天停止过画画，她一直在寻找一份又可以画画又可以让妈妈安心的工作……

算了算了，他说：

阿达西[55]，不说了不说了，讲多了故事心里塞塞的呢，咱们还是接着喝酒吧。

阿达西，他说，我两句话说，多了不说——我们新疆的丫头子，攒劲着呢！

攒劲的丫头子那么多，她是否是其中最寂静的一个？

乔一，1983年生人。
1岁9个月时因病失聪，成为重度聋哑儿，迄今已32年。

32年来，她生活在一个完全寂静的世界。

（十）

2岁时，家里和不少人绝交了。
因为那些人以亲朋好友的身份劝说她妈妈：
放弃这个孩子吧，未来只会是包袱。送去孤儿院吧，让她自生自灭。

10岁时，她被邻居家熊孩子指着鼻子嘲骂：
聋子哑巴，未来嫁给瞎子，哈哈哈哈哈。
她听不到别人骂她，傻笑着看别人骂她，她以为终于有人肯和她一起玩了。
她拿起自己的画去给人家看，人被推倒，画被扯烂，笔被扔了。

她后来养成了习惯，只要再有小男生靠近她，立马怒目相对，警惕而愤恨，像只小狮子。

上聋哑学校时，说媒的人登了门，媒人给她竖大拇指：哎哟，画得真好啊。
媒人扭头对父母说：还是现实一点儿，找个农村男人嫁了吧，别白花学费学画画了，不聋不哑的又见到几个当上画家的？何况你们家孩子。
她那时不知来者是媒人，只道这人夸她，于是翻箱倒柜地找出许多习作，献宝一样一张张给那人展示着……

后来她上了中专，为了画画去挣钱，找兼职时手里握着纸和笔，推开门就在纸上写字：给我一份工作好吗？

她写：给我正常人一半的工资就好了。

没人肯收她，不是人心冷，是顾客比天大，她不能说也听不见，生意会受影响的。

她那时连个发传单的活儿都没找到——路人接了传单，总要和人说声"谢谢"。

终于，她当上了美甲工，可以挣钱画画了。

有人莫名地厌恶她，她们不接受她的服务，仿佛聋哑是传染病，碰了她就晦气了。

也有人喜欢她，安静地看着她在自己指甲上画画，临走时她们捏捏她的手表示感谢，怜惜地摸摸她的头发。

每当这时她就用力地笑，使劲儿地夸张自己的表情，让自己显得比高兴还高兴，好让那些好心人明白，她是真的高兴着的。

后来跟着韩景俊老师学画时，她也常这么笑。

除了写字，感激和感恩，她只能用这种方式表达。

上班以后，她从不打车，只坐公交，因为不需要和司机解释去哪儿。

她在网上晒过自己的画作，并不提自己是聋哑人，过分的同情不是她想要的。

她恨过妹妹，后来变得很疼她，她爱着妈妈，一度也曾很恨她。

她爱画油画，画油画时她是可以倾听到那些缤纷的色彩的。
她爱画漫画，在那个二次元的世界里她可以成为另外一个她，那里有简单的爱和善，直截了当的恨，远没有现实的人生那么复杂。

重要的是，在那个世界里，她终于可以开口说话。

那些无声的语言打动了许多人，比如马史、杨奋，三人后来搭档构思创作漫画。
很完美的CP[56]组合，两个疯疯癫癫的儿子娃娃，一个笑起来张牙舞爪的丫头子。
马史后来和我说，虽然自己也穷得叮当响，但对她，是决心要罩着她。
但这份决心仅只源自欣赏，并非是在可怜什么。

马史和杨奋都用自己的方式宣传推广过她的画，亦主动帮她兜售过画，我记得我在朋友圈里看到过的。在我的印象里，他们都没标榜过她聋哑人的身份，后来才知道他们的想法——既然每一幅画对得起定价，又何必附加兜售那份同情呢？
听说，她也是同样的想法。

她也是我的读者，按理说有马史、杨奋这层关系，大家见面认识顺理成章。
可她不肯接受马史、杨奋的邀约，觉得会添麻烦，影响我们喝酒聊天。
马史说：你们其实见过面的。
他说：她排队参加过你在乌鲁木齐"班的书店"的读书会，自己一个人去的。

我使劲儿使劲儿地回想，影影绰绰地想起一张面孔。

短发，素颜，手很有力，笑得很夸张很用力，显得比高兴还要高兴……

新疆丫头子骨子里独有的那份骄傲，让我迟了好几年才明白了她的故事她的画。

希望不算太晚吧。

（十一）

2016年夏，我删减了书稿，在《好吗好的》一书中加入了数页漫画。

很多人蛮奇怪，为什么会拿那些漫画当插图。

如果你曾读过那本书，你应该知道，漫画中我被绘制成个双眼皮的胡须男，

看起来很像是来自新疆，那个亲切的、歹歹的新疆。

漫画是专门定制的，画画的人叫乔一，住在新疆。

倾听不了这个世界的乔一，住在尚需被你我认真倾听的新疆。

新疆新疆，那里的人们和你我又有撒两样？

一样的红尘颠沛、爱恨别离，一样的求索或取舍、笃信或迷茫。

信息不对称造就地域黑，双眸不平视带来分别心。

OK，没有对错只有真假，可真的东西怎会乱舍己道、妄扰他心。

地和地，人和人，又哪儿来那么多高下次第之分？譬如你我和乔一。

乔一的故事惹人怜惜，我却并不希望她的身世被人怜悯。

我把乔一的故事写下来，写给所有的乔一。在我心里，大家都一样，都是各自世界里的乔一。

哪儿有什么健全或残疾？
有些人只是不方便而已。
不方便就帮他们行个方便嘛，与人方便，即是度己。

所以，一起来做点儿什么吧。
不如我们一起来行个方便，帮帮那个心火未熄的新疆乔一。

她爱画画，爱《千与千寻》，爱宫崎骏……
咱们各显其能，想办法把她搞到大神宫崎骏面前去怎么样？
送她去到梦想中的圣地吉卜力工作室，实习或学习。

别觉得异想天开，如果你也喜爱二次元，你也大爱宫崎骏，你怎会不相信奇迹？

2017年5月18日，我动笔写乔一，那时尚无这个想法，人家宫崎骏2013年就已经收山退休了。
可是，短短一天后，我惊诧地获悉了一个巧合：
2017年5月19日，76岁的宫崎骏正式宣布复出，计划重组吉卜力，用3年的时间创造新动画电影。

巧合总是奇迹的先兆，奇迹和劫难一样，总爱降临在最普通的人生里。
说不定，说不定片尾工作人员字幕中，真的会多出一个中国人的名字。

是个丫头子呢，来自中国新疆乌鲁木齐。

（十二）

这篇文章结束了。

但新疆丫头子乔一的故事未完待续。

一辈子那么长，让故事慢慢生长吧，不急的。

不多说了。

稍等，再赘述几句……

我两句话说，多了不说：

乔一这个丫头子嘛，现在不孤单。

她刚刚完婚，爱人也是聋哑人，是个失而复得的故人。

听说名叫叶峰，曾经是她的天敌。

▶ ▷ 大冰的小屋·陈硕子《离开这吧》

▶ ▷ 大冰的小屋·马束《早发的种子》

小慈悲

全世界海拔最高的书店有两家。

一家在海拔 4718 米的纳木错，一家在阿里，海拔 4850 米的扎达。

全是他开的。

在我认识的人里，收到过哈达最多的也是他。

差不多有 5000 条。5 万里路 5000 条。

哈达来自藏区的老师和孩子们。

人无癖不可与交，以其无深情也。
人无疵不可与交，以其无真气也。
人无痴不可与交，以其无深情也。
人无趣不可与交，以其无真气也。

要有足够的接受力，才能消化一个理想主义者的打开方式。
要有充分的理解力，才能明白一个老文艺青年的自我修养。

常识构建底线，阅历塑造审美，选择换来航向，修行成就慈悲。
业里修身，自度度人。
仁者多现自在相——多疵多癖多毛病，且痴且趣且慈悲。

（一）

先想象一头熊。
体重200斤，膀大腰圆，会说北京话的那种。
拥有着拖拉机般的笑声。

再想象一家书店。
放眼望去全是书，满坑满谷，林林总总。
书店的角落里有钢琴，钢琴前坐着那头熊。

那个熊状人形物叫老潘，我朋友，蓬着头发叼着烟斗，一脸高原红，十根胡萝卜粗的手指头。

你听过熊掌弹钢琴没?

我听过……

我那会儿缩在沙发上打寒战:老潘!求求你……stop一下行不行?

光芒万丈的拉萨午后,滚烫滚烫的小山头,呆立嚼草的大白马,睡得死去活来的流浪狗,琴声嗡鸣,音浪汹汹,一个敢进店的客人都没有……

他弹的是民谣,边弹边唱的那种。

好好一首《南山南》,被他唱得初恋般纯情,大鼻涕般黏稠。

高潮处他猛甩头,那并不存在的长发飘逸随风,那自我陶醉的泪光颇晶莹。

可以说是非常文艺了。

可以说是非常之矫情。

一曲终,世界重新变得美好,我抠着嗡嗡的耳朵看着他,他静坐键盘前不回头。

良久,他舒坦地吐出一口气:唉……真的好感动。

…………

那钢琴盖子为什么不能有点儿志气赶紧砸下来卡住他的头?

我后来带他和《南山南》的原唱者马頔喝过酒,当时是这么介绍的:老潘同学,资深理想主义者,老文青。

是戏谑也是真话,他理想主义得板上钉钉。

我就不是个挑事儿的人——这家伙基本把文艺青年四个字做到了头。

（二）

理想主义者老潘热爱文艺，他原是科班美术生，34岁高龄方开始学钢琴，迄今已有6年整。

我不爱听他弹唱不代表别人不爱听……

最忠实的听众是他自己，常自己为自己即兴演奏，继而稀里哗啦自我感动。

身为一个老文艺青年，能让他感动的东西有很多，除了音乐还有哲学。

他厚着脸皮在北大哲学系当过整两年旁听生，还去北京电影学院正儿八经当过进修生。

他进修的是导演班，陆川、宁浩都是那个班里出来的。

第一堂课，教室关灯播放投影，画面上刚浮现"世界电影史"五个字，他瞬间泪奔，终于找到组织了的那种激动……

斯人爱电影，收集了1万多张碟片，搁满四面墙，谁借都不给。

内裤倒是可以借，要的话立马扒下来给你，碟不行！借一张等于割他一片肾。

爱电影的人爱生活，这家伙热爱小生命，他养了一匹叫江米儿的高头大马，天天为了保卫那匹马的饲料而和牦牛搏斗，格萨尔王一样英勇……经常被牛角抵回店里头。

店是书店，名叫天堂时光，坐标拉萨河边的小山包，是这个资深文艺大叔筑造了10年的一个文学梦。他经常几天不下山，马粪香里看电影，书香伴着钢

琴声······

有时候想想也蛮感慨——
不论"文青"一词被这个时代的反智潮流如何污名，总有一些人在自己的基本
审美中始终保留着文艺属性，没有对错只有真假，真实的审美总不会被屈服于
世俗的东西解构，例如老潘同学——四十不惑的岁数了，依旧在理想主义者的
文艺道路上偏向虎山行。

一个理想主义者该有的属性他都有——比如偶尔矫情，比如经常缺钱。

按理说，他孬好不济也是个书店老板，本不该那么穷，可他兜里就是没钱，每
次请我吃饭都是去仙足岛上的山东小院，回回都是啃包子。

见过请人吃包子时自己抢着吃的吗？
我见过。
烫嘴的包子拳头大小，我一次能吃三个，他是七个，外加一堆蒜。
我打饱嗝时他还没过瘾，跑到厨房要个炒土豆，顺手抱回来一电饭锅大米饭。
高原气压异于内地，米饭大都夹生，咬在嘴里硬得咯吱咯吱响······饶是如此，
他依旧能干下去两三斤。

那架势，那饭量，恍如灾民过荒年，和弹钢琴时的他一在青天一在沟。

老潘吃相很惊悚，怪硌硬人的，可除他以外我在拉萨没几个熟人了，往事翻
篇，昔日老友们早已四散，我早已找不到什么重回拉萨的理由······
酒和酒杯，鱼和洋流，我和我的拉萨。

拉萨拉萨，那里曾有我的家，2008年我告别了拉萨，2015年再回去时，只剩游客的身份了。

新人我不熟，旧景太戳心，我躲进拉萨河畔老潘的书店，闲了翻杂书，闷了喂白马，想自虐了就央求老潘弹钢琴，然后抱着膝盖当筛子。

老潘的钢琴比他本人体面多了，愈发衬得他落魄而邋遢。
有些人邋遢归邋遢，倜傥而不羁，有些人落魄归落魄，朴素又清雅，不像老潘，给他个蛇皮袋子让他去宇拓路蹲着，指定有好心人把喝完的饮料瓶子递给他。

……具体细节不描述了，反正他总一身改革开放前的打扮，又不舍得花钱铰头，发型那叫一个参差，貌似是自己拿美工刀一绺绺揪着裁的。

许多客人不信他是老板，总是在他热情迎宾时警惕地捂住包包防着他。
也有许多人慕名而来，失望地问他：你……你怎么可能是老潘呢？

是啊，他这副尊容怎么对得起传说中的那个老潘？
传说中的拉萨老潘怎会如此破衣烂衫、满口烂牙、笑容猥琐，还叼着个烟袋？
我就不是个挑事儿的人，他真的太让人失望了。

传说中的老潘多文艺多有情怀——
带着全部身家跑到西藏劈柴喂马，拍公益长片，搞免费电影院，组建自由话剧社，开设义务钢琴班，启动无偿读书会，举办创意集市，出版图文摄影集，筹备儿童图书馆……

千金散尽买痛快，他满腔酸奶为边疆的文化事业而奉献。

传说中的老潘多有情调多浪漫——
漂泊到藏地开书店，9家独立书店遍布高原。

全世界海拔最高的书店有两家。
一家在海拔4718米的纳木错，一家在阿里，海拔4850米的扎达。
全是他开的。

（三）

传说终归是传说，信息不对称是传说的最大特点。
各个版本的传说都在描述老潘的文艺情怀，压根儿没提他欠了别人多少钱。

据我所知，迄今为止老潘的书店收支甚少持平，最多一年赔了60多万……
开书店不易，房租、人工成本高昂，电商冲击巨大，实体书店的经营如履
薄冰。
据我估判，他之所以天天穿得像个流浪汉，应该是为了主动示穷，好慢点儿
还钱……

其实大可不必如此吧，那些债皆是别人主动让他欠的，并无债主逼他还钱。
为何明知会打水漂还主动借给他钱，原因很简单：
都爱过西藏，都有过书店梦，都希望爱过的地方能多几家书店，都想为全民阅
读事业在边疆地区的普及做出点儿贡献……

算了，还是说实话吧：都想跟着牛×的人一起玩把牛×，赔钱也认了……

别问我为什么这么了解……
我有位朋友是头野生作家，他也是债主之一。
他有6位数的稿费也沉进了这个无底深渊里……

那位野生作家当真仗义，出了钱还出力，每逢新书上市，都会颠颠儿地自费飞回拉萨开读书会，帮老潘的书店呐喊摇旗。
老潘只请人家吃包子……人品真的是渣渣。

好在那位野生作家很局气[57]，不仅人长得英俊，心胸还开阔，他配合老潘咔咔签名哐哐送书，老潘说这几本是签给那曲的支教老师的，他说签！老潘说那几本是送给林芝的支教老师的，他说送！老潘说……他说送送送签签签！

他理解老潘书店的规矩：
所有的支教老师，都可以来书店免费拿书。
不论拿了多少，看完之后全部捐给支教的学校就好。

想想自己的那些书即将帮支教老师们充实闲暇时光，并终将漂流到那些遥远的牧场和村庄，陪伴那些陌生的孩子成长，野生作家心里是欣慰的。
他发现自己在老潘的协助下终于成为一个还算对社会有点儿用的人……
那吃包子就吃包子吧！

唯一让他生气的是，店员小普木[58]都喊老潘叫潘爸爸，喊他反而喊哥。
这算什么辈分？悲愤！

那几个店员都是藏族小普木，一说话就耳朵红，特别爱害羞。

她们都是来勤工俭学的，都认识老潘很久了，很亲昵他，完全不在乎他的邋遢。老潘弹钢琴时她们扒在柜台上认真地听着，一脸的崇拜，眼里的星星不停地闪烁。

那时候老潘失恋，弹唱的曲子不是《贝加尔湖畔》就是《已是两条路上的人》，他心情不好，旋律愈发黏稠，带血的大鼻涕一样……

我侧耳听过小普木们和他之间的藏语聊天，翻译成汉话大意如下：

潘爸，你不用找老婆的，将来你老了我们养你。

小普木们安慰他：我们会好好读书的，将来我们会挣很多钱，到时候我们给你养老，喂你吃水磨糌粑……

有这样想法的藏族孩子有十几个。

他们大都是孤儿或单亲，目前由老潘的书店收养着。

（四）

收养的孩子里，身世最苦的是丹增白姆，上初三，成绩很好。

白姆上小学时阿妈去世，阿爸后来亦病故，死于胃溃疡。

唯一的亲人是舅舅，亲人不亲，舅舅把她送进城里当保姆，让这个10岁的孩子去照顾一个1岁的孩子。

路不平有人踩，那时候站出来的是老潘，他找了校长又找乡领导，终于逼着舅舅把孩子送回了学校。

刚回来时的白姆被人剃了光头，戴着帽子，低头不敢看人，已经有了自闭症和抑郁症倾向。老潘把孩子安排进教职员工宿舍生活，认真地帮她补课，每年暑假都让她到书店里帮忙。

说是帮忙，实则变相地保护，以防她再被舅舅送去当童工。

白姆很依赖老潘，很长一段时间里，她只和他说话，只冲他笑。

…………

最爱和老潘微信聊天的是斯曲卓玛。

她上小学六年级时被老潘收养，如今已上了大学，学动物医学专业，在西藏大学林芝分校。

卓玛有癫症，压力一大一紧张即刻晕倒。好些年里，只要老师一打电话，老潘立马功夫熊猫一样连蹦带蹿地往学校跑，他背卓玛去医院，一背就是好多年，从小学背到高三。

高考那天，每一位监考老师都收到一张字条，上面写着：老师好，我是斯曲卓玛的爸爸，如果我女儿在考试期间晕倒，请随时给我打电话，我在学校门口守候。

那天守在大门外的老潘借了一双运动鞋，随时准备狂奔成一匹野马。

很奇怪，斯曲卓玛上了大学后再没有晕倒过，她现在在学校社团里很活跃，在学生会担任了很多工作。老潘每天都会收到卓玛的微信，大大小小的事情她啥都愿意和他说。

收养的孩子里好多考上了大学。

江西理工大学的次仁曲珍、长春东北师范大学哲学系的拥中措姆、吉林农业大学的尹昊……还有许多即将考上大学的孩子，比如在双湖县读书的嘎石秀，在南木林县读高中的次仁德吉，等等等等。

每一个孩子考学填志愿时，都会征求老潘的意见。

每一次他都会结合他们的喜好和性格特点，帮他们规划未来。

考上了大学并不意味着大功告成，老潘不让孩子们考虑学费多少，一切自有书店承包，他按月给孩子们汇生活费，每人每年最少5000元。

女儿们学习都很努力，儿子们努力的少，他毕竟是凡人，没办法永远把情绪控制好，有时候也会在电话里发飙：穷不丢人，懒才丢人！

他留刀：你给我等着，等你回拉萨了看我怎么收拾你！

真回来了，也就不舍得收拾了，瞅着那一个个长高长壮了的身板，他叼着烟斗忍不住地笑，怎么也板不起脸来。

寒暑假时孩子们从各地赶回拉萨，书店就是家，老潘不让他们闲着，每人每天发50元钱工资，让他们在店里勤工俭学，变相地发零花钱。

孩子们闲不住，集体帮老潘换被罩洗衣裳，老潘弹琴时他们在一旁听着。

那几乎是老潘最嚣张最膨胀的时光——不论他唱什么歌，这些死忠粉都能忍受，末了还有稀稀拉拉的掌声回敬他。

2016年暑假结束时我去过拉萨，恰逢孩子们即将返校，一走又是半年才能回来。

老潘很动情，钢琴声很动听，这个文青大叔闭着眼睛唱《送别》：

情千缕

酒一杯

声声离笛催

问君此去几时还

来时莫徘徊……

他弹琴唱歌向来作死般矫情，那天也不例外。

这家伙那天把自己唱哭了。

所有的孩子都在哭，有的边哭边往外走，边走边说：爸爸再见。

（五）

老潘和孩子们的缘分由来已深，他曾是个支教老师。

我是说，那种真正的支教老师。

但他自己并不这么认为。

在当支教老师之前，他是个自由摄影师，也拍片子也当导演也开公司，也曾经
很有钱。

2009年他给自治区拍宣传片，拍来拍去拍到纳木错小学，追着孩子们拍他们踢
足球，差点儿追出高反。

临走时曲桑罗布校长说：我们这里是高海拔地区，特别缺老师，有机会你们帮

忙宣传一下，要长期的那种……

老潘说：好，那明年我来吧。

这个重大的决定他瞬间就做好了，文艺青年爱冲动，他那时却并非一时冲动，他那时候的目的并不纯，有利益驱使下的私心。

和许多热衷支教的志愿者一样，老潘最初并未分清排序——主要是来成全那些孩子，还是来成全自己。

他起初是带着专业摄像机来的，私心是希望通过支教老师的身份，跟踪拍摄几个老师和学生，拍摄一部震撼人心的纪录片。

至于支教，自然是排在拍摄之后，小学而已，谅也不难。

纪录片后来一个镜头没拍，这份私心迅速消失，他忽然发现那个拍摄计划有些扯淡。

白天要教书上课，夜里要备课改作业，这里条件艰苦，人手紧张，老师需要自己挤出时间生火做饭，他如果非要腾出时间扛起摄像机，就没有办法认真教学。

如果是这样的话，那还叫支教吗？

他那时瞬间醒悟，继而羞惭：我是来干什么的？我怎么能这么干？！

老潘后来踏踏实实在纳木错小学教完了整一个学期，紧接着又是一个学期。

那时候他教汉语、教英语、教数学……和很多所谓的短期支教志愿者不同，并非丰富人生阅历式的支教旅行，也并非打着帮孩子开眼界的名义只去领着孩子们玩，那一整年的时间里，他最多时带9个班，平均每周上课27节。

"支教老师"四个字，重音理应放在后两个字，既然是老师，就要尽好教书育人的天职，一年下来回头看，他舒了一口气，好了，起码做到了这一点。

纳木错海拔高，天气冷，很多年龄小的男孩子拉屎不爱擦屁股，提上裤子就跑，卫生习惯堪忧。这里的孩子没有勤洗澡的习惯，周末时他满校园跑着抓人，抓住了就往车上一扔，拖到当雄的澡堂子里去给他们扒皮。

女学生女老师负责，他负责男孩，有些孩子脏得起鳞，扒了衣服厚厚一身铁，搓得他掌心生疼满头大汗。
一年下来，全校400个孩子他总共洗了150个，练就一身搓澡的好本领。

学校的生活简单，他和同事们相处得很愉快，彼此兄弟姐妹相称，大家常热热闹闹地一起做饭，白菜土豆，土豆白菜。

那时候他带了很多书上高原，老师们都爱找他借书看。
和他要好的老师有很多，比如次旺次达，比如多不杰。

多不杰是个有趣的老师，教英文、教藏文、教汉文，热爱睡懒觉，酷爱电子产品，换个新手机能高兴半年。他用攒了很久的工资买了个照相机，高兴得像娶了媳妇一样天天在怀里揣着，动不动就取出来哈气擦拭，摩挲把玩。
那相机后来几乎包浆，弥散着蜜蜡一样的光。

次旺次达是个值得所有人敬重的老师，从羊八井调来，那里的学校条件好，他却主动申请到艰苦的纳木错来。

这是个有耐心的老师，向来和颜悦色对学生，对教学工作全身心投入。老潘每晚和他一起批改作业，见识过他的仔细和认真。

休息时多不杰跑过来，三人一起点根烟聊天，聊梦想聊未来。

老潘的梦想是开家书店，多不杰的梦想是拥有一台最好的单反。

次旺次达的梦想最遥远，他说他梦想着能在拉萨买个小房子，和妻子一起在拉萨教书，一起变老。

次旺次达的妻子也是小学老师，次旺次达每晚都会给妻子打一个小时的电话。

纳木错小学信号不好，只有国旗旗杆底下有微弱信号，次旺次达裹紧衣服围着旗杆慢慢转圈，柔声细语地和妻子聊啊聊。

夫妻俩没有任何关系和能力让两个人调到一个地方教书，有的只是无尽的挂念和期望。

妻子在阿里的学校教书，那是全藏区最苦的地方，物价也高。

她当时怀着孕。

每天一个小时的电话是次旺次达唯一能给予她的照料。

老潘结束支教离开纳木错后的两个月，次旺老师忽然死了，脑出血。

孩子还没出生，父亲没了。

葬礼时老师们都去了，老潘得到消息时，人已随鹫鹰升空，掠过圣湖纳木错，没入念青唐古拉大雪山。

老潘坐在北京的家里，打开电脑找出照片。

他摸着屏幕，喊着次旺的名字，泪如雨下。

次旺次达老师走后，多不杰老师去了他家里。
他在次旺父母面前跪下，说：从现在开始我就是你们的儿子，以后我养你们。

…………

多不杰老师当下还在纳木错教书，听说当上了教导主任，听说他把次旺老师的家人照顾得很好，听说他手机好久没换了。

（六）

老潘不止一次地和我讲述过洛桑顿珠老师的故事。
洛桑顿珠是纳木错小学的优秀教师，教学奖拿了很多，他是一个把学生当作自己孩子一样的好老师，老潘受他的影响很多，学着他的样子去爱孩子。

洛顿老师的故事与家人相关，在藏区很常见，老潘每每提起，每每湿了眼。

洛顿有两个妹妹，大妹叫斯珍，二妹仓木拉，他们是单亲家庭，只有父亲。
那时候他们上小学，藏区还没实行"三包"政策，学杂费和生活费是一笔不小的开销，家里的收入全靠父亲养的那十几只羊。有一天，父亲跟孩子们说，家里实在撑不下去了，希望三个孩子中有一个人退学，回家放羊。

退学意味着自此放弃更好的命运，换谁谁甘心？三个孩子的学习都很好，尤其是大妹，每次考试都是前三名，考去大城市大有希望。
可大妹说，如果三个人里选一个，那一定不能选最大的，也不能选最小的……

她说，让哥哥和妹妹去上学吧，我留在家里就好。

大妹说得很若无其事的样子，手却是抖的，洛顿和妹妹开始哭，父亲也在流泪。

大妹自此留在了家中，在洛顿的记忆中，每逢他和二妹放学，大妹都会候在家门口。

她永远一副高高兴兴的样子，道：哥哥你回来啦，饭做好了快吃吧。

烟熏的痕迹挂在脸上，她有时会忘记了擦，黑一道白一道，洛顿咬着牙帮她擦脸，不敢说话，怕一开口会哭，会让妹妹难过。

愧疚化为动力，洛顿加倍努力地学习，他后来是村里唯一一个考出去的学生。

洛顿离开西藏的那天，父亲借用了村里唯一的一辆"大解放"，上面站满了村民，"大解放"跟在机场大巴后面，一路跟到机场为洛顿送行。

车上没有大妹，那天她来不了，家里不能没人。

洛顿初出西藏时没过语言关，老师讲的他听不懂。

他把父亲和妹妹们的照片摆上书桌，让他们看着他学习，一年后学业追了上来，汉语流利。

可最困难的不是学业，腐心蚀骨的是思乡之情，路费太贵回不了家，节假日他自己在学校待着。春节最难熬，他一个人躺在宿舍里，看着桌上的照片流泪，流着泪读大妹给他写的信。

洛顿经常收到大妹的汇款和来信。

大妹的世界只有一个村子那么大，信里的主题无外乎家里的大羊生小羊了，村口新盖了一座桥，原来的村长换了新人……

有一次大妹邮寄过来200元钱，是她在村里捡易拉罐、捡酒瓶捡了大半年换来的钱。

大妹说，读书累，哥哥要吃好点儿。

洛顿在陕西读完初中，在安徽读完了师专，在湖南大学毕业。

2006年他学成归来时，二妹也在拉萨读完了高中，终于熬出头了，多亏了大妹和父亲的苦苦支撑。

父亲带着大妹二妹早早等在了机场，当洛顿站到面前时，他们还在四处张望寻找。

多年的离别恍如隔世，家人已认不出他来了……

洛顿离家9年，去时13岁，归来时22岁整。

他泪眼模糊地看着他们，头发已花白的父亲，容颜憔悴的大妹。

大妹用自己的青春换来了哥哥的未来，她本该拥有更好的命运。

…………

洛顿后来选择当老师，主动要求调到艰苦的纳木错小学，他后来成为那里最出色的老师。

老潘说，洛桑顿珠老师的选择，应该和当年大妹的辍学有一定的关系。

往事无法回头，故而当下愈发要尽力，他是在尽力去卫护那些大妹的命运，让她们的人生多一些理所应当的可能性。

老潘说，在纳木错小学的老师身上，不乏洛顿这样的故事，很多老师背后都有一个大妹。

这或许也是老师们固穷守贫地教书育人的原因。

他说，和这些真正的老师比起来，我这个所谓的老师算个屁？人家是发心扎根在那里的，而我只不过去支教了短短一年而已。

确实，和那些老师比起来，老潘的支教什么都不算。

和老潘比起来，某些所谓的支教志愿者又算什么呢？

不是非要拿他和别人比，只是人总该拿发心来比比真心。不是说提到支教就值得认同，去个十天半个月的那种都值得鼓励。

善行不应入魔道，人总应时时审视一下自己的发心——

你真的是去教书吗？

你真的准备好了吗？

别把什么暑期体验和真正的支教混为一谈。

别打着什么"告诉孩子们外面的世界"的名义去攒合影照片。

你到底是把支教当成一份需要认真履行的义务和职责，还是为了拍照卖惨、发帖博喝彩，为了自己的存在感，去把孩子当道具？

知道你年轻，有热血，总想做点儿什么。

可骂的就是你这腔盲目喷薄的热血！

那些大妹上个学不容易，老师一职，本应是虔心渡他们的船……

如果你发心不够，就不要去。

如果发心不诚，别瞎玩行不行？

（七）

老潘说他一直很羞惭自己只支教了一年。

他羞惭当年离开时，孩子们哭着送别。

车开离学校两公里处他回头望，那些孩子跳着叫着，想把他喊回来。

他那时开车回北京，从纳木错一直哭到格尔木，眼睛肿成一条线……

之后每逢教师节他都会掉一次眼泪，那一天他总会收到许许多多孩子发来的短信留言。

老潘后来选择永驻藏地，应该与那些孩子有关。

在纳木错小学的最后一堂课上，他曾允诺要帮助他们10年，要看着他们一个个考上大学。

这话他后来做到了，这个老文青后来终结了在北京的一切，回到拉萨开书店。

他靠那家书店收养了十几个小孩。

那家书店，是他给自己和那些孩子修造的船。

那条船上承载的不仅是孩子，还有支教老师，真正的那种。

自2011年年始，天堂时光旅行书店开始资助支教老师。

老潘拿出店里的流水，联合北大校友会"喜马拉雅"，按月给老师们发补贴，每个老师每月发放生活费1000元。

资助和输送的老师遍布藏区：

当雄纳木错小学、日喀则秋木乡小学、那曲尼玛县各个小学中学、山南桑日县增期乡小学、白堆乡小学、雪巴乡小学……

去年冬天我回拉萨看老潘，落地后他不管饭，打了个招呼就跑了，说是必须去接待更重要的人。

他接待的是被资助的支教老师，他们来拉萨放假修整，从那曲尼玛县回来的，其中有甘肃的朱旭、四川的耿漫漫、吉林的赵日阳……从20多岁到30多岁都有，都已连续支教了一两年。

个中最让老潘赞不绝口的是崔卓老师，来自山西。

她支教了一整年后不舍得离开那些孩子，又主动延长了一年。

那曲气候恶劣，天气糟糕时凄风惨雪如地狱一般，海拔4700多米的高原上，崔老师顶风冒雪自己拎冰水喝，皮实得不像个小姑娘。

被资助的支教老师大都由老潘输送。

他的招募条件很严苛，需有详尽的简历，需面试长谈，需做体检以判断是否能坚守高原。

对待支教一事我们三观一致，老潘只招募长期支教者，所有短期支教的，不论来自多么牛×的大学，不论由多么牛×的社团组办，通通谢绝。

他谢绝人家时不忘摆事实讲道理，我有一遭坐在一旁看着他打电话，说到动情处他嗓子还哽咽，用的还是诗一样的措辞和排比，偶尔还押韵……

拒绝就拒绝，搞得那么文艺干什么？

我替他尴尬，我求他：你别说了，你还是弹钢琴去吧好吗？

老潘对待支教老师的方式也极其文艺：

所有的支教老师都可以来书店免费拿书，拿走的书不用还，直接捐献给所支教的学校。

细想想，书店之所以一直赔钱，难道与他那太过文艺的管理方式无关？
再没见过数学这么不好的老板，他貌似希望每一家书店都是一座小型图书馆，制定的制度是热烈欢迎借阅——有会员卡的人可以无限量借阅，终身免费。

开书店不好好卖书反而鼓励借，这不是耍流氓吗？
借书又不制定良好的还书机制，这不是诱导别人耍流氓吗？
他的大脑回路之曲折令我难以理解。

关于人与人之间的信任这个话题，我后来请教过他的观点，得到了一段长长的微信回复，原文如下：

……在牧区里行走，经常会遇到本地人拦车，有一次遇到一个人，递上2000元现金和一个户口本，让我捎到200公里以外的村庄，有人会在那里等着。啊，一份嘱托，一份信任，让你不得不以前所未有的使命感和责任心，把东西带到，这种信任，怎能辜负呢？
……每次当车子陷入沼泽中，总有路过的藏族司机，裤腿一挽就下去帮你挂绳牵引，帮完你就挥手一别，别无他求。这种温暖的力量，可以驱使你今后一直无功利心地帮助别人，同样不求回报。这种感觉，就像面对雪山时产生的那种莫名的依赖感。每当我站在雪山面前，什么都不用做，就那么看一会儿，就无比地知足了……

他微信中体现出的那种认知层面的高境界，我很敬仰。

但敬仰了一会儿之后我想起来……真有人借书不还时，这个理想主义者也骂过街。

另外，开书店难免遇到窃书贼，他曾被频繁"借"书的人整哭过。

我就不是个挑事儿的人——他做的远没有说的那么超然。

早几年，《孤独星球·尼泊尔》绝版，当时淘宝上炒到300元一本，他紧张坏了，专门写了告示搁在书上：千万别拿走，可贵了！

什么情商啊……这不摆明了招贼吗？

人家偷的可不就是贵的！于是书丢了。

他悲怆极了，不肯吃晚饭，弹了一宿的肖邦。

不过一个月后那本书回来了，被人从门缝里塞回来的，闻闻气味……嗯，咖喱味这么重，书籍君你是去加德满都穷游了一圈回来的吗？

把书翻一翻，掉出来一张小字条：当小偷，太难受了。

（八）

老潘的书店里有不少老孩子，比如二哥。

二哥是个老头子，来自捷克，年轻时扎去东欧当倒爷，几十年来定居在布拉格。

人老思乡，总惦念故国，于是金盆洗手后年年跑回国来住上几个月。

他并不爱在天津老家老么实儿[59]待着，总爱开着车奔拉萨，去老潘的店里当义工。

这么老的义工倒也罕见，且忙前忙后尽心尽责，他和我嘟囔过老潘，嫌他做生意没脑子，他说：介孩砸[60]，败家的命啊……

二哥有一张港片里才有的黑帮大佬脸，人却诙谐，我极爱找他聊天，爷儿俩晒着太阳对喷唾沫星子，侃一侃世界嗑。

人老心不老是件很好玩的事儿，他是网上说的那种典型的"出走半生，归来仍是少年"的老孩子，兴头上啥事儿都敢干，我随口说了句想散心，他当天就拉着我去了纳木错。

当天陪绑的还有彬子和老潘，大家战战兢兢地看着二哥把吉普车当赛车。

环湖一圈风驰电掣，当天往返，牛 × 坏了……

途中乌云压顶，暴雨倾盆，我们差点儿被雷劈死……

回到拉萨后，二哥一甩车门：你们都赶紧回去碎[61]吧，我回书店守夜去了。

老潘的书店里还有一个老孩子，是个爱穿藏装的、满头银发的老太太。

老潘安排老太太在书店里摆摊儿卖东西，提供给她各式各样的手工纸，让她缝订成小本子出售。老太太的生意很不错，一年挣过两万多，她很高兴，总对人说自己老了老了但还是有点儿用的，还是有存在价值的。

她并不知道买本子的钱大半是老潘出的。

老潘找了许多朋友帮忙，让他们假装顾客去买本子，朋友们戏演得好，老太太一直没发觉。

其实发觉了也无所谓。

这本就是她亲儿子老潘应该做的。

老潘和我说过的，他是母亲一剪刀一剪刀养大的。

那时候他们住在吉林集安，父亲看山，当护林员，母亲和姐姐开理发店，一只电推子一张老式椅子，专理秃头和寸头，不知伺候了几万个脑袋才供老潘上完学。

20世纪80年代初生活艰苦，素日里吃死面饼子，掐一块饼子，地里拔两根葱，老潘溜达着就去上学。他没玩具没玩伴，理想是当书店的销售员，因为可以免费看书。

20世纪70年代生人普遍没什么零花钱，读书基本靠借。母亲偷偷塞钱给他买书，他不忍心要，13岁时捡废品攒钱，去供销社买了一套《十万个为什么》，人民币14.95元。

那套书现今保存在拉萨书店的书架最高处。

老潘考高中时是应届生第一名，上的是集安市第一中学，他比大鹏早五届，算是"煎饼侠"的嫡亲师哥。

他一直到上了高中才见到真正的书店，在此之前对书店的认知是供销社的角落，那里堆着的书有的是小说杂志，有的是关于养鱼养猪的。

除了读书，他年少时还喜欢听歌，唯有在书中和音乐中才能捕获安宁。

他从不敢问父亲要钱，也不舍得要母亲的钱，自己跑去公园给人做剪影和画像，挣钱买书、买磁带。

他不懂什么是文艺，只模模糊糊地知道这个世界上有一些东西可以将难过时的自己包容，被窝一样温暖，盔甲一样安全……

家里是不安全的。

父亲酗酒、家暴，喝多了砸家具，大年三十也掀桌子，不止一次大半夜把他和妈妈、姐姐赶出去。

三人的脚都在雪地里冻伤过，鞋来不及穿，跑晚了会被打，父亲发飙打人的场景多年后依旧历历在目，阴影囤积不散。

父亲后来喝死了，在老潘考上通化师范学院的那年。

抱着骨灰盒把他送回老家的是老潘，解脱大于悲哀。

若干年后谈起父亲，老潘说他现在已然到了父亲当年的岁数，忽然就理解了一个底层中年人当年的愤怒、暴躁，对生活处境的无奈，对整个世界的绝望。

他说：如果父亲当年也爱读书该多好……

他坐在钢琴前，环视着满墙的书籍，道：或许也就不会走得那么早。

说也奇怪，那一次他没掉泪，语调平稳，像个真正的中年人那样。

（九）

老潘把母亲接到了拉萨，和他一起住在书店里。

老潘的母亲没高反，有帕金森，有高血压有膝关节炎有骨质增生……

老潘把母亲的房间安排成和自己门对门，听说他很享受被母亲管着的感觉。

女人越老越需要闺密，他陪母亲聊天时很健谈，但很多事要婉转地讲，不然会把她吓到，让她后怕。

比如2013年11月那次的大难不死。那时老潘下乡到那曲尼玛县考察贫困学校，大雪覆盖了山路，车在山顶拐弯处滑向山谷，他急忙松刹车往回猛打轮，车迫停，撞山侧翻50度。

当时吓傻了，山谷深达上百米，掉下去寻不回尸骨。

母亲年龄大了，越来越像小孩，开始爱哭，总说自己给老潘添麻烦了。

她一哭，老潘眼泪立马掉下来，说不清为什么，就是想哭。

他跟母亲说：别这样啊……小时候你牵着我，现在轮到我牵着你啦。

他说：那我给你弹钢琴听一听，好不好啊？

自然是不好……

母亲说：要不你还是读书给我听吧……

他给母亲读过很多书，包括我的。

他给我发过视频来着，视频里老太太在抹眼泪，他恨恨地用哽咽的语调在一旁骂：写的这是什么破书啊这是……老惹我妈妈哭！

跟我有个蛋关系啊！赖到我头上干吗？

我妈读我的书就不哭！

气着的不止我一个人，我就不是个挑事儿的人——有个朋友气得比我厉害。

那一遭老潘带母亲去台湾玩，一并带上了朋友家的老太太。

他陪着俩老太太逛街，从台北到台中再到台南，想吃什么给买什么，走得再慢也不嫌烦。

俩老太太有时候忽然就不见了人影，他满夜市狼奔着找人，急得满头大汗，一回头，背后跟着两个捂嘴偷笑的老太太。

鹿港小镇那一站是他专门安排的,俩老太太都很激动:唱了那么多年歌,终于来了……

朋友家的老太太尤其激动,她拨通自己儿子的电话,拖着哭腔说:

儿子,妈白生你了……

她说:孝顺归孝顺,可你从来都不带我出来玩,你看人家小潘……

其实在陪伴妈妈这方面,老潘着实可圈可点。

他说妈妈年龄大了,视力不太好,看书看电影太伤神,不如带她看实景。于是他带老妈去旅行,完全自由行,慢慢地走,不着急。

他用这种方式让母亲多了解外面的世界,知道更多好玩的事情。一路上他凡事都会咨询母亲的意见,请她拿主意,于是母亲愈发觉得自己很有用。

他这几年带妈妈去了国内许多地方,包括香港和台湾,每次在机场,他都把妈妈抱到行李车上,撅着屁股推着她跑。

他长得像熊,跑起来地动山摇,妈妈坐在行李车上捂着帽子哈哈笑。

这个老孩子其实很好哄。

一代人有一代人的价值观,如果很难做到相互理解,那就尽量互相谅解。

若做到谅解也很难,那就学会哄。

哄人是门艺术,要诀是好好说话。

其实所有的老孩子都很吃哄,哄了就比不哄强。

(十)

我这几年不常去拉萨,却常见老潘。

他每次下到内地都会跑来和我见一面，大家吃个火锅聊聊天，逛逛琴行和书店。

其实我真的不太乐意和他在内地相见。

每次见面他都会从怀里掏出条哈达，以极其文艺而浮夸的动作给我系在脖子上。

洁白的哈达飘飘，小马哥似的，上海滩一样……

我压低帽檐儿走在大马路上，路过的人你笑什么笑，打哭你信不信……

说好了下次不许再这么隆重了，我是真的脸皮儿薄，可下次老潘依旧一见面就伸手往怀里掏……

按藏地规矩，献哈达是种朴素而美好的情感表达，我没办法拒绝老潘，那样太不礼貌。

其实在我认识的人里，收到过哈达最多的是老潘。

差不多有5000条。

5万里路5000条。

哈达来自藏区的老师和孩子们。

老潘和他的朋友们一起帮扶援助过100多所小学，遍布那曲、当雄、日喀则、山南、昌都……海拔大都在4500米以上。交通自然是不便，基本是沙石土路和搓板路，他们却平均每所学校都会跑上两三趟。

第一趟实地考察，与校方建立信任，让沟通变得平等顺畅。

第二趟去解决问题，如物资发放、校舍修葺、特困学生核实、患病儿童义诊、支教老师输送。

第三趟是跟进和监督，这是规定环节，路再远也不能省略。

如此这般，才算初步帮扶援助了一所学校。

每年跑的山路差不多上万公里，他们连跑了5年，推辞不掉的哈达收了5000多条。

那些哈达囤积在老潘家，他就住在书店楼上，一推门就能看到。

老潘不让人给那些哈达拍照，好几次对外解释说，他只是托管，这些哈达并不属于他，而属于他身后的那些朋友，是大家无时无刻不在伸出援手共同付出，才有这么强大的援助力量。

他说他起到的只是发掘、执行、监督的作用，让大家的心意落到实处而已，如果没有大家咔咔掏银子，这些事儿也就干不成了，他在其中真不算什么……

我个人认为他没必要解释那么多，行了善自当享福报，坦然受之就好，搞得这么谦逊干吗？生怕被别人当成个好人是不是？当个好人很丢人吗？

后来细想想，倒也能理解他：

这是个盛产道德法官的时代，流行把公德和私德捆绑，是誉是毁是逆转，世人热衷一边倒，爱当墙头草，于是好人畏惧被高尚化，谦虚和低调成了最基本的自保。

……如果所有的事情，都像献上一条哈达那么简单就好了。

算了，接着讲故事吧，省得惹来二B喷子瞎吵吵，行行行，你都对，你赢了我输了好不好？

5000条哈达哦，背后一定有许多好玩的故事。

可惜，关于故事，老潘只和我说过其中的8条。

据说那8条哈达带法力，是天赐神授的。

有年夏天，老潘开车到山南广嘎乡小学发放物资，一并核对患病儿童名单。

离开时，校长说孩子们要排队献哈达，他婉言谢绝。校长说，那就安排几个学生代表吧，总要献一下才好，不然孩子们该不高兴了。

于是收下了8条哈达，8个班的孩子的心意。

返程时遇到事儿了。

回拉萨的路需要翻山，天降暴雨，土路上泥水横流，迎面开来的一辆皮卡车因路滑直接冲出了路基，卡在了几百米高的山崖边上。

皮卡司机爬出来求救，据说脸都吓紫了，瓢泼大雨中老潘犯了难，自己车上并没带拖车绳，有心无力啊，眼睁睁看着皮卡往下出溜也帮不上忙……

皮卡后来被救出来了，是老潘开车拽出来的。

多亏了那8条神奇的哈达，真没想到薄薄细细的几片绸布条，居然没被绷断。

老潘说，多亏了孩子们的这8条哈达，多亏自己收下了这8条哈达，如果没收或少收，鬼知道那天会怎样……

他说：这个故事教育我们……

我站在人头熙攘的三里屯街头，努力挤出一个微笑，任他将哈达掏出展开迎风飘扬，众目睽睽下拴在我脖颈子上。

老潘说了，这个故事教育我们接受祝福时要发自内心地微笑，不然可能会遭天谴的。

（十一）

老派的文青总有些难懂的矫情，老潘也一样，熊毛病不少。
很难搞。

2016年，他出版了一套图文摄影集，人文得很，水平极高，我想帮他发条微博增加点儿销量，他打死不让，说放在自己的书店里卖卖就好……

卖个鬼咧，他自己整套整套地白送出去不少。
被送书的人很多只是普通顾客而已，不过随口夸了句他钢琴弹得好，即被引为知音，又送书又献歌，还要帮人家买《文成公主》的门票……

我就不是个挑事儿的人……回头你路过拉萨，可以去他书店试试这招。

其实，相比他的钢琴弹唱……他真的是个不错的摄影师，照片拍得极好。
我连续两本书都用了他的摄影作品当插图，图片使用费他不肯要，微信转过去的钱他不收，回敬我一组龌龊小人儿扔屎的表情包。

也罢，朋友之间谈钱俗了，表达心意应投其所好。
我搞来作者亲笔签名的《人类简史》赠他，他欣喜地夺过来就跑，转天回礼我一大瓶野生六味地黄……

我本将心向明月，奈何明月望我补肾壮阳？

那地黄现今躺在我家冰箱里，懒得吃，嫌吃了以后心里堵得慌。

送你妹的地黄啊，有本事你怎么不送我几斤虫草？

…………

2017年春，我赴江苏淮安，主持另一个拉萨兄弟的婚礼，青唐嵇翔。

嵇翔和他媳妇都与老潘有不解之缘，他们都曾是支教老师，都扎根在了西藏。

嵇翔告诉我一个消息：中央电视台《朗读者》栏目邀约老潘去上节目，被这家伙拒绝了。

我告诉嵇翔一个消息：原定婚礼上让老潘以支教前辈的身份致贺词，也被他推辞了。

真的是熊毛病不少啊……

我俩嫌弃坏了，什么玩意儿啊？又不是让他贴金赚誉走红毯领大奖，至于这么胆小吗？

我俩一起冲匆匆赶来的老潘翻白眼，他刚下飞机，叼着烟斗，裹着那件不羁的旧外套，依旧臃肿而邋遢，像头刚刚结束冬眠的藏马熊一样。

笑啥笑，好歹是参加婚礼，你穿得稍微体面一点儿又能怎样？

那天婚礼仪式上，我眯起眼睛往台下瞧，远远地把站在角落里的老潘瞟一瞟。

唉，人家新郎新娘都还没步入情绪高潮呢，他在那儿抹啥眼泪儿？手还捂着小心脏，宛如一个巨型小姑娘……

弦凝指咽声停处，别有深情一万重，在感动与自我感动这个领域，他的打野能力真强。

我就不是个挑事儿的人——身旁的朋友里再没有谁能奇葩成他这样。

那一刻，本着呈现生物多样性的原则，野生作家起了心动了念。

于是有了这篇文章。

（十二）

文章若要写得严谨，须整理自己的回忆，须向当事人求证各种细节，在某种意义上算采访。

从未经历过他奶奶的这么斗智斗勇的采访……

不多说了，很烦，打倒大龄矜持文艺老青年。

那场采访最终失败，文青战胜了文氓。

够够的了，我对老潘够够的了，真羡慕他有我这样靠谱的朋友……我就没有！

天知道我耗费了多少心力精力和脸皮去核实各种信息，才搞定这篇文章。

好了好了，终于写完了这篇文章。

此文旨不在树立什么先进观念，意不在塑造什么光辉形象。

想表达的中心思想不过3句：

1. 人无痴无趣不可与交，以其无深情无真气也。

2. 入世即俗人，但总有一些俗人，俗得和你我不太一样。

3. 要有足够的接受力，才能消化一个理想主义者的打开方式。要有充分的理解力，才能明白一个老文艺青年的自我修养。

至于为何定名《小慈悲》，

仁者见仁，君可自行度量。

常识构建底线，阅历塑造审美，选择换来航向，修行成就慈悲。

业里修身，自度度人。

仁者多现自在相——多疵多癖多毛病，且痴且趣且慈悲。

▶ ▷ 大冰的小屋·一鸣《拉里拉萨》

▶ ▷ 大冰的小屋·鬼甬《它在日喀则》

▶ ▷ 大冰的小屋·白亮《我们》

▶ ▷ 大冰的小屋·王二狗《异类》

写给族人的一封信

我写你看，等于我说你听。

亲生读者们都晓得。

野生冰不过一个走江湖的说书人罢了，野生作家而已。

一不是被文学圈圈养的作家，二不是都市言情励志鸡汤作家，三不是旅行文学作家——

曾是背包客，但并不写背包攻略故事。

有过旅行者身份，但并不写旅行文学。

不想写懒得写也没必要写。

生而为人，幸而成为一个观察者和体验者，20年来，积累和见证的普通人的传奇那么多，300多人的素材库目前才写了1/6，着实没必要写什么旅行，写什么在路上。

我 × 我又不缺素材。

因为热爱，所以懒得盲目追捧。

这个时代把旅行捧得太高，年轻人易受误导，总以为走得越远越好，于是按着穷游当人生王道，认为所有的美好都在远方，于是盲目地辞职退学去流浪，没有能力只有臆想，在臆想中盲目地给自己营造个人英雄主义情怀。

从不鼓励偏执的流浪，盲目的穷游，亦向来反对什么"说走就走的旅行"。

一门心思的浪迹天涯，和一门心思的朝九晚五又有什么区别呢？鸡蛋从东篮子放到西篮子而已。

谁说生活不如意、学业受打击、爱情不美满、考研考不上，就必须要通过旅行或流浪这种方式来作为解决上述问题的唯一的出口呢？

旅行不过是生活的一个子菜单而已，和正常的吃饭、睡觉，乃至成年之后正常的性生活一样，是你人生必然的一个构成部分而已。

旅行是维生素C或者B，每个人都需要，但如果谁说维生素C是包治百病的万能金丹，那不是扯淡吗。

吃饭都知道膳食营养合理搭配，为什么面对生活时就偏执了呢？就忘记合理搭配了呢？

一切偏执而不负责任的旅行，都是在对自己的人生耍流氓，最终除了虚空什么也得不到，不仅解决不了之前的心病，反会滋生新的疑难杂症。

综上所述，从不鼓励所谓的"说走就走的旅行"。

不是拦着你不让你走，而是建议你想好了为什么走，往哪儿，怎么走，以及怎么回来。

我认识很多真正的旅行者。

越是真正的旅行者越懂得去平衡生活。

越是理智的旅行者越明白去平视生活。

越是资深的旅行者，越不会煽动人盲目辞职退学去流浪，只把旅行当生活。

我推崇的价值观是：平行世界，多元生活。

窃以为，既可以朝九晚五，又能够浪迹天涯，才是平衡而负责的人生王道。

不好意思。

那些因为听说我曾是旅行者，而老认为我写的是什么旅途中的故事在路上的故事的新读者……

那些认为我鼓励倡导说走就走的旅行的新读者……

垃圾扒倒吧。

稍微认真一点读下书，别拿我反对的东西来定义我，冤枉得慌。

并不写什么"旅途中遇到的人""旅行中路过的地方"。

咱常写的是那些共同生活过许久的没有血缘关系的家人。

爱写的是那些居住过良久的，不是籍贯的家乡。

我写我盘桓过十几年的滇西北，我写我定居过的西藏。

我写新疆人因为我来生想投胎新疆，我写河南人因为看不惯地域黑的喷子们动不动键盘上要流氓。

我写江浙人里的豪杰，写西北人中的汉子，写东北人中的孝子，写台北人中的鬼马爸爸……

写彝族苦孩子的挣扎，写天津卫穷小子的折腾，写温婉可人的福建妹子，写五毒俱全的温州女孩，写孤独成长的昆明姑娘，写生死轮回中的广西姑娘。

我写我武汉籍的姐姐，她曾是我的主持人搭档。

我写我的兄弟，写他的义和仁，他的性取向。

我写我的广东妹妹，写那些永不再来的旧时光。

…………

我写狗，有信仰的畜生道、被分别心虐杀的命一条。

我写猫，拯救过一段幼小人生的小小喵。

我写鹰，桀骜不驯的黑翼天使威风凛凛如护法神一样。

…………

我写那些触动我的人，远去的，死去的，值得被铭记的。

我写歌者、师者、匠人、军人……都曾是或正是我的族人。

我写我和我族人们的小屋，我们的道场！

没有什么宏大的文学抱负。

也懒得被圈子收编，被β格左右。

野生作家而已，走江湖跑码头的说书人而已，不算什么好人，为人又狷又狂又混账，大号文痞。

如果非要给我说的书分类，不过6类，

6种不同的光：

1. 市井江湖的普通人传奇。

2. 自度度人的修身故事。

3. 普通人的亲情故事。

4. 随缘惜缘莫攀缘的缘分故事。

5. 平行世界多元生活的生活平衡法。

6. 人性向阳面的善意故事。

三言二拍的魂，稗官野史的魄，在这个时代未必就断了。

那些正在进行时的野生故事，与文学无关，与旅行也无关，笑骂由人，自在生光。

发光的故事遍布市井江湖长满天涯海角，说书人的素材浩浩汤汤！

....

蜉蝣掘阅，麻衣如雪，心之忧矣，于我归说。

能好好掘阅了这场人间道，已经是了不起的旅行了。

说和写和听，平视和平行和平衡，这是当下的我所能触摸得到的最好的旅行方式了。

能够多掘阅几个发光的故事，已经是了不起的旅行了。

哪怕这漫长的跋涉未必能走出去多远，哪怕耗尽这最后的青春也不过是在跌跌撞撞地找路口而已……

心下终是不怕的，有光在护持着。

....

在异国他乡的午后阳光下理完这篇颠三倒四的短文，权当是寄语新读者们的一篇导读吧。

老读者们别嫌烦好不好……

我也很烦好不好……

读书人开卷，为知世为明理。

写书人唠唠叨叨，为不坏道。

好了，信读完了，接着读故事吧。

别躺着看书，仔细你那非黑即白的眼睛。

北方的北方有北极光

光芒越来越强，铺天盖地地逸动变幻，瑰丽得像玄幻大片一样。

……绿得嘞，闹鬼一样。

他攥着手机哆嗦了一会儿，看着我的眼睛说：哥，我准备好了！

我们一头雾水地看着他摁亮手机，按下人肉炸弹遥控器一样地郑重！

大梦你要干什么？

大梦你千万别想不开啊！

…………

那一刻的我们，并不知道几秒钟后要发生的事情，其实比爆炸更让人震惊。

（前传）

一切都要先从南极说起。

2016年1月5日，微醺，我发微博：
想去往一个远在天边的地方，喝点儿烧酒，写点儿文章。
2016年1月6日，酒醒，我发微博：
我说我想去往一个远在天边的地方，喝点儿烧酒，写点儿文章……结果一堆人留言说，有本事你去南极写下一本书啊……哈，南极是吧，好吗好的。

好神奇，他们咋知道我曾有过一个冰天雪地南极梦呢？
谢谢提醒，谢谢帮我把年少时的幻想唤醒，去南极写书，当真是个好主意——
20岁时立下的目标，37岁时去完成，晚了17年又如何，自己的人生，自然要自己去完整。到死之前我们都是需要长大的孩子，不停体验，拼命经历，一步一步地让自己变得完整……直到将来变成一个幼稚的老爷爷，那简直是太棒的一件事情了。

但留言里戏谑声一片，有人怒斥：南极？装什么×啊！有人笑骂：看把你能耐的，你咋不上天。有人打赌：这条微博你肯定会删。
也有懂我的读者留言：既然敢说，他肯定敢干，他就这样，他还不止这样……

更有爱我的读者深情留言：乖，摸摸头，记得带暖宫贴……别忘了穿秋裤。

…………

一个月后，微博没删，我也没上天，秋裤倒是穿了，还贴了暖宫贴。

那时我又发了几条微博：

一条是：隔着一整个地球，道声晚安。

另一条是：此处回首，全是北方。

再一条是：写文章写累了，凿一块万年寒冰下酒。

一条发自阿根廷；另外几条发自南极洲。

…………

办签证时千难万难，着急上火一嘴燎泡……那时心说，不行，一定要对得起20岁的自己。

第一座冰山漂入眼帘时，成群的企鹅跃出海面……那时我想，OK，对得起20岁的自己了。

在冰原上挖坑露营时，半夜被冻醒，鼻涕结了冰，怎么吸也吸不回去……那时琢磨，×，我简直太对得起20岁的自己了。

第一个跳进南冰洋里冬泳时，碎冰划伤脚掌，人冻傻了腿冻绿了小鸡鸡冻得缩没了……我他妈想掐死20岁的自己。

但当第一口冰酒入喉时，海鸥翩翩，日照金山。

我独自呆立在这坦荡无垠的天地间，鼻子噌地就酸了。

忽然想穿越回20岁，拍拍那个沮丧的年轻人的肩，酒瓶子递过去，和他一起喝点儿。

想借酒蒙脸对他说：撑住啊，撑不住的话，你梦想中的平行世界多元生活，不过是扯淡……

撑住，只要撑过这10年，你终究可以看到你想看到的世界，成为你想成为的人！

要撑就立体地撑，3D地撑，多维度地撑，坦然地去撑。

被人用盒饭扣在脸上时别还手，当好你的小剧务，有一天你会月薪过千，想吃多少就吃多少。

被人嘲笑普通话不标准时别还嘴，拿稳你的麦克风，有一天你会成为首席主持人，赢来尊重。

被晒晕在盛夏午后的国道旁时别撂挑子，把化肥广告画完，有一天你会拥有自己的个人画展。

被人扔掉铺盖撵出门去时别自怨自艾，把欠条留好，有一天你会把房租还上，你还会给你爸妈买上别墅。

被人踹翻琴盒往脸上吐唾沫时别嫌丢脸，继续用你的方式去喜欢音乐，有一天你将和你的流浪歌手兄弟们站上掌声如雷的大舞台，自己给自己长脸。

一回又一回倒闭关门时别沮丧，继续选址开张，未来的某一天，你会拥有一间永恒的小屋，一方无与伦比的江湖道场。

…………

你将被欺辱、被辜负、被打压、被捧杀，你将会抑郁、会恸哭、会残疾、会跌倒。

但不久的将来，你还会拥有一群没有血缘关系的家人，一堆不是籍贯的家乡。

你会拥有阅历、方向和信仰，你会有听众、观众，甚至读者。
你所有遥不可及的梦想，都会奔跑成触手可及的理想。
…………
你要做的，不过是种因待果，不过是业里修身，不过是晴天雨天坦然面对。
不过是一句——好吗？好的！
看好你哦，千万别给我丢人！人只能年轻一回，别搞砸了！不然打哭你信不信？

…………
那趟南极之旅发的最后一条微博是：
平行世界，多元生活，既可以朝九晚五，又能够浪迹天涯。
无量天尊哈利路亚阿弥陀佛么么哒好吗好的。

是一条微博，也是一次告别，是一场旅行，也是一场完成。
彼时2016年3月，破冰船停靠阿根廷乌斯怀亚港，我完成了37岁这年的南极之行，完成了20岁时诸多梦想中的其中一项，并给那本书的最后一篇文章画上句号。

那本写自南极的书，名为《好吗好的》。

有意思比有意义更有意义，所以，在那本书的尾页，我留下了一个炸药包。

远洋船票一张，敢不敢要？
谢谢你肯当我的读者，送你一场一生一次的旅行好吗好的！
我去了南极，你去北极吧。我用稿费送你去，食宿路费全包。
若抽中的是你，带上这本《好吗好的》好吗？
既然她生在南极，那就带她去看看北极光。

北方的北方，有北极光。

（一）

一年后，2017年2月。
我履行了承诺，带着一个特殊的读者远渡重洋，去看北极光。

20多年独来独往，唯独这次猎光之旅例外，当我把队伍阵容拟定好后，自己都乐了，西天取经吗这是？牛鬼蛇神护唐僧。
首先敲定的队员是传说中的大神铁成。
我给他打电话，第一句话是：伙计，我需要一个孙悟空……

铁成，西北人，活体兵马俑，拥有着独一无二的奇幻人生。
无人能一句话说清楚他到底是个干吗的，也无人张嘴就能说出他的踪影，就像无人能预判出他接下来的人生轨迹……但每个朋友都爱他，折服于他高能而独特的人生。

我曾在书里写过他——

他不会英语，却独行了整个地球。

他不算有钱人，却分分钟能募集到千万资金。

他不当明星，却有数以百计的明星以结交他为荣。

他不收小弟，却有遍及四海的江湖兄弟乐意为他前仆后继。

他不是官二代也不是富二代，却没有官二代富二代敢在他面前吹牛×。

他不著书立说也没有传世佳作，却被许多诗人画家艺术家另眼高看倒履相迎。

他有时破衣烂衫有时礼服红毯，有时去大使馆赴晚宴，有时在街头苍蝇馆子里吃拉面，有时在西欧古堡里马杀鸡（massage，推拿按摩），有时在街头敲鼓卖艺……

铁成待人一视同仁，做人宠辱不惊，威仪暗蕴笑谈中，北上之旅需要一个知世故而不世故的领头羊，在我这个结义兄弟看来，他是孙悟空不二人选。

我们只通了5分钟的电话，2分钟沟通行程攻略，3分钟聊我们将要护送的唐僧。

我说你考虑一下，毕竟路太远，这是去北极不是去北京。

他说懂，这不是去玩儿，而是去走趟镖……

他说不用考虑了，冲着要护送的这位特殊的读者，这趟镖他接了。

第二个敲定的队员也是西北人，也是我的结义兄弟，赫赫有名的滇西北鼓王大松。

相比起他精湛的鼓技，他更擅长的是搞事情……

大松生存能力强大，年轻时曾因讨薪，被黑社会在茫茫玉门戈壁里追杀，追他的人后来断水断粮哭着撤退，他却优哉游哉地走出了戈壁。

哼着歌，嚼着沙葱，捏着沿途采来的小野花。

听说他后来还给追他的人发短信，分享了一首他在戈壁里写的小诗。

那首诗饱含深情地歌颂了肉苁蓉。

大松是那种罕见的永远活得兴致勃勃的人，内心住着一个小公主，但凡高兴了就敲鼓唱歌，遇到美景也唱，遇到美女也唱，遇到美食还唱，撒大条[62]时撒开心了也唱。

我有一年落魄，借宿他家中，每天清晨都在他的呼麦声中醒来，一并传来的还有黄金的味道……

哨音呼麦说明排泄得很顺畅，低音呼麦说明还在酝酿，即将成功。

有时候他来了劲，明明不便秘，呼麦声十几分钟不停，我被尿憋得死去活来，噌噌地挠门。

开门啊你个尿，别别别别搞事情……

大松一生不羁放纵爱搞事情。

2007年时我们在北京莫斯科餐厅吃饭饭，一碗红菜汤喝美了他，这家伙拍着肚皮当鼓，深情地来了一首《喀秋莎》，用的还是美声。

那天的客人都很奇怪，不仅不嫌烦，还给他鼓掌，挨个儿跑来找他合影。

你见过一边合影一边唱歌的没？

我见过，尴尬死我了，给我个带拉链儿的地洞，这个人我不熟。

餐厅服务员后来过来制止：先生先生停一停，我们这儿一会儿有专门的歌舞演出……

大松这个二货说啊，那太好了，你们缺不缺和声。

大松少年时常去找王洛宾老先生玩儿，长大后的比肩者是张智、吴俊德、呼格吉勒图和文烽，他在旅行者乐队里当过鼓手，也在阿基耐乐队当过鼓手，巡演过欧洲也巡演过美洲。

身为一个玩儿世界音乐的音乐人，他同时是中国各种古城的"罪人"，当年若不是他开了丽江第一家手鼓店，不遗余力地推广非洲手鼓且义务授徒来者不拒，后来大半个中国的各种古城一定会比现在安静……

北极圈太冷，我希望此行能活泼生动热热闹闹不冷清，于是邀约大松这个散热器加盟。

他答应得很爽快，一如既往地兴趣浓厚，说要背上手鼓去授课，争取让那位特殊的读者在这次旅行中多掌握一门谋生技能，然后他俩一起敲鼓给北极的企鹅听……

我挠墙，企鹅？你确定？

他说是哦，最好是帝企鹅，帝企鹅多有灵性……

他回答得很真诚，宛如一个智障。

有鼓手了不能没吉他手，第三个敲定的队员是咱们小屋的歌手王继阳，长驻厦门分舵的那头。

继阳琴弹得不错，同时是个吃货，擅长在一切不可能的情况下搞来夜宵。

长路漫漫，你懂的。

有保镖有鼓手有吉他手了，不能没有精通外语的翻译，我给菜菜打电话。

菜菜菜菜，侬在上海哦？在忙啥事体呢？

她讲：阿拉在请小赤佬吃生活呢[63]，小东西上了五年级以后，一缺铜钿[64]了就各种嘘寒问暖，各种歌颂母爱之伟大，虚伪得嘞……

我把情况汇报完毕，她讲：没问题，阿拉这就向公司请年假，侬那个小读者塞古[65]呀，好让人心疼……阿拉去帮忙照顾他！

菜菜是个单亲妈妈，职业女性，耐心十足，母性光辉万丈，队伍中多了一个她，细节的事情也就不用太操心了。

菜菜说：灵呢[66]，灵呢，侬凑起的这支队伍交关好[67]呀，啥宁[68]都有，真像西天取经呀。

她问：大冰，侬在里面扮演啥角色呀？

我认真想了想，说：白龙马。

天寒地冻，雪厚路滑，需要有个力工负责驮驮行李，推推轮椅。

那位特殊的读者身高一米九三，他坐着和许多人站着一样高。

他是坐在轮椅上的。

（二）

他还是那句话：我摇着轮椅也比你跑得快。

我说好好好，你轮子快，你定眼[69]。

我边攉边喊：那你把我当个备胎行不行……站住，别跑，你给我回来。

那辰光，一堆人在首都机场T3航站楼集结完毕，我要推他过海关，他偲，两手一撑，哧溜溜滑行出去十几米。

铁成在一旁哈哈笑，大松两眼放光一脸稀奇……

不出意料，大松又开始搞事情了，大松喊：让我也坐坐行不行。

那个轮椅质量真好，两个大老爷们儿加起来快350斤居然没压折。

大松坐在他腿上，搂着他脖子，俩人笑眯眯地滑行，搂得紧紧的，温馨得好像一个肉夹馍。

菜菜在一旁跺脚吆喝：大松，侬脑子瓦特[70]啦？小心把人家的腿坐疼了。

人家刹车，扭头愉快地喊：没事啊姐，我的腿早就没知觉了，坏了好几年了。

又对大松说：没事啊，不用下来，搂紧哈，咱们飘移一个……

他叫大梦，是我的读者，身高一米九三，三年前伤残。

一年前，我在郑州购书中心签售时认识了他，在出发北极前的几个月里，他应聘@大冰的小屋-厦门分舵当义工。

小屋的规矩是后付账，喝多喝少靠良心凭自觉，自打他来了以后，跑单的人少了很多，他负责门口收银，一边收银一边埋头画手机壳。

大梦的手机壳画得好，订单不少，加之小屋的薪水补贴，每月收入尚可。

他最擅长把人脸卡通化，神韵却分毫不少，我也找他画过一个，四条眉毛陆小凤，惟妙惟肖的两撇胡子。

我也是画师出身，深知画画是件需要全神贯注的事，说也稀奇，他第六感超级敏锐，埋着头也能感觉到哪个是打算跑单的。

蹑手蹑脚的人被他喊住后往往一脸羞涩，他自己也一脸羞涩：

实在不好意思哈，被我给发现了……

他说，要不你赶紧跑吧，跑到门外那个水泥台阶那儿我就撵不上你了……

天杀的，还真有跑的，监控摄像头里记录着呢。

可恶的是大梦这厮不知道摄像头能收声，把他的语音录得清清楚楚的。

他冲着人家背影喊：慢点儿跑，别卡倒。

他喊：保密哈，别和你冰叔说。

据王继阳分析，大梦敏锐的第六感归功于他的篮球生涯。

他伤残前曾经是个迅猛的运动员，擅长樱木花道式的大灌篮……其实坐上轮椅后的大梦依旧是个出色的篮球运动员，他到了厦门分舵后，应大家的请求组织了一支小屋篮球队，教大家练习运球过人和投篮。

十投九中有没有！他的三分球太厉害了，坐着轮椅投的！

榜样的力量起到了模范先锋带头作用，大梦教导有方，小屋歌手们的篮球技术直线上升，后来都很擅长坐在板凳上定点投篮。

再后来，小屋的歌手们练上了瘾，挪用了公款，购置了数辆轮椅，正儿八经练起了轮椅篮球。经常有不明真相的路人给他们加油，夸他们身残志坚……

有个叫巴特尔的篮球明星那时期送过大梦一件自己的球衣，白色的，充分肯定过他的球技。巴特尔后来曾当众对人说过：和大梦这小兄弟比起来，咱们都不够努力……

不多说了，前路且长，诸位队员若想深入了解大梦，有的是时间。

铁成点点头，和我交换了登机牌，他说他想和大梦坐一排，想和这个弟弟好好聊聊天。

菜菜不干了，从铁成手中摘走了登机牌，她说她带了零食，可以和大梦又吃薯片又聊天。

大松不干了，大松……你能不能少搞点事情，抢什么抢啊，登机牌嚓啦断成两半。

后来安排王继阳和大梦坐一排，王继阳肉乎，是个不错的靠垫。

十来个小时的航程中我跑去前排看，两个人脑袋挨着脑袋脸贴着脸，睡得死去活来。

我悄声喊：开饭了……

真有出息，立马醒了，四只眼睛嗖地睁开。

醒了之后都咽口水，一个说，我想吃鸡肉面条，一个说，我想吃牛肉米饭。

我说有点人生追求好吗，这可是飞往莫斯科的国际航班。

乖，接着睡吧，还要过一会儿才开饭……

都给我擦擦脸再睡，多大的人了睡觉还互相往脸上淌口水，也不嫌黏……

大梦拽住我：刚才做梦呢，梦见自己落选了，去不成北极圈了。

他傻笑：这会儿不是在做梦吧，你真的带我去看北极光啊？真的是我啊……

不是你还能是谁呢？几万份读者报名表里，你是那么独一无二……

请注意，我说的特殊，并不是指轮椅……

无论如何，请不要把这场猎光之旅，当成一种怜悯。

娑婆大梦，日日黄粱，生既是梦一场，活自活圆了这场梦。

我是个写故事的人，你是个听故事的人，我们一起来造个梦而已。

（三）

拉下遮光板，拆开一包薯片，铁成大松和我咯吱咯吱地聊大梦。

铁成夸：这小兄弟挺好相处的。

大松说：力气也大，胳膊可真有劲，他现在伤情恢复得怎么样了？还要多久才能正常走路？

永远也不可能了，他能坐着推动轮椅已是个奇迹，靠的是腰里的那8根钢钉。

如果没有3年前的那场意外，他该是多么出色的一个篮球运动员。

这不仅仅是我一个人的感慨，那个叫巴特尔的篮球明星也对他发出过同样的感慨。

大梦是东北人，1987年出生在吉林四平伊通满族自治县，从小在二龙湖水库旁长大，地地道道的四平青年，家里四口人，有爸爸妈妈和姐姐。

他小学二年级时开始打球，裁掉两个鞋盒底子用胶布缠结实当球筐，卡在居民楼的墙缝上面，天天练投篮。爱蹦跶的孩子长得快，初中二年级时他身高185厘米，一顿早饭能吃下9个包子半锅粥，早上吃的半上午就饿了，课间再短他也要冲到篮球场上投几个球。

那时他是校队主力，远近闻名的大个子，一头遮面的乱发，走流川枫路线。

人生中第一件球衣是NBA国王队韦伯的4号球衣，老姐给买的，老姐疼老弟，省了很久的零花钱。

老弟感动坏了，老弟说：老姐你对我真好，将来你万一嫁不出去，我打球赚钱养你。

他球越打越好，被特招进了伊通一中县重点，代表学校各种打比赛。

高二时省里选人参加全国少数民族运动会，全吉林省他是唯一一个学生选手。

成绩不错，拿了珍珠球项目全国第三，回家后省领导接见，那时他189厘米的个子，肩膀宽宽，鹤立人群中的一扇门板。

许多爱打篮球的人慕名跑去球场上看他，他跟腱特别长，弹跳力惊人，可以随随便便灌篮。那时候，在中国，普通高中生能灌篮是很罕见的事，人人都惋惜他生错地方了，这家伙如果生在地球对面儿就好了，说不定能参加参加美国的高中联赛，保不齐就被选了秀，将来成个NBA坯子。

培养机制的不同耽误了不少孩子，梦想中的安西教练也没有出现，那一年北京体育大学也改制，他恰好赶上，于是和保送无缘。

大梦后来大学上的是长春工程学院，就读土木工程专业。

没什么抱怨，也没什么不甘心，小县城普通人家的孩子没什么野心，从小到大耳濡目染，他早就习惯了和父辈们一样，在资源和资源配置权匮乏的世界里找平常心。

那时他安慰自己：土木就土木呗，有球打就行。

别人开学报到后先找宿舍找食堂，他是拎着行李找球场，望到篮筐后长舒了一口气，然后摸过篮球，把学长们打了个落花流水。

一天之内，大半个学校传开了他的名字，茬子啊！是个新生。

理科大学男女比例失调，全班40多人就4个女生，他没啥心思找女朋友，一脑袋扎进了校篮球队就不肯出来，因风头太健，那时常有学姐啥的给他写情书，他捧着信直发愣，啥意思？处对象？别闹了，处对象能有打篮球有意思？

有些人天生是为了运动而生，除了篮球，那时他也踢足球。
学校的军事教研部主任看上了他的臂长，安排他当门将，他那时身高193厘米，反应灵活，弹跳力强，跟着校足球队参加了全国大学生足球联赛，还参加了省运会，夺得冠军。
…………
曾经的冠军就坐在前方不远处，歪着硕大的头颅，轻轻地打着呼噜。

我告诉铁成和大松，大梦和咱们一样，上学时也打过工。
和咱们不一样的是他挣了钱后只买球衣买球鞋，那时候他的人生除了运动还是运动，目标单一，简单干净。

我说，此行的目的简单干净：
去他奶奶的什么狗屁"一次旅行可以改写一生"，不整那些虚的，咱们带着他吃好玩儿好就行，顺便把他保护好，平安顺利地看到极光就行……
有空再多和他聊聊天儿，大家闯荡江湖这么多年攒下的各种经验故事，或许可以帮他拓展一下眼界，开阔一下心胸……

我拽住大松，松啊，你撸胳膊挽袖子的是要揍谁去啊。
他说他等不及了，想去戳醒大梦，和他好好地聊聊人生。

我没拉住他，他跑过去戳醒人家大梦，比画了一个投篮的动作，看嘴型，应该是在说：I love this game[71]。

对视了几秒后，他摸着脑袋撤回来了，说不知为何忽然词穷，不知该聊什么话题。

想了一会儿后，他一拍脑袋，我一把没拉住，他又颠儿颠儿地跑了，滚动的包子一样。

我求求你了你回来行不行，等了解完了大梦伤残前后的经历再去有的放矢中不中？

铁成就笑，拦着不让我熊大松，他说这不就是你预期的吗——
目的专一，简单干净。

（四）

此行的目标也很专一，行程攻略利索干净。

按我的计划，北京飞莫斯科，莫斯科飞奥斯陆，奥斯陆飞卑尔根，从卑尔根登船驶向北极圈，沿途停靠十几个港口，有传说中的北角有期待中的极光之城……

一路上前后左右四人押镖，万无一失保大梦。

为确保平安，出发前我专程去雍和宫烧了香，还穿了红内裤。

然后，在莫斯科谢列梅捷沃机场转机时，大梦丢了。

一并丢了的还有王继阳这厮，俩人嘀咕了一会儿后，说去上厕所，一上就是一个小时，搞什么飞机，生个孩子都够了。
我挨个儿马桶盖子都掀开了也不见人影，领着菜菜和大松大呼小叫地穿梭在候机大厅，好几个安保紧张地拤着后腰看着我们……
出啥事了急死个人，他俩的手机都没开通国际漫游。

临危不乱的是铁成，他捻着胡子琢磨了一会儿，问：这俩伙计是第几次出国？
几次？都是白本护照好不好，都是单身大龄都没存款证明，申根签证时差点儿没玩儿死我，结结实实和签证中心撕了一场×……

铁成说，那就好找了，兄弟你想想，你第一次出国转机时最想逛的是哪儿？
得了，知道了，我们扛着行李咚咚咚咚跑下楼，七拐八拐摸到免税商品区。
好了，找到了，两头彪形大汉正埋头挑玩具，要买啥？俄罗斯套娃？打算背着套娃上船搂着睡觉觉？多大的人了还有这么纯真的少女心……

没等我发飙，铁成拽住我，抢先开口道：这东西死沉死沉的，咱们返程时再买也来得及。
他俩回头，怀中乱七八糟的糖果纪念品，说是给妈妈买的，好不容易出趟国，想给妈妈带点手信，让妈妈也高兴高兴……
我还没放声呢，大松先感动了：买吧买吧，沉就沉吧，反正有人背。

……有匹白龙马驮着两个巨大的套娃上了飞机。
北欧空姐帮他放行李，温柔地问：For your baby（给孩子的吗）？
他说No。
他忧郁地说：For妈咪and妈咪。

考虑到接下来的几十顿饭全是奶酪芝士，飞机落地奥斯陆后，那匹仁义的白龙马先领着大家去吃了一顿上海菜。

上海人菜菜负责点菜，一堆人里也只有她看得懂菜单，她拿出手机算汇率，悄悄问我预算。我数数人头，狠狠心伸出指头比了个"二"。
结账时算算汇率，人民币2000元？菜菜，我明明示意的是人均200元！

我缠着柜台说好话，求打折，菜菜笑着推我下楼梯，走吧走吧，大梦他们在楼下等半天了。
这个吃里爬外的十三点告诉我：不让土豪出点儿血，是对土豪的不尊重。

我不，我心疼，我拦着一堆人不让他们拐弯儿，咱们逛逛街吹吹风就好，今天的预算已经超标了，滑什么冰不要滑冰了给爷省点儿银子……
哎？免费滑冰场？菜菜你确定吗？
那还等什么，北欧的夜色下溜冰什么的最浪漫了。

啥？要花钱租溜冰鞋？
那让大梦自己个儿下去滑吧，咱们扒在栏杆上看看就好了，北欧的夜色下看人溜冰什么的最浪漫了。

大梦不需要溜冰鞋，轮椅就是最好的冰车。
那应该是全中国最特殊的一辆轮椅，结实得好似一辆小坦克，出发之前由两个轮椅上的朋友专程送来。据说他们查阅了大量资料，根据极地的地况专门改造了这辆战车，所有的部件全都升级加固，绝对不会掉链子。
送轮椅的人是专程从广州赶来的高哥和常霖，他们比大梦激动多了，高哥说：

小兄弟，你这可是代表我们去看极光啊！

高哥坐的也是轮椅。

我初见大梦那辆轮椅时唬了一跳，这么粗的轱辘这么粗的辐条，我的天，还是可以装卸雪板的，别说北极了，去南极都够用了。

可面对区区挪威冬夜的冰场时，大梦是怯的，他苦笑着和我说：你知道的啊，我太害怕滑冰了……

当然知道，但放心大胆地滑就好，这次滑冰，和那次不同……

总有些锁扣需要你自己去解开——自系铃处解铃。

我们把大梦连人带车抬上冰面，然后笑着撤离。

起初他僵了一会儿，接着试探着摇动轮椅，慢慢地往手上加力气。

冰面晶莹，大梦乐呵呵地在上面转圈，一堆人心痒痒地扒在栏杆上，羡慕了一会儿后集体发现不对……大梦，你咋老原地转磨盘啊，你给咱滑一个。

大松严肃地分析：这个这个，估计大梦是第一次滑冰，方向和角度很难掌握，按目前情况看，他真的需要一个推手，有了背后的推力辅助就能滑爽了。

大松毅然决然地决定下场当推手，好让大梦爽一爽，可他未能如愿，大梦已经开始爽了。

像是蒙太奇剪辑一样，画面忽然变了，不知从哪儿滑过来两个洋娃娃一样的挪威少女，好奇地围着大梦转圈圈，少顷，两个少女笑着伸出手，一左一右攥紧大梦的手，带他溜冰带他飞。

菜菜悄悄指给我看：多善良的小姑娘，为了对大梦表示礼貌，她们的手套是提前摘下来的。

月影如水，三个人在冰面上如彩蝶翩翩，这是老电影里才会有的画面啊，扒在栏杆上的人激动坏了，手机咔嚓咔嚓响成一片。

王继阳读书少，肠子和脑子是直通的，他一个劲儿地喊：微信微信留微信啊！

我拨拉他脑袋一下，他倒也机灵，瞬间明白了，于是改口：QQ、QQ，要QQ啊。

烦死我了，这是北欧啊，你用脚后跟想想，人家挪威人能用QQ吗？

继阳年少失学，一度在天津卫摆摊卖袜子，这个问题明显在他知识结构之外，他愣了半天，真诚地问我：那挪威人用啥？也用新浪微博吗？

说话间，铁成把随身的小音箱取了出来，他招招手：大梦，有些场景是值得记一辈子的，我帮你制造点儿背景音乐哈。

舒伯特的《小夜曲》响起，所有人不自觉地歪起脑袋捧起腮，半首曲子过后，大松坚决地表示如果轮椅背后再加一个人，画面会更美。

我勒住脖子按住他：松啊，咱180多斤的中年大叔就不要去影响构图了，乖，乖乖乖。

大松是个好脾气的胖子，大部分时候还算听人劝，他安静了一会儿后悄悄和我咬耳朵：我把手鼓拿出来帮他们伴奏你看怎么样？

我也悄悄告诉他，我觉得挺赞的，但很担心人家舒伯特不愿意，半夜会飘到你床头专门来找你聊聊人生……

返程时大松一路噘着嘴，菜菜笑着挽着他。

我帮大梦推着轮椅，王继阳乐呵呵地边走边看视频，他刚拍下了道别的场景，两个挪威姑娘临走时轮流弯下腰，轻轻地吻了大梦的额头。

……斯堪的纳维亚少女之吻，一定像花瓣一样轻盈。

路过皇宫时，大家停步留影，铁成随口问大梦感觉如何，大梦还在梦里呢，他拍着大腿感叹：

哎呀，那俩大妹子，那是老带劲了，滑得那是嗖嗖的……

他说刚才滑冰时的感觉太美好了，注意力一集中，完全感觉不到腿疼了。

他说，还有些时候也会不疼，比如在小屋听歌的时候，总有那么几首一听就进去了，就忘了疼。

他指着腿笑着叫：你看，这会儿又开始疼了，分分秒秒都在疼，这叫幻肢疼，中枢神经系统的毛病……

我们轮流伸手拍拍他的肩。

他笑，不碍事的，白天晚上地疼了好几年了，习惯了。

他说想不习惯也不行，这种疼一般会伴随终生。

（五）

美好的事情会减轻大梦的疼痛，这是条重要的信息。

紧急碰头会后，猎光小分队改变了计划行程——航班取消，改坐从奥斯陆到卑尔根的雪国列车，谷歌上说那是北欧最美线路。

事实证明这个决策有多英明，一路上大梦没捶过腿，脑袋一直冲着窗外拧足了6个小时，他后来没落枕真叫人纳闷。

大梦后来在旅行日记里写道：

窗外的风景很像迪士尼动画《疯狂动物城》，感觉自己置身于动画场景中，短短6小时的旅程，似乎经历了春夏秋冬一年四季。

列车穿过座座雪山，在高海拔的时候，雪大到看不清窗外，只有白色，而在低海拔的地方，冰雪融化形成了瀑布，阳光照下来出现彩虹，草木是黄色的，再过一会儿又是一整片的绿色草地。

开始我在不停地拍照，后来发现用手机根本没有办法记下眼前的美，这时耳边响起冰哥的叮咛：大梦，多用眼睛去看，多拿心去记……

这话确实是我说的……

但实际情况是——五个人里只有我一个人带了充电宝。

……别跟我说人家北欧的列车上和咱家高铁一样有电源插座等我发现电源插座时车已停靠卑尔根了OK……

这些都不重要，重要的是在两天三夜的奔波后，当船浮现码头时，大梦脸上的表情，如我所料，孩子一样地惊喜。

港口的风吹红了他的眼睛，他拽住我的胳膊晃，拖着哭腔问：我的妈呀，这船咋这么大？

我说，船大了还不好吗，抗风浪，少颠簸，咱们都少遭点儿罪……

他搓手、扩臂，他说：冰哥我求你件事儿，你把手松开，让我自己把自己推上去。

廊桥上他用力拧正轮椅，汽笛声声里抹一把脸上的水，掏出手机自拍视频：妈你看这船啊，老牛×了，我们过会儿就到北极了！

我捧住心口狠抽气……老大，到个鬼啊，船还没开呢，这才哪儿到哪儿。

还没完，他下一句话是：妈你看这海港多漂亮，多像咱东北的那个大连。

（六）

猎光之旅正式开始，恰逢午餐时间，上船头一件正事儿是吃饭，自助餐。

我不饿，我先找甲板抽烟，卑尔根港风轻云淡，船舷上薄薄一层积雪，阳光在远处的海面上跃动。OK了，一个星期的航程之后，就可以抵达极光爆发的海域……

铁成摸出小音箱，是竖琴吗？玲珑叮咚的，好应景的音乐。

王继阳呼通呼通跑过来，脸上的肉激动得乱哆嗦。

快去吃啊，好多菜！他吆喝：有三文鱼有北极虾有帝王蟹还有驯鹿肉还有各种鱼的鱼子酱！

一边玩儿去！

如此清寂的风光前你和我扯什么鱼子酱你每天除了吃能不能想点儿别的东西？

他拽我：哥你不是说过的吗，吃饭不积极脑子有问题。

他舥着脸和人家铁成说：诗里不也写了吗，识食物者为俊杰。

王继阳和大梦他俩脑子都没问题。

他们与我确认了好几遍，哥，船票里真的含了饭钱了是吧。

我为什么要说的没错……

第一顿饭吃完，我伸出手指帮他们数盘子，两只手明显不够用，水牛吗？4个胃吗？

厨师跑过来say hello时我尴尬坏了，但菜菜翻译说，厨师好感动，很多年没遇到这么肯定他厨艺的人了。

吃一顿饭，那位厨师感动一次，3天之后，他的感动抵达了巅峰。

那时远航船驶入多风多浪的海域，动不动倾斜个45度，好似慢速中的过山车，浪最大的那天，偌大个餐厅就餐的只有我们几个中国人，吃饭时手是必须要护着盘子的，不然会汁水淋漓地飞出去。

菜菜是经历过难产的妈妈，韧性强大，晕船也能扛。

铁成和大松常年走南闯北，皮实得很，晕船时使劲晃晃脑袋也就没事了。

我从小海边长大，又是穿越过杀人西风带德雷克海峡抵达过南极洲的人，怎么可能晕船。

可王继阳晕船，大梦比他晕得还要厉害，俩人躺在房间里哎哟哎哟叫苦连天，但一到饭点，总会英勇壮烈地现身餐桌前。

按猎光小分队的约定，大梦只要出房门活动，大家全员陪同，不饿也要陪着，哪怕菜汤泼半身，肉片糊上脸，杯杯盏盏左滚翻右滚翻。

他俩吃得很慢，除了手动嘴动，全身上下哪儿都不动，说不敢动，一动就吐了。

大梦说，哥你帮帮忙，三文鱼再帮我盛一盘子……我现在不敢动，有个虾仁儿一直在我嗓子眼儿那儿蹿。

这又何苦呢，这又何必呢，我攥他们回房间，他们不干。

45度倾斜又来了，大梦捂住刀叉按住盘子，僵着脖子说：冰哥，船票这么贵，咱不能让你赔钱。

我……赔你个大头鬼呦！

大松又感动了，大松跑去端来鱼，说：光咀嚼就行，别往下咽，老吐老吐的容易得胃炎。

（七）

挂起西窗浪接天，醉酒一样地晕船。

抵御晕船的最好方法是待在视野辽阔的甲板，那时我们天天在甲板上颠沛到半夜，大家齐心合力把大梦搬上沙发，挤坐在一起抱团取暖。甲板上风大，夜深时风里夹带着碎浪花，羽绒服需要裹紧，一人一顶狐狸皮大毛帽子。

菜菜靠在大松肩头打盹儿，王继阳弹着吉他，我掀开冰凉的笔记本写这本书，铁成盘腿坐着，几个小时几个小时地陪大梦说话。

一路上大梦最喜欢和铁成聊天，他读过我笔下的铁成故事，总是没完没了地确认：

铁成哥你小时候真的是个放羊的啊？真的连高中都没上过啊？你真在三里屯开

过KTV在太平洋上开过酒店？哥你真的骑着摩托横穿过美国，卖着草鞋环游过欧洲啊？李小璐真的认你当哥小彩旗真的喊你干妈黄渤真的经常找你去玩儿啊……

问到后来，大梦开始欲言又止，我停下手中的文稿看看他们，看到他嗫嚅半晌，终于开口对铁成说：我要是没出事儿，说不定将来也能成个有出息的人……然后就有资格也认你当哥了，那可就太牛×了……

铁成起身，过去抱抱他，扭头冲我笑：和你申请一下哈，以后我想经常带着我这个弟弟一起玩儿去，别不批准。
他指的是邀请大梦参加他的"公益大篷车"计划，和各行各业的人一起环着中国边做公益边旅行，里面有老师有演员有歌手有医生，他说大梦这么擅长打篮球，可以当体育委员，一路上指导大家边玩儿边锻炼。

批准批准，我有啥资格不批准，你们兄弟俩想上哪儿玩儿就上哪儿玩儿去，小屋报销大梦的路费。
但只一条，大梦，谁说你现在就没出息了？别扯什么资格不资格，也别琢磨什么牛×不牛×，回头跟你哥去玩儿的时候也别把明星当明星，明星就不交朋友吗？明星就不吃饭睡觉打嗝放屁？哪个明星不希望在生活中和朋友们互相平视？

铁成说，是喽，有出息的人大多是懂得平视的人，懂得平视的人不会随随便便把别人抬高把自己放低，不放低不等于不谦逊，真正的谦逊是面对所有人时的平视，不然只不过是种表面的客气而已……

铁成说，和平视同样重要的是平衡，不论是人生规划还是人际关系，平衡才是第一，这也是我和大冰都不喜欢鼓吹什么"说走就走的旅行"的原因……

人是要主张权利的，但主张权利的前提一定是履行责任，责任不过分两种，一种是对外界负责任，一种是对自己负责任，负责任的人才能真正获得平衡……

有人说你有多自律就有多自由，我认为平衡是自律的前提，学会平衡的人才能保护好真正的自己，我给你举个例子哈……

铁成素日里嘻嘻哈哈，难得他愿与人分享三观，我重新埋头写稿，任他和大梦促膝长谈。

兄弟俩后来聊天上瘾，有时通宵达旦，铁成每天和大梦深聊一个话题，好似准备了一份教案。

聊来聊去，船入北冰洋，夜里气温愈发低，我搞来一块大毯子把他俩裹在一起。

打字的间隙抬眼看，还聊着呢，眉毛上挂着霜，嘴里哈着白气。

有时候毯子下面一动一动的，大梦在捶腿，腿一直在疼。

有一天他俩聊饿了，大梦摸出一包榨菜，俩人懒得起身找水，手指头拈着干吃，也不嫌齁得慌……

有一天下起了小冰雹，砸得甲板沙沙沙，铁成背起大梦跑到船头，俩人盘腿坐在冰雹里，拧开一小瓶伏特加，一人一口轮流喝。

海浪声轰隆隆隆，偶尔的闷响是被船头破开的冰。我远远地看着他俩面对面坐着，膝盖撑着膝盖，仰着头，张嘴接小冰雹下酒。

后来我问，铁成你不是不喝酒吗？

他说，有些故事需要拿酒来送一送，这样讲故事的人心里可以稍微好受一点儿。

铁成说大梦讲了很多自己的故事。

关于过去关于未来，关于那场颠覆他人生的伤残。

（八）

都说大善大恶现世报，可命运酷爱恶作剧，总安排白纸一张的普通人去历劫。

劫难当头时，大梦27岁，那是3年前。2014年，他在成都上班，在建筑公司里当一名普普通通的施工员。

成都的生活安逸而平凡，闲暇时他最大的爱好还是运动，因球技过人，一度加入了成都有名的半职业球队"毒液"。

这是个简单的人，人生除了上班就是打球，有时也踢足球，有时也玩自行车骑行，两年间骑遍了成都周边地区。

从2012年到2014年是他人生中最惬意的两年，他那时和这个世界上许许多多的普通人一样，对惬意的理解很简单：生活平静，事业稳定，天天都可以玩儿自己喜欢的事情。

惬意的日子终结在2014年10月23日。

真正的厄运来临前，不会给人什么征兆，它不声不响地看着你走近，像一颗静音的定时炸弹，耐心地等着撕烂你的人生。

事发地是在318国道新都桥段。那天大梦是骑行，目的地是海螺沟的达古冰川。

目的地最终未能抵达，途中盘山路地形复杂，在那个永生难忘的下坡处他遇上了暗冰，连人带车一起横着飞了出去，冲向路旁几块七棱八角的大石头。

一刹那间天黑了，他眼前只剩豆粒大小一点点光，身上不疼，除了嗡嗡地麻，没有任何感觉。他试着动弹……身体在哪儿呢？怎么找不到了？
眼前的光也越来越小，后来消失不见，意识也消失不见。

带着飞速下坡的巨大惯性，他的后脑和脊梁同时撞在了石头上，相当于那块大石被人从高处举起狠狠砸在他身上，他七窍流血，腰椎当时就断了。

还没完，十几分钟后伤情雪上加霜。
事发突然，藏区的盘山路上哪里找专业的救助人员，紧急抢救他的人注意力全在他不停流血的脑袋上，未能保持腰椎水平，导致椎管里的脊髓神经被锋利的骨茬割断。

不能去责怪搬运他的人，包括医生在内，起初救治的重点全在头部，医生下的是病危通知。

30多个小时的昏迷后，他睁开眼，艰难地辨认半晌，问：爸妈，你们怎么来了？
他问：别老哭啊，出啥事儿了，我这是怎么了？
几秒钟后，他脸上变了色，一迭声地喊腰疼。
腰不能伤啊，他哭出声来：伤了腰我怎么打球？

众人这才意识到他的腰部问题严重，拍出来的核磁片让最乐观的医生也缄口默言：

脊椎胸12与腰1之间整个断成两节，腰2到腰5，4节爆裂性骨折。

所谓爆裂，指的是4节骨头变成了400片，碎得像钢化玻璃一般。

修复手术中他的后胸到骶骨被全部切开，装上人造骨头，再缝上，腰里留下了8颗钛合钉。

医生能做的是重建脊柱骨骼，至于神经损伤，最佳手术时间是24小时内，早就过了，永无任何修复的价值和可能。

脊髓完全性损伤，又名高位截瘫。

常人该有的抓狂和恸哭他通通经历了一遍，后来绝望地平静了下来。

据大梦说，有三四天的时间他没有睡过一分钟的觉，从舌尖到喉咙，嘴里一直苦得要命。

他一直盯着天花板看，有时感觉已经过去了几个小时，可看一眼手机，才几分钟。

眼皮实在撑不开就合上一会儿，一合上，整个眼球带动半个脑袋，生疼生疼，一直放射到腰部的伤口，再蔓延到膝盖、脚尖。

那是一种很奇怪的疼苦，夹杂着无边无际的恐慌和焦虑，一直一直地坠落，无休无止地下跌。

（九）

据大梦说，妈妈当时就蒙了，连着几天黏住医生，问用什么办法才能让大梦重新站起来。

什么办法都愿意试啊，她反反复复地唠叨：我儿子还要打球的啊……

问来问去医生烦了，说：你家孩子能自理就已经很不错了，做好照顾他一辈子的准备就行了。

妈妈听不进去：我儿子就喜欢打个球啊，他不能不打球啊……

医生训她：你看邓朴方官大不？有钱不？还不是坐着轮椅！你就别折腾了，放弃吧！

爸爸信了这话，放弃了，不再给大梦买治疗神经的药，妈妈不死心，偷偷地去买，瞒着爸爸。那时钱已经不够用了，光手术费就花了十几万元，听说后续费用更多，每个月起码4万多元。

妈妈不让大梦操心钱，她骗他，能骗一天算一天，她说：儿子啊你好好养病就行，医生说了，只要好好做康复训练，还是能打球的，真的。

巨大的打击会让人无助得像个孩童，孩子天然的心性是相信母亲。幸好有母亲的这个谎言，大梦后来康复训练时很积极。

下述千字，录自大梦口述的部分康复过程。

……开始时每天被绑在床上，这样床转到一定角度，人不再是平躺的，有助于血压调节。面瘫就用电极电疗，腿上套上气压腿套，用气压按摩腿部，每天就是这样按部就班地做康复，累得满头大汗的，什么都不让自己想，俺娘也是每天陪着我。

俺爸这些年工作上不顺，被我这场事故打击得更颓废了，每天躲在布帘后面喝酒，喝多了就指着我的鼻子骂我，说我不孝顺，人家都是报答父母，你诚心把自己弄成这样拖累父母。

他耍酒疯把我摔到地上，当时我腰后面的刀口还没有拆线。
我真的心里难受到欲哭无泪，我妈推开他然后抱着我，一直流眼泪，摸我的头，说我只要活着，就是最好的孝顺了。

……俺爸是亲爸，后来我当作什么事都没有发生过，每天努力做康复训练，努力让自己累，累了就可以不让自己去胡思乱想了。
训练了15天左右，我被抬到康复床上练习坐立。前15天我都是躺着的，那天练着用手撑起来，巨疼，才意识到自己的右肩胛骨粉碎性骨折，吃不上劲，这样我就只用左手举哑铃，练习上肢力量。

周末医生休息，我就自己偷偷地练，后来伤口拆线了，就开始练着坐起来。自己肯定起不来，俺娘就帮我坐起来然后扶着我，这样坚持几天，我开始用一只胳膊撑着，这样俺娘就能省点儿劲了，毕竟我一米九三啊，俺娘就那么点儿小小个儿……

后来我不需要扶着东西，坐着，坚持了35秒，浑身湿得透透的，俺娘高兴得嗷嗷哭，胳膊都让她哭湿了。

就这样坚持练着，快一个月的时候，自己坐着坚持到了6分钟，医生觉得很不可思议，一直在感慨从没见过高位截瘫恢复得这么快的人，俺娘就说：我儿子可是运动员呢。

……那时候成都球队的队友们来看我，送给我签满鼓励话的球衣，七八个大高个，矮的185厘米，高的208厘米，围着我掉眼泪，俺娘也跟着哭，哭完了伸手帮他们擦眼泪，说不要哭了，我相信我儿子还能和你们一样打篮球的。

我忍着痛坐上了轮椅，让他们陪着我到康复大厅，康复大厅有篮球筐，很低的那种，我拿着他们送我的球，投了一个篮，当时投篮的照片我还留着。

……康复了一个半月，花了20多万元，家里欠了债，实在花不起了。爸妈动不动就吵架，关于是否把房子卖了给我用来康复。我心里难受，决定回东北老家治疗，那样省钱。

两天两夜的火车对我来说真的是一个挑战，我爸依然是不停地喝酒，俺娘一路上没躺下几回，老守着我，车铺窄，怕我掉下来。

火车还没到站救护车就在站台旁等着了，俺姐在等着，扑上来抱着我就哭。
我之前没怎么哭，见了我姐，一下子就绷不住了，哭得特别厉害，我说：姐，完了，我班上不成了，以后也没办法打球挣钱养你了。

她哭着说没事，说别怕老弟，有姐姐呢，姐姐会照顾你一辈子。
俺娘也在哭，俺爸后来也哭了。
…………

大梦一拍脑袋，说差点儿忘了，他摇着轮椅匆匆离开，又匆匆忙忙地拎着一个塑料袋回来。

我们把袋子解开，一副两副三副四副……厚厚实实的，毛线的。

大梦说，听说北极圈冷，这是姐姐和妈妈给大家织的袜子和手套。

（十）

漫长的航程中，大梦24小时有人陪，唯独如厕时例外。

风急浪大时我们敲敲洗手间的门，问用不用帮忙，他总说没问题，能搞定。

他胸部以下没有知觉，小便靠自己间歇式导尿，用的是导尿管，50厘米的管子从尿道口插进去，一直塞进膀胱，如同上刑……

这需要自我克服很大的心理障碍，很难想象他是怎么自学的。

但当年的他没别的选择：只有学会自理才能回家自我康复，才能省钱。

说是回家，当时家已没了。

治病的开支太大，家租出去了，只剩一间爸爸住，大梦和妈妈住在姐姐家。

很长一段时间妈妈没睡过床，夜夜半躺在板凳上，大梦腿疼呻吟时，她忙不迭地过去捶腿。妈妈不让姐姐替她，总说自己熬得住，后来熬出了满头白发。

为了止痛，大梦服用的药是吗啡衍生物，癌症晚期病人才吃的那种。

神经痛把人折磨得要疯，怕药吃多了影响康复，大梦疼的时候不停地用手捶腿，习惯一旦养成了轻易难改，在船上我们不止一次地看到他搁下画笔，认真地捶腿。

可他说，其实最折磨人的不是神经痛。

懂的，其实于他而言，真正伤残的不是肢体，而是不复存在的未来。

其实我能理解，受伤5个月后尚未完全康复的他，为什么迫不及待地加入了辽宁省轮椅篮球队，但我想象不出，当他把这个想法说出口时，妈妈脸上的表情。

············

2015年春，正月十五一过完，大梦去了沈阳，接下来的一年时间，他在轮椅篮球队里度过。

球队不是康复医院，没有什么康复项目，每天食堂、宿舍、训练场三点一线，同寝的老队员亦是天天神经痛，疼得厉害时会骂他，拣着最粗鄙的来。

他那时被一个老队员逼着洗衣服，边洗边捶自己的腿，他也疼，疼得死去活来，但不想学着别人爆粗泄愤。

身已残了，心不想残。

其他队员一天两练，4个小时，而他是一天四练，8个小时。

一天下来，浑身上下无处不疼，疼到后半夜两三点才能睡着。饶是如此，还是加练，当手抓紧篮球时，他总感觉是在多抓住一点未来。

如此周而复始两个月，他不仅学会了熟练操控轮椅，且能上场和老队员打对抗赛。

练了将近半年后，他成功进入了参加残运会的大名单。

巧得很，那届残运会在成都举办，他每天看着训练场的倒计时牌，心急如焚地等着故地重返。

他自己都不知道是在急什么，仅仅是想重温一下那段惬意的时光吗？
那时光早已头也不回地远走，和他原先的人生路径一起缥缈如烟，永不再来……

命运的促狭无人可预测，你永远不会知道噩运这东西到底要来折腾你几次才算完。
跌入谷底期待反弹的大梦并不知道，更糟糕的境遇，即将到来。

赛前15天时，机票、球衣已备全，他忽然开始发高烧，骶骨处鼓起一个大包。
教练找来所谓的队医，看了之后说每天上点儿药，打几针就好了——就这样他妈的耽误了治疗。

高烧数天不退，他无奈自己跑去大医院就诊，医生当场催促他办理住院手续，说情况很危险，需马上手术。可莫名其妙的是，教练并不允许他马上住院，说需要回去找领导请示和商量。

妈妈第二天赶到了沈阳，教练给出了答复，核心思想是：
可以回家治病，但这种非比赛受伤，残联是不会管的。
满头白发的妈妈推着大梦就走，放心，我儿子的命，就不给你们添麻烦了。
她说：儿子，咱们回吉林，有妈妈在呢，不怕。

可先怕了的是妈妈，她手足无措地站在医生面前，听着医生的宣判：
怎么给耽误了这么长时间？菌群感染了，抗生素都不起作用了，已经出现败血症状了啊，命都快没了。
缓过神来的妈妈第一反应是张罗着筹钱救命，手术费想凑足的话只有卖房子。

又老又破的旧房子一时卖不出去，手术却不等人，万般无奈下，只剩一种救命方法——

自承风险，自己找大夫做手术，这样每次能比在医院里做手术省下1万元。

手术的名字叫VSD，腹壁吸引。

大梦描述说，就是往伤口里塞进一块类似海绵的东西，然后外面接上一个管子，不停地把坏的组织液吸出，让伤口的地方长出新的肉芽。

他打了个比方，当时的伤口就像一个西红柿，里面整个是空的，就是通过这种方式让里面的肉长满，然后才能彻底缝合，让伤口彻底愈合。

这种手术最大的风险是随时会被感染，他当时对妈妈说：挂了就认了，不能再拖累人了。

妈妈不说话，乱着一头白发，捂着脸在他身旁坐着。

两个半月7次手术，每次手术完毕，必是疼痛加倍。

他那时每天疼得抽过去，用头撞床头柜，心里慢慢滋生一个想法……死才是解脱哦。

妈妈是无能为力的，她唯一能用的方法是跪在地上磕头，哀求去世的姥姥姥爷：爸妈，救救你外孙子吧，他那么孝顺，每年都给你们烧纸啊，救救他吧！

她崩溃地喊：反正我也撑不下去了，把我带走吧，把我儿子留下！

大梦和她一起哭，妈我没那么疼，我不撞柜子了。

他喊：妈我错了，我不是个好孩子，我对不起你啊……

有一天半夜他疼得晕了过去，妈妈苦苦央求来医生，打了杜冷丁和镇静剂。

医生劝，我也不能天天过来啊，你还是把孩子送到城里的医院吧，要不死在这儿咋办？

醒来时，不知妈妈已抱着他哭了多久，泪水把妈妈的白发黏在他脸上，他听见妈妈不停地小声说：儿子，是妈对不起你啊，不该生你出来遭罪啊……

…………

大梦的母亲叫白文琴，1957年生人。

小屋厦门分舵的人都见过她，大梦奔赴北极前，她曾去厦门小住探亲。

听厦门分舵的歌手们谈起过，那是个不怎么爱说话的阿姨，很腼腆，天天不是忙着做饭就是洗衣。

大梦领着歌手们打篮球时，她总是悄悄坐到场边。

膝盖上搭着儿子的外套，怀里抱着一瓶水。

大梦说，妈妈知道他要来看北极光，比谁都高兴，专门办了一张4G卡，等着儿子给她传视频。他说他明白的，妈妈哪儿是想看北欧风景，她想看的是每天平不平安，船撞没撞上冰山，沉没沉。

航程中，我们路过许多座漂浮的冰山，也停靠过许多个深雪的港口，每次登岸巡游，大家都会陪着大梦逛街，在北欧清冷的小镇上找小店，帮他给母亲挑选纪念品。

丝巾、盘子、餐具、餐布……印象里买的最好看的是一顶帽子，菜菜帮忙挑选的，说那顶帽子和妈妈的发色一定很配。

·············

大梦说：

两个半月的7次手术后，我又坐在轮椅上了，那天阳光特别好，特别足，我请妈妈把我推到了篮球场，自己和自己打了一场篮球……

从那天过后，我再碰篮球，又重新变回是发自内心的了。

他说：是哦，如果不是因为打篮球，我不会雪上加霜受第二次伤。

第一次受伤是致残，第二次受伤是致命，但真心地说，第二次受伤的经历让我想明白了挺多，我太急功近利、太孩子气了，伤不伤的都是因为自己没沉住气，和篮球其实没有关系。

还有，他补充说：

小时候老唱"世上只有妈妈好"，死了两次以后才明白，我妈和我其实是一个人儿。

（十一）

猎光小分队一行6人中，有4个是擅长画画的美术人儿。

铁成不用说了，他是陕西省艺校毕业的美术生，西安美院旁听生。

我更不用说了，毕业自山东皇家艺术学院，本科专业方向风景油画。

大松更更不用说了，他是正儿八经当过美术老师的人，张嘴就是劳特雷克莫奈高更。

大梦更更更不用说了，人家大梦是带着全套画具上船的，光尼龙笔就带了七八种。

船沿着挪威海岸线一路北上，每天会停靠一两个港口，其余大部分时间皆在冰海上航行，日光好的时候我们陪着大梦坐在甲板上，抽着烟喝着茶扯着淡，吹着海风看着他作画。

他那时候带了一兜子手机壳上船，准备手绘，说是客户们的订单。
订单要求五花八门，有的是定制生日礼物，有的是用来当结婚纪念物，有的人请他把自己的脑袋画在壳上，要求骑着冰山，有的要求北极熊的身子人的脸。
他有不少忠实的老用户，很多订单是让他随便画，画啥都喜欢。

我们很喜欢大梦画的风景，小小的手机壳，方寸之间，却巧妙地描绘了浮冰和海鸟，鲸鱼和船。有时候他画着画着，我们集体乐起来，这不是昨天刚路过的鲁姆斯达尔郡吗？你看你看，小教堂的哥特尖儿。

一时技痒，我也想讨个手机壳画着玩儿，还没等我说话呢，大松严肃地说：大梦，我认为这么多订单你一个人画不完……

不得不承认，大松的手没生，画风依然很高更，帝企鹅画得很漂亮……
但身为一个画者除了画技不能没有鉴赏力是吧……
他捏着我画的手机壳辨认了半天，诚恳地求教：为什么画了坨屁屁？
他问：你让人家大梦回头怎么卖……
我说这是冰激凌啊！冰、激、凌！
他问，冰激凌有屎绿屎绿色的？
抹茶冰激凌啊！抹、茶、的！
…………
也不知道那个手机壳现在在谁的手机上套着，记住，上面画的是冰激凌。

我印象中在北冰洋上诞生的最有意思的手绘手机壳，是大松出浴图。

船很豪华，有个圆形恒温小游泳池，一次能盛下三四条大汉，我们先把大梦扒光扔进去，再扑通扑通跳进去。

菜菜不肯下，她说才不要跟穿着家居内裤的人一个池子里泡着呢。

上海女人生活精致，6个人里只有她带了泳衣。

我们鼓励她跳船，下海冬泳，她不从，说水太凉了会伤到幼滑的肌肤。

几米之外冬涛汹涌，小游泳池里春光旖旎。

大梦在水里时很好玩儿，腿是漂着的。大松在水里时很硌硬人，游泳你戴什么墨镜？

（烦死我了，我想起有一遭我和大松在泰国度假，到拜县时住进一家带泳池的小别墅，那天我狠狠心开了瓶勃艮第，他找来一个托盘漂在水面上，非要玩儿日式风情，和我泡在池子里喝酒……后来托盘翻在水里，勃艮第沉了底，一并沉底的还有我的手机，大松非要听节奏明快的进行曲，听你就好好听，瞎打什么拍子扑腾什么水！）

大梦后来把戴着墨镜的大松画在了手机壳上，他忠于事实，一并画上了大松的卡通内裤，上面印满黄色的小鸭鸭……听说那个手机壳一直到今天也没被人买去。

铁成也被大梦画进了手机壳，他画铁成时，被几个上甲板透气的德国老头老太太围观，轮廓刚一画完，老太太们吆喝：希那，希那！

大梦听得一脸懵B，他问菜菜：姐，这几个大娘在喊啥？

后来得知，那几位德国老人家去过中国，在西安参观过兵马俑。

……铁成陕西土著，脑袋上歪盘着一个发髻，肖似跪射俑。

欧洲人敬重手工艺人，老太太们对那些手机壳爱不释手，后来大梦画了几个送她们，把她们高兴坏了，专门给大梦留了地址，邀请他有空去巴伐利亚做客，说是啤酒管够。

后来红酒也管够了，是闻讯而来的法国人，再后来威士忌也管够了，船上有爱尔兰人……

再后来，大梦在餐厅一出现，许多人笑着和他挥手致意，从门口到餐桌，一路上不停有人和他握手。

2017年2月，轮椅上的大梦靠一根画笔，在北冰洋的一条船上当了明星。

（十二）

我轮椅上的兄弟大梦画画的时间其实不长。

念头始自他第二次受伤前，行动始自他第二次死里逃生后。

那时他告别了母亲，尝试着独自去接受接下来的人生，他一个人摇着轮椅去了郑州，在一家叫木鱼的甜品店当学徒工。

店主夫妻是好心人，愿意免费教大梦做甜品，大梦喊他们哥哥姐姐。

姐姐叫木木，坐的也是轮椅。

关于郑州的记忆满是温馨，木木和老公张林对大梦的甜品教学尽力尽心，做一个漂亮的甜品好比画一幅画，大梦用奶油和面粉画上了瘾，开始试着在纸上玩儿图案手绘。

没多久，甜品店的墙壁上挂满了他的习作，店里的餐单也是他的手绘。

客人们很喜欢他的画儿，经常夸他：噫，我看中！

关于画画，大梦无师自通，不久上手彩画，用色漂亮干净。
关于甜点制作他学得也极快，很快变成个熟练工，最高纪录是一天做了200个蛋黄酥。
累自然是累，汗湿透了前胸后背，心里却是抑制不住地高兴，这种累和打篮球时不同，这种高兴和扣篮成功时也不同。

他那时重新开始打篮球，每天晚上都去附近的篮球场上流流汗，甜品店里的汗和篮球场上的汗混合在一起，奶油味儿的大梦。
那时的他慢慢掀开了一页新的篇章，心里慢慢汇集起的平静渐渐驱散了一点惶恐——静下心做一些事情，将来还有可能以此糊口。

念头就是种子，落地即抽芽，一段时间之后，他开始尝试着用手艺糊口。
那时郑州夜晚的街头不少摆摊贴膜卖手机壳的，他学着人家买了十几个手机壳，认真地画上图案，摆摊在光彩市场的大门口。

两个周末晚上过去，一个手机壳没卖出去，路人要么奇怪地瞅瞅他，要么步履匆匆。
灰心之前终于走过来一个人，那人背着手，劈头盖脸地问：恁这是弄啥⁷²？
那人不像善茬，瞪着大梦看，又大大咧咧地抓起手机壳端详。
那人后来说：恁这是自己画的？画得还怪好看咧……
他说：恁得喊啊，要不恁这么大一坨子窝在这儿，人家知道恁这是在干啥？

他给大梦示范怎么吆喝，瞪起牛一样的眼睛，恶狠狠地冲着路人喊：卖……俺自己画的愣好看[73]的手机壳子啊！

……噫，俺了个娘来，眨眼间卖出去6个壳子。

后来知道他是这一带的摊霸，城管都不敢管的那种。

摊霸对大梦说：行了，好好干，恁就放心大胆地摆，没人管恁。

一个月后，大梦喊住他，告诉他自己挣了整整1万块，是不是应该交点儿保护费什么的……

他往轮椅上轻轻踹了一脚，笑着骂了一声：屎！

然后背着手，笑着走了。

（十三）

北极圈的日子里，大梦和我经常聊起郑州，关于郑州的记忆是我们聊不完的话题。

我和他聊了7 Live House如何曾对我的"百城百校"江湖救急，讲了那个骑摩托带我去吃烩面的老人是如何送过我一只臭脾气的鹰……

他和我讲了街头摆摊卖手机壳时结交的朋友，他用我书里的话告诉我：那都是他没有血缘关系的家人。

我断断续续地记录了大梦的口述，下述800字，是他念念不忘的那些郑州家人。

大梦说：

……二傻姐、清河哥、黄楠姐、吴大哥，还有峰哥……好多好多，哈哈他们都是买过我的手机壳后和我成了朋友的。

孙大夫是河南中医药大学一附院心脏科的主治医生，第一次见到我是在篮球场，她看我一个人坐在场边等着人散场，着急地想打球的样子，心就想，这小伙儿怪可怜的。
后来晚上她在逛夜市时又看到了我，立马上去买了我的手机壳。

她对我特别好，知道我神经痛特别严重，和父亲一起帮我想了很多的办法。
她父亲老孙先生是个中医学老专家，是个高人，每天看书，写毛笔字，从来不用手机，唯一的爱好是去家附近的河边散步，可有学问了，可对我特别和气……

黄楠姐也是摆摊儿的时候认识的，她也买了我的手机壳。
她是新华社的美编，特别擅长设计，很长一段时间，她每天一下班就跑来教我设计，饭都不吃的……后来我来厦门分舵上班，黄楠姐想我了，领着一家人专门来小屋看过我。

在郑州时，我每次买药都是二傻姐帮我去买，免去了不少麻烦。
二傻姐说起来还真让人唏嘘，有段时间我是她的倾诉对象。他前夫是个检察院的检察长，结婚两年她体检发现得了结核，虽然治好了，但是影响到了生育。就这样，她前夫和她离婚了，她啥也没要，净身出户。她郁闷了半年，后来相亲认识了清河哥。

清河哥老实得像木头一样，也离过婚，离婚原因匪夷所思。

他妻子怀孕后，女方家里就狮子大开口要钱，一直到孩子出生后，不给钱就不让他见孩子，这样真的半年没见到孩子，后来实在急眼了，他就离婚了，到现在他都见不到孩子。

相亲时清河哥一眼看上了二傻姐，二傻姐还高兴得不得了，告诉我说自己可能要恋爱了，说和清河哥一起给彼此创造一个新机会。
可是还没等我蹭上他们的喜酒，事黄了，家里反对，清河哥过不了父母的那关。

我跟他俩说，当不了夫妻还可以当朋友啊，所以后来他俩经常约到我摊位前面说话聊天，还一起带我去吃饭。就这样时间长了，清河哥就越来越觉得二傻姐人好，这个老实人后来和家里急眼了，坚持把二傻姐给娶了。

他俩喊我红娘牌电灯泡，说因为我的撮合他们才不会觉得尴尬，才越走越近走成一家人了。
他俩结婚时我当的是娘家人，二傻姐给所有人介绍说我是她弟弟……

大梦说他很想念郑州，郑州是他并非籍贯的家乡。
他在那里学会了做甜品的手艺，摸索出了画画的本领，遇到了许许多多善待过他的郑州人。有些郁结在心里的冰冷被这座城焐暖，他迫不及待地想重返东北，去把这一年里的故事告诉母亲，去把挣来的钱交给母亲。

大梦用带回的钱赎回了老房子，母亲坚持把老房子加以改造，装上了方便儿子出入的升降机。
大梦领着我们去看船上的电梯，说大小差不离。

他说那升降机可洋气了，稳稳当当的。

其实细想想，还真挺牛×的。

伤残后的第二年，大梦在郑州街头靠画手机壳养活了自己，挣出了9万元人民币。

（十四）

越北上雪越深。从博德港起，雪开始过膝。

我一个人开始推不太动轮椅，于是每次下船后大家开始齐心合力，有的拖有的拽，有的前方开道，大头皮靴咂咂地踹雪泥。

那幅场景很迷人，风雪大的时候每个人的眉毛胡子眼睫毛全是白的，6个圣诞老人。

我们那时集体迎着风张大嘴，猛灌西北风寻找当气球的感觉，然后齐心合力攒雪球，互相嘿嘿地笑，互相缓缓地逼近……

这么厚的雪，不打打雪仗对得起谁？

战斗力最强的是大梦，谁让人家手大胳膊长，侧身一捞一个雪球，扬臂一砸一个准儿。

我们那会儿统一了战线齐心合力砸菜菜，这个桑海小女宁[74]尖叫着跑远，左躲右藏，我们满世界找她，远远地发动密集型投弹。

哎？菜菜的战斗力指数怎么忽然爆表了？还击力怎么这么强？

好，侬等着，看侬吃不吃得消连珠炮！

所谓连珠炮，指的是三个人供弹，一个人发射，流水线作业速度快，大梦胳膊抡得像电风扇。

后来是我先发现的情况不对，一二三……四?

菜菜！见鬼了！怎么你也撅着个腔在做雪弹！

那那那那我们砸的是谁?

算了不管了快跑吧……

后来在一家冰做的酒吧里遇见了那个被我们虐过的人，是个北欧老头儿，人家眯着眼瞅了我们半天，笑着比出一个手指枪，挨个儿冲我们叭叭叭。

菜菜当时就不干了：人家可是在淮海路大商场里买的羽绒服呀怎么居然和个老头子撞衫了呀……

忘了是在哪个停靠点了，我们驱车去住了冰酒店。

还有一站，去住了萨米人的帐篷屋，坐着驯鹿雪橇车去的。

雪野茫茫，鹿铃儿响叮当，我和大梦挤在一辆雪橇上。

后车的大松为景所感，唱起了《雪中行》：

寒风萧萧，飞雪缥缈，长路漫漫，踏歌而行
回首望星辰，往事如烟云
犹记别离时，徒留雪中情……

文艺中年大松同学发动群众，让大家一人一首轮流唱，说要唱得应景，要唱出心中此刻的感想。

轮到大梦时，他嘴张了半天发不出声来，我推推他，推出来一句高亢嘹亮的：

我的家在东北，松花江上，那里有漫山遍野大豆高粱……

他把这首《我的家在东北》唱得声情并茂，唱完之后意气风发神清气爽，好像刚吃完一顿酸菜血肠，叼着烟袋坐在东北火炕上。

行，大梦我看你行，我花了老鼻子稿费把你带到了北极圈，你一首歌把我们全拽回了黑龙江。

连拉车的四不像都回头瞪他，可他浑然不觉，你说这孩子心咋这么大？
他乐呵呵地拿胳膊肘子拐我，哥，快点儿，你也唱。
我唱他喵了个咪啊，我不想唱！
可他一直拿胳膊肘子拐我肋巴条，后来我唱了一首老歌……

具体歌词，翻翻我2017年2月27日发自北极圈的微博好了。
那条微博里有我们坐雪橇的照片，有我们跑到冰面上敲洞捕鱼的照片，鱼后来烤着吃了，血糊拉碴半生不熟的。

哦，还有我们跑到萨米人家去的照片。
我们和人家一起跳大神儿来着，话说那家的女儿真漂亮，极光般迷幻的眼睛……

（十五）

一路上，我一直担心大松同学搞事情。
但后来猛地发觉，搞出最大事情的厮是王继阳。

简单点儿说——船上有个小酒吧，歌手叫Peter，是唱爵士的。王继阳听了爵士后手痒得无法抑制，于是上台要过Peter的吉他，来了一首带呼麦的蒙古民歌。

然后，震撼了全场。

继大梦之后，他第二个成了船上的国际巨星，可把他给牛×坏了，那几天头昂得那叫一个高，清清楚楚的鼻毛。

Peter后来乐得休息，把场地让给了他，他后来在船上连搞了3天演出。

他给这演出起了个名儿：大冰的小屋&北冰洋专场。

不知为何，总感觉哪里不对……

……我对灯发誓没拿任何汽水厂家的商业赞助。

大冰的小屋&北冰洋专场阵容如下：鼓手大松、大梦，和声铁成，吉他主唱王继阳。

王继阳不会英语，他开场唱的是《黄河谣》，接下来他一首接一首地唱民歌，光祝酒歌就唱了起码四个少数民族的，他唱的那些歌别说欧洲人了，中国人都听不懂……

可我坐在台下环顾四周，尖叫四起，掌声雷动，很多大妈和婶子巴掌拍得通红。

后来听Peter说，这是这艘船有史以来最热闹的3天。

后来听大梦说，幸亏他和王继阳睡一个房间，才保全了王继阳的贞操，避免了许多跨国孽缘……

王继阳后来很悲愤，他说他不想和大梦天下第一好了。

他说他要搞事情，要爆料——大梦这家伙正在谈恋爱！

大梦红了脸，麻辣小龙虾的那种通红通红，他拿帽子扣住脸，又摘下来不停地扇风。

菜菜一愣，拍着巴掌大笑，大松搓着手闹着要看照片，两眼放光一脸期待。

手机被传来传去，大家夸：哎呀这小姑娘长得可真好看，咋追到手的……

大梦就羞赧，说他没追，说不知道咋的，莫名其妙就谈上了恋爱。

铁成逗大梦，说别扇了，这甲板上的风已经足够大了。

大梦捂着滚烫的腮帮子看看我，口吃道：我我我……

我啥啊我，啥事儿你哥我不清楚。

她也是我的读者是吧，听说她这小半年一直在教你美术设计，你喊她雪师父。

（十六）

雪师父是只娇小的广东姑娘，江门新会人。

她有自己的工作室，是名资深平面设计师。

雪师父是从我的微博上认识的大梦，2016年9月25日那条。

那时大梦尚在郑州，还没报名参加小屋厦门分舵的义工招募，大梦发在微博上的图画吸引了她，她给大梦发私信，诚心诚意地想买几幅……

后来他们微信聊天的字数比我的书稿字数还多，大都关于绘画和设计，当然，也有别的。

喜欢是花儿，爱是果，最初的心动是粒种子。

种子发芽总是不知不觉的，冷不丁就成苗了。

他俩之间发芽的过程定是曲折的，但我不得而知，只晓得大梦来厦门上班后，雪师父数次来曾厝垵看他，俩人坐在小屋的院子里，静静地画手机壳。

有一次我打开小屋摄像监控，看着他们每画一会儿就抬起头来，也不说话，只一味看着对方傻乐……

乐啥啊乐啊我的哥，跑单的人溜了好几个。

厦门是全中国最适合谈恋爱的地方，曾厝垵是全厦门最适合处对象的地方，大冰的小屋是曾厝垵最适合你侬我侬卿卿我我的场所。

隔着手机屏幕我看着院子里的这对小情侣，慢慢调高监控音量，屋里的歌手小陈硕正在唱歌：

就让这时光别停留，

就让这姑娘别回头，

就让这昨夜流泪的人哦，别再难受……

雪师父常住的那间民宿离小屋不远，民宿的人后来和我感慨：是有多难舍难离呀，前一天刚走，第二天马上又订房了。

…………

高位截瘫的大梦胸部以下没有知觉，大小便失禁、肾衰竭、压疮、神经痛这些并发症都将伴随他终生，都是随时要命的定时炸弹。

可听说雪师父曾安抚过大梦妈妈的顾虑，说：如果没决心和信心，没衡量过自己的能力，我不会轻易去触碰这份感情。

听说大梦的妈妈后来默许了这段恋爱，听说雪师父和她相处得不错，两人母女一样地挽着胳膊，抱着大梦的衣服，坐在球场边。

好了，关于我这两个亲生读者处对象的事儿，我这个野生作家也只了解这么多。
我并不想去问雪师父为何偏偏爱上了大梦，那是人家的事，旁人何必分析解剖妄自置喙。
再者说，能分析清楚的，也就不叫爱了。

…………

风越来越大，大耳光子一样抽着脸，我们挤进避风棚下的沙发，暗夜里哈着白气取暖，护住耳朵。
船上的广播又开始叽里咕噜，嗯，是在提醒乘客们有空多上甲板遛弯儿，遛弯儿时多昂首观天，从这片海域起，极光随时有可能出现。

大梦说雪师父调整了时差，现在广东过着北欧时间，为的是方便和他微信聊天。
他们互发视频，互传照片，她并不主动发信息，但每次大梦联系她，她永远在线。
他道：雪师父说了，两个人在一起，沟通最重要。

他说：可是有件事儿，我我我可能不想和她沟通了……

他忽然指着天边问我们，那抹绿色的东西是什么？

我们推着他跑到船头，捂着怦怦跳的心口，看着那抹影影绰绰的绿色发呆。

……猎光小分队在甲板上集体冻成了王八蛋，可说好的极光并未爆发，那抹细细的绿几分钟之后便消失不见。

大梦不肯撤离船头，他让我们先去避风，说想独自待一会儿，想事情。

零下十几度的低温里，远远地看着他坐在轮椅上，随着船头起伏，抱着肩，仰望着天。

铁成说，好像听到他在说话。

我侧耳细听，只听到风声和北冰洋的呜咽。

…………

我告诉铁成，有些相遇，像是注定的一般，世事之间总有些稀奇古怪的关联。

比如，3年前大梦出事那天，恰好是我34岁生日那天。

但许多注定的相遇总难敌残酷的客观条件，譬如当下情浓的大梦和雪师父，我不确定他们的这段童话故事，将会被现实世界如何终结。

所以，曾经拥有过就好，谁先无奈转身都不是错，毕竟那些需要旷日持久的勇气和担当，并非一段刚刚启航的爱情可承载的。

不说了，气温太低了，咱把他推回来避避风吧，再待下去腿会冻坏。

（十七）

这趟猎光之旅貌似是圆满不了了。

老早就进了北极圈，可关于极光一直都是"狼来了"。

有时候餐厅里吃着吃着晚饭，广播里忽然大喊，整个餐厅的人扔下叉子就往甲板上蹿。

有时候已经准备睡了，秋裤都脱了，光着膀子裹着羽绒服冲到了甲板，可极光已快滚蛋，除了影影绰绰的稍纵即逝，就是模模糊糊的昙花一现，人眼能勉强看到一点儿，手机压根儿拍不出来。

真让人郁闷，这可让人家咋发朋友圈！

极光的高发时段是晚十点到次日凌晨两点，二半夜折腾了七八次后，我基本灰心了，沮丧地知会一干人等做好心理准备，此行咱们很可能被中彩，极光爆发估计遇不见了。

大家说嗯，各自偷眼打量大梦，他不说话，低着头垂着眼。

心情一低落，饭也吃得愈发不香甜。

那时候顿顿不重样的西餐海鲜早已吃得够够的，一看到芝士焗虾就打寒战，一闻到三文鱼就胃里泛酸。

餐厅的厨师早就不肯过来和我们握手了，他远远地噘着嘴抱着肩，看着我们懒洋洋地叉着土豆块儿，往自带的老干妈上蘸。

兰州胖子大松先叹的气，他唆使翻译官菜菜，你去问问那厨师大叔，能不能给咱抻个牛肉面，辣子多些面多些，蒜苗子多些肉多些……

天津小伙王继阳就咂嘴，说还是炸酱面好吃，浓油厚酱，多搁菜码，不搁菜码那叫光屁股面……

陕北大汉铁成就插话，说还是吃臊子面美，三合一的臊子面，美得很，嘹咋咧[75]……

我们咬牙切齿过嘴瘾，各种意淫面条子，淫来淫去，清清楚楚地看见大梦一个吸溜不及时，一大滴口水滴了下来。

他哀求，别说了……馋。

这可能行？！

人家万里迢迢跟着咱折腾，极光看不到也就算了，咋还把人孩子给馋着了的说？

大梦你等着，我就不信咱们猎光小分队5个保镖整不出来一碗面！

于是，有了，那顿，传奇般的，西红柿打卤面！

别问为何偏偏是西红柿打卤面，懂的人自然明白……

那当真是一钵子来之不易的面。

若不是恰好在某个荒辽的停靠点找到了小购物点，我们差一点儿半夜摸进船上的厨房去偷鸡蛋。

炊具倒是不用买，铁成常年在行李里塞着烧咖啡的旅行灶头，我们找了3个码头终于搞到了小锅和小燃气罐，大松的手鼓翻过来就是灶台。

买面粉时差点儿功亏一篑，幸亏多买了一袋高筋面粉，不然还要想办法磨麦子——王继阳傻缺，买的是袋麦粒。

不该买的他瞎买，非闹着要买油，花生油找不到，橄榄油他不乐意买，买了个颜色诡异的小瓶子非说是香油，我咋看咋觉得不太对，瓶子上咋没画芝麻？咋画的是俩小黄球？

该买的很多没买到，比如案板和面盆，后来我们在船舱里和面，面团诞生后自带一股清新的淡淡的洗手液味儿，没办法，能用的只有洗手池。

船上的房间小，没桌子，案板用的是我的电脑……就是写这本书的这台笔记本。
一直到现在，我这台电脑的耳机插口都是堵着的，有一丢丢面团塞在里面，怎么也抠不干净。

关于面条的形态试验了很久，翻过来覆过去的差点儿把那坨面搞馊。
由于没搞到刀，在尝试了拉、扯、抻、削等各种方式并纷纷失败后，面团被手压成面饼，被银行卡裁成了粗壮的条形物。
见过炸油条没，比那个细点儿。

船上自然不能动明火，船一靠岸人就往下冲，午夜不是饭点儿，可没有什么能够阻挡吃货的心，抓紧抓紧，船这次只停靠一个半小时。

打卤子时，关于先炒西红柿还是先炒鸡蛋先放盐还是先放糖发生了激烈的辩论，那时候锅已经热了，一堆人哆哆嗦嗦地蹲在港口的雪地里拌嘴，背后是夜色中模糊的巨轮。
后来说，怎么炒卤子让大梦定，他缩在轮椅上抱着个饭碗打鸡蛋，一边咽口水一边喊：能弄熟了就行！

做面的过程和吃面的过程，铁成哈哈笑着用手机全程拍了下来，回头我会把视频发出来，吃货请留心我微博。

我不确定那是否是人类历史上诞生地最北的一顿中国式西红柿打卤面。

我确定的是，如果你在中国任何一家饭馆吃到同样口味的面，都会忍不住摔碗砸店。

原因如下：

一、为了吃上那顿面，连工具带材料，我总共花了人民币1200元钱。

二、那顿面是风油精味儿的……王继阳买的不是香油，是柠檬精油。

还有，第一锅面不该让大梦先吃，他埋头吃完后才说是八分熟。

八分熟还舔碗？看你稀里呼噜的吃得不是蛮香甜？

他打饱嗝，嘿嘿笑，说肚子里这会儿很暖。

他说肚子里一暖了，有些事忽然就想明白了，有些决定也就忽然不再动摇了。

他摇着轮椅在雪地里转圈圈，大声吆喝着喊：该咋整……就咋整！

没人搭理他，船鸣笛了，快起航了，第二锅面也快出锅了。

所有人咽着口水盯着锅，严肃认真地捧着碗。

（十八）

吃完那顿面，好运忽然来了。

事情就是这么奇妙：一直捉迷藏的极光，在我们返航至特罗姆斯郡那天忽然蹦了出来。

起初蹦出来三两条，后来集结成面，光芒越来越强，铺天盖地地逸动变幻，瑰丽得像玄幻大片一样。

……绿得嘞，闹鬼一样。

猎光小分队推着轮椅上的大梦又叫又跳，又把他抬进一个口袋式捕风充气沙发，让他仰天躺着饱览极光。大松敲起手鼓，铁成打开小音箱，王继阳扫着吉他弦，菜菜拿着手机拍照，左一张右一张。

我拍拍大梦，告诉他此地又名"极光之城"。
他正在给妈妈录视频，手机冲着天上扫，他扯着一口东北大碴子口音叫唤：妈，你看得真亮不？贼拉好看[76]！

好了，可以松口气了，辛苦啦诸位。
我挨个儿和队员们搂脖子……前路漫漫任我闯，幸亏有你在身旁，客套的话不多说了，抱抱！
来，大家聚拢到大梦身旁咱们一起合个照，此次猎光之旅可算是圆满了，咱们这叫过梦的交情……

哎？大梦，你哆嗦什么？
怎么忽然间变得这么紧张？

他攥着手机哆嗦了一会儿，看着我的眼睛说：哥，我准备好了！
我们一头雾水地看着他摁亮手机，按下人肉炸弹遥控器一样地郑重！
大梦你要干什么？
大梦你千万别想不开啊！

那一刻的我们，并不知道几秒钟后要发生的事情，其实比爆炸更让人震惊。

…………

Wi-Fi信号尚可，视频电话很快接通了，屏幕上出现一个睡眼惺忪的素颜姑娘。

那姑娘柔声问：亲爱的，你今天过得好吗？

北京时间凌晨3点，那个叫雪师父的姑娘接到了一个特殊的电话。

隔着半个地球，打电话的人愣愣地对她说：

……嫁给我好吗？

极光漫天，莹莹烁烁。

她一秒钟都没犹豫，柔声道：好的。

（十九）

我自离船那日开笔，终在大冰的小屋厦门分舵写完了这篇文章。

行文的过程一如船在海上航行，时而敛帆靠港，时而鸣笛起锚。

犹记北冰洋上最后的那个黄昏，赤金晚霞铺满北方的北方。

老友们抱着肩立在我身旁，积雪和风都静止在甲板上，满世界的光。

……猎光猎光，此行所猎取到的，又岂止是北极光。

几个月前的那趟猎光之旅，现已恍如隔世。

菜菜回了上海，大松去了新疆，铁成一如既往地神出鬼没，王继阳正拨弄着琴弦在屋里歌唱。

承诺已履行，一切重归平静，那场穿越地球的远行，仿佛从未发生过一样。

如此甚好，往事身后抛，前途也无风雨也无晴，依旧是新奇而未知的航道。

盛夏午夜的老院子里，吉他声叮咚轻响。

此时，南中国的海风正慢慢温润着旧时光。

此刻雪师父和大梦坐在我身旁。

是的，他们留在了小屋，和我们生活在一起，家人一样。

打字的间隙我偷偷看，他们正在画着手机壳，偶尔抬头，对视傻笑……

大梦真名是孟祥慧。

雪师父名叫赵雪琴。

2017年3月27日，孟祥慧和赵雪琴在吉林伊通满族自治县登了记领了证闪了婚。

从相识到求婚，他们只用了半年。

从求婚到结婚，他们仅用半个月。

还有比这更好的文章结尾吗？

不写了不写了。

苦难和悲伤都远去吧。

就让这个被北极光加持过的故事，姑且静帧在绚烂而奇妙的这一刻。

▶ ▷ 大冰的小屋 · 豆汁《小孩》（live版）

《我不》义训

（一）

道之不行，已知之矣。

或桴浮于海，从我者朗月孤星。

或踟跌默摈，待我者成住坏空。

或意气任侠，伴我者碧血满膺。

或笔耕砚田，度我者有情众生。

这本书里的每一个故事都可以叫《我不》。

这本书中的每一个有情众生，都在对命运说：我不。

不服，不要，不怕，不羁、不二、不懈，不屈不挠，不破不立，不卑不亢……

他们因不，而不同。

乃至不凡。

不凡始于平凡。

那些动人的故事，大都源自平淡，蕴于普通，却又伏藏在人性关隘处，示现在命运绝境中。

生死相续，轮回转生。

娑婆境里，所有当下动人的故事，全都不是第一次发生。

风雨如晦，雷风恒，世间的苦，不同而又相同。

娑婆大梦，个中百般滋味君可叹省，无须赘述。

只是，终有些人学会了苦中作乐——或抱肩睨生死，或散发入江湖，或忍辱波罗蜜，或因处抽刀果处抽薪……乃至自度度人，乃至知苦灭苦。

他们在无常里学会坦然，坦然中历劫着不幸，于是故事变得动人——凡人解封了神性。

我笔下的故事，你心中的往事。

我企盼你能在这本书里找寻到熟悉的身影，并将那些林林总总的苦认知为助缘。

继而玩命、拼命、不认命。

继而任汝千圣现，我有天真佛。

继而和光同尘，随缘不变，见风沉底，遇水分流。

继而饮食男女，柴米油盐，业里修身，定心定性。

…………

自度法门八万四千，风急雨骤时，有缘人请观机而动，持此“我不咒”消戾。

“我不”，是一种姿态，亦是一种心态。

愿这一句“我不”，成为你的心头意、口头禅。

×，我命由我不由天，“我不”面前，哪儿来的什么狗屁命中注定？！

（二）

我在北冰洋上开笔的这本书。

是一本故事集，亦是一碗冰镇过的江湖黄连汤。

我写的书都是我生的女儿，阿不是个呛姑娘，惹来泪珠儿风里淌。

但愿你如我一般偏心，疼她怜她，把她当宝。

如果你说她好看，我就说一般一般。

如果你说她没她姐姐们漂亮，我就说呸，滚。

如果你说她动人，我就说一般一般。

如果你说她比她姐姐们虐心，我就说呸，滚。

…………

我就这样，我还不止这样。

反正我女儿都好看都动人都漂亮都是我的宝。

我当然不是什么大善人，我×，甚至不算什么好人。

但越是自惭形秽的人越向往干净透明，越是身处无边暗夜，越是希祈流星和闪电。

故而落笔成书时，偏爱记叙那些向阳的故事，那些人性江湖的善意故事：善己、善人、善心、善缘。

善意能消戾，善意能得缘，善意能带业往生，善意能回头是岸。

善意能够帮人捕捉并建立起独特的幸福感。

"我不"是一种善意坦然，也是一种善意的随缘，更是一句善意的自省。
当然，你也可以无心常入俗，悟道不留痕，只把它当个无所谓善或不善的口头禅。

希望阿不的到来，能让你去重新发现身旁那些默默陪伴的人、擦肩而过的人、终将告别的人。
同时，愿你知晓"不"字的金贵，及其背后的福报和慈悲。

让这个呛姑娘陪你走上一程吧，她或可成为你的护身符，护持你的长路迢迢。
不论你年方几何，我都希望这本书于你而言是一次寻找自我的孤独旅程，亦是一场发现同类的奇妙过程。
那些曾温暖过我的故事，希望亦能温暖你。
那些清凉过我的，希望亦能清凉你。

希望读完这本书的你，能善意地面对这个世界，乃至善意地直面自己。
愿你我可以带着最微薄的行李和最丰盛的自己在世间流浪——有梦为马，随处可栖。
愿事情都能变成它本来该是的模样——那些电光泡影成住坏空，于是变得没那么重要。
…………

多说多错，文章误人的大多是归纳和总结，罢了不哗哗了，想说的都在故事里了。
各花入各眼，请君自采撷。

（三）

叨叨几句文字之外的事儿。

当读者就好，别当粉丝，喜欢书就好，没必要喜欢叔。

1. 我懒得给任何人当什么狗屁偶像，书是书，人是人。
别老说我和你想象的不一样，我又不是按你的想象去活的。
别老是吆喝着要给我生孩子、生猴子、生包子、生袜子……打哭你信不信？
别老问我借钱，不借就说我冷血……我只有能力帮助一部分真正需要帮助的读者。
别老逼我转发你朋友你同学你亲戚的募捐微博，不转还骂我……我的读者大多是穷孩子，我并没有权利煽动他们去散自己微薄的生活费。
别老指责我不回复你的微博私信，5年来你们的每一条微博留言和@我都会看，但并没有精力每条@都回复，也并未承诺过看每条私信，我也要吃饭睡觉啊我的哥。
…………
别老把你的道德上限等同于我的道德底线，你简简单单地只把我当个文氓就行，优点一定没你多，缺点一定比你多。
你干脆把我当个浑蛋好吗，这样大家相处起来也就都轻松了呵呵呵。

2. 我拿起话筒是主持人，拿起吉他是歌手，拿起笔是作者，拿起酒瓶就只是个酒吧老板，每一个世界都是独立的。
平行世界多元生活，在哪个世界就扮演好哪个世界的角色，不能乱套，不能寄生。

所以，别老问我为什么在当主持人时不提旅行，为什么在酒吧里不跟人合影、不给人签名，三个字：不乐意。打哭你信不信？

3. 百城百校音乐会，迄今累积近千场，纯公益，目的是回馈读者，没有一场收过费。

我本人并不出席"百城百校免费音乐会"，只负责组织和发起，并掏稿费当经费、当好后勤。

别老质问我为什么不在免费音乐会上出现，这活动的主角是小屋收留的几十个歌手，不应该是我，也不会是我，谢谢。

4. 始终弘扬的是出世与入世的平衡，从不鼓励偏执的生活：

比如，一门心思地追求世俗意义上的成功，把朝九晚五当标准答案，乃至唯一答案。

比如，一门心思地玩放弃，盲目地辞职、退学去流浪。

健全的人生理应是多元的人生、多项选择的人生——先认真体验，再负责地选择。

没有任何一种生活方式是天然带有原罪的，但任何一种长期单一模式的生活，都是在对自己犯罪，明知有多项选择的权利却不去主张，那更是错上加错。

人生哪里是非黑即白那么简单？

人的幸福确实不能仅从物质福利中获得满足，但良好的物质条件无疑为精神生活提供了良好条件，为什么要不屑于平衡好二者的关系呢？

如果真牛×的话，别只用一只眼睛看世界，也别动不动就玩儿放弃，须知，面对生活二字时，你有权利做多项选择，更有义务去平衡好你的生活。

请容我再再再次重复一遍我的价值观（狂敲黑板）——

平行世界，多元生活，既可以朝九晚五，又能够浪迹天涯。

（四）

从冬天到春天到夏天，从北极到江南到巴蜀再到东南沿海，这本书终于写完。

书中的主人公们，依旧各自修行在自己的江湖里，各安天命，从容生长。

老兵刚刚扑灭一场大火，再度死里逃生。

老潘刚在八廓街新开了一家书店，我被化了缘。

新婚宴尔的乔一发来一箩筐新作，白玛列珠此刻正在小屋上班。

大洋在东北，陪着妈妈买菜做饭，莉莉和九九经常隔着半个地球找我聊天扯淡。

大梦和雪师父跟着铁成去开始了他们的大篷车蜜月。

蠢子请了长假，去陪着小蓝，会好起来吗？会好起来的小蓝……

他们的故事，永不应翻刻成你的故事。

同理，我笔下的故事桥段，与你脚下的人生也无关。

自己尝试，自己选择吧，先尝试，再选择，认准方向后，作死地撑住，边撑边掌握平衡。

不要怕，大胆迈出第一步就好，没必要按着别人的脚印走，也没必要跑给别人看。

会摔吗？会的，而且不止摔一次。

会走错吗？当然会，一定会，而且不止走错一次。

那为什么还要走呢？

因为生命应该用来体验和发现，到死之前，我们都是需要发育的孩子。

因为尝试和选择这四个字，这是年轻的你理所应当的权利。

因为疼痛总比苍白好，总比遗憾好，总比无病呻吟的平淡是真要好得多得多。

因为对年轻人而言，没有比认认真真地去"犯错"更酷更有意义的事情了。

别怕痛和错，不去经历这一切，你如何能获得那份内心丰盈而强大的力量？

喂，若你还算年轻，若身旁这个世界不是你想要的，你敢不敢沸腾一下血液，可不可以绑紧鞋带重新上路，敢不敢勇敢一点儿面对自己，去寻觅那些能让自己内心强大的力量？

这个问题留给你自己吧。

愿你知行合一，愿你能心安。

愿这一声"我不"，能助你涉川。

…………

最后，谢谢你买我的书，并有耐心读它。

谢谢你们允许我陪着你们长大，也谢谢你们乐意陪着我变老。

期待相见，期待你的读后感：

可否把你的读后感发到各大电商网站自营店的书评区？每一篇我都会读。

如果可以，别买盗版，买盗版考不上研。

（五）

百年修得同船渡，与君书聚一场，仿如共舟，感恩诸君伴我桴浮于海。

岁月失语，唯桨能言，这艘穿越了南冰洋又颠沛过北冰洋的小舢板再度靠岸。

海天在望，不尽依依。
团团一揖，就此拜别。
有缘再聚吧少侠，速速登岸，追风赶月莫停留，平芜尽处是春山。

不送，莫问何日再相见。

大冰

2017年夏·伦敦

注释

1 粗话口头禅。

2 花了很多钱。

3 拐棍。

4 从波密到墨脱公路的地段专用名。

5 好好学习。

6 快别说了。

7 脚丫。

8 茧子。

9 不用对我说谢谢，那都是不存在的，这些钱本就是你应得的。

10 姐姐。

11 梅里雪山主峰，藏区八大神山之首。

12 叫什么名字。

13 一模一样。

14 不错不错。

15 摩梭人的语气助词。

16 形容人没见过世面。

17 那个。

18 话都不会说了。

19 麻辣兔头。

20 去。

21 意即一耳光、一巴掌。

22 网络用语，"怪叔叔"，指有萝莉情结的中年男子。

23 中国城。

24 法式香吻。

25 指东北老雪花啤酒。

26 完蛋。

27 泛指社会哥、打手等人物。

28 指道上混的。

29 胡扯。

30 骂人的话。

31 骂人的话，形容软弱无能的人。

32 缺德样。

33 大耳光，一般打在后脖子和后脑袋上。

34 干啥。

35 收拾。

36 形容有个性、有血性，很厉害。

37 恶心。

38 下午好。

39 指傻，疯。

40 指麻利，赶快。

41 没事。

42 指咯咯笑。

43 孩子，你们都爱吃饺子啊？都爱吃啥馅儿的呀？唉呀猪肉茴香的爱吃不？

44　这里面还有咱东北人呢，一口一个老姨地喊我，咋这么懂事儿呢。

45　你小时候那会儿。

46　语气词。

47　指地道，厉害。

48　指洋葱。

49　你上乌鲁木齐看一下，哎呀，这里的丫头子，全都好得很嘛。

50　指聊天、闲聊、瞎说。

51　指给力。

52　待见。

53　迷。

54　卖点广告。

55　朋友。

56　搭档。

57　指公平、公正，守规矩、讲道理。

58　小姑娘。

59　老老实实。

60　这孩子。

61　睡。

62　指拉屎。

63　我正打孩子呢。

64　指钱。

65　好可怜。

66　好呢。

67　非常好。

68　啥人。

69　牛×。

70　指脑子进水。

71　NBA标语，我喜欢这个游戏。

72　你这是干啥。

73　超好看。

74　上海小女人。

75　爽得很。

76　超级好看。

PS. 大冰这家伙写文章酷爱用各种方言和少数民族语言。我们也很烦，大家
　　凑合着看。

像是蒙太奇剪辑一样，画面忽然变了，不知从哪儿滑过来两个洋娃娃一样的挪威少女，好奇地围着大梦转圈圈，带他溜冰带他飞。少顷，两个少女笑着伸出手，一左一右攥紧大梦的手，……

两个挪威姑娘临走时轮流弯下腰，轻轻地吻了大梦的额头。
……斯堪的纳维亚少女之吻，一定像花瓣一样轻盈。

我们把大梦连人带车抬上冰面，
然后笑着撤离。
起初他僵了一会儿，接着试探着摇动轮椅，
慢慢地往手上加力气……